KB077127

주역사주

간지역학원론
(上)

이산 박규선
철학박사

주역사주연구원

干支易學原論

주역사주

이산 박규선 지음

간지역학원론(上)

발 행 | 2024 년 8 월 5 일
저 자 | 이산 박규선
펴낸이 | 한건희
펴낸곳 | 주식회사 부크크
출판사등록 | 2014.07.15(제 2014-16 호)
주 소 | 서울특별시 금천구 가산디지털 1 로 119 SK 트윈타워 A 동 305 호
전 화 | 1670-8316
이메일 | info@bookk.co.kr

ISBN | 979-11-410-9830-8

www.bookk.co.kr

목차

머리말 ……………………………………………………………… 11

프롤로그 …………………………………………………………… 13

천부경 ……………………………………………………………… 18

1. 명리의 시작 ……………………………………………………… 21

2. 무극 ……………………………………………………………… 24

3. 태극 ……………………………………………………………… 26

    3.1.   태극

    3.2.   음양이기, 만물의 동력원

    3.3.   태극이 펼쳐내는 천지인

    3.4.   참여하는 우주, 환존

4. 오행 ……………………………………………………………… 37

    4.1.   오행

    4.2.   오행의 분화

    4.3.   하도·낙서로 이해하는 오행의 원리: 상생과 상극

    4.4.   자연현상으로 이해하는 오행의 원리

    4.5.   주역으로 이해하는 오행의 원리

    4.6.   오행과 지구역(문왕팔괘)의 이해

    4.7.   오행의 의미

    4.8.   오행과 팔괘의 성질

    4.9.   복희팔괘의 이해

    4.10.   음양오행과 사주팔자

5. 간지 ……………………………………………………………… 81

    5.1.   간지는 일월오성의 기운이 내재된 문자

    5.2.   문왕팔괘와 천간

5.3. 지지는 사계절이 발생시키는 조후(한난조습)

5.4. 지지와 지장간 정기

5.5. 음양(2)과 오행(5)이 천간(10)을 펼쳐내다.

5.6. 천간지지로 표현하는 오행의 내적원리와 외적현상

5.7. 재천성상 재지성형

5.8. 음양으로 보는 천간의 기질론

5.9. 사주팔자의 구조

6. 오행과 간지 ·······································98

6.1. 간지(干支)의 음양오행

6.1.1. 천간(天干)의 음양오행

6.1.2. 지지의 음양오행기운(조후)

6.1.3. 음양과 간지

6.2. 오행이 만들어 내는 시공(時空)

6.2.1. 천문

6.2.2. 지리

6.2.3. 인문

7. 천간 ··104

7.1. 팔괘와 천간의 상관성에 관한 고찰

7.2. 부호와 문자

7.3. 팔괘와 천간의 통섭

7.4. 천간

7.4.1. 갑목

7.4.2. 을목

7.4.3. 병화

7.4.4. 정화

7.4.5. 무토와 기토

7.4.6. 경금

7.4.7. 신금

7.4.8. 임수

7.4.9. 계수

8. 지지···139

8.1. 지지와 지장간 정기

8.2. 자연과학적 시간과 인문철학적 시간의 이해

8.3. 지지

8.3.1. 자

8.3.2. 축

8.3.3. 인

8.3.4. 묘

8.3.5. 진

8.3.6. 사

8.3.7. 오

8.3.8. 미

8.3.9. 신

8.3.10. 유

8.3.11. 술

8.3.12. 해

9. 지장간···161

9.1. 지장간의 원리

9.2. 지지와 지장간의 관계

9.3. 생왕묘의 삼합

9.4. 생왕묘의 이해

9.4.1. 사생지-인신사해

    9.4.2. 　사왕지-자오묘유

    9.4.3. 　사고지-진술축미

  9.5. 　　지장간의 해석

10. 십이운성··190

  10.1. 　순행(상생)과 역행(상극)의 원리

  10.2. 　십이운성의 순환

  10.3. 　목의 생멸

  10.4. 　화의 생멸

  10.5. 　금의 생멸

  10.6. 　수의 생멸

  10.7. 　화토동근

  10.8. 　토는 목화금수의 모태

11. 십이운성의 순환원리·······························216

12. 삼합과 십이운성의 포태원리·····················220

  12.1. 　천지인 삼합과 생왕묘

  12.2. 　삼합과 생왕묘 심층분석

13. 십이운성의 순행과 역행의 논리적 이해···········233

  13.1. 　양간과 음간의 십이운성

  13.2. 　순행과 역행의 논리적 이해

  13.3. 　생과 사가 서로 반대인 까닭(갑을)

14. 십이운성의 의미··································245

  14.1. 　절

  14.2. 　태

  14.3. 　양

  14.4. 　생

  14.5. 　욕

14.6. 대

14.7. 록

14.8. 왕

14.9. 쇠

14.10. 병

14.11. 사

14.12. 묘

15. 십신···261

15.1. 십신이란

15.2. 오행의 생극제화를 통한 십신작용

15.3. 천간오행의 십신 도출

15.4. 십신의 이해

15.5.

  15.5.1. 비겁의 작용

  15.5.2. 식상의 작용

  15.5.3. 재성의 작용

  15.5.4. 관성의 작용

  15.5.5. 인성의 작용

16. 육친···283

16.1. 남명(양)

16.2. 여명(음)

16.3. 육친의 생극 원리

17. 근묘화실···287

17.1. 근

17.2. 묘

17.3. 화

17.4.   실

18. 합충의 운용……………………………………………294

  18.1.   천간의 합충

  19.1.1 천간합

  19.1.2 천간충

  19.2   지지합충

   19.2.1. 삼합

  19.1.2 방합

  19.1.3 육합

  19.1.4 충

  19.1.5 형

  19.1.6 파

  19.1.7 해

19. 대운의 운용………………………………………329

  19.1.   운(運)

  19.2.   대운의 흐름

  19.3.   대운과 세운의 해석원리

  참고문헌……………………………………………… 341

머리말

세상의 대부분의 학문은 시공간적 한계 속에서 생로병사를 순환하며 존재하는 인간이 불확실한 삶의 변화를 예측하고자 함을 목적으로 한다고 할 수 있다. 기존의 경험칙에 통계를 내고 논리성을 부여함으로써 내일의 불확정성을 확률적으로 예측한다. 경제학, 경영학 등 대부분의 학문이 그렇다.

인간의 인생 행로를 예측할 수 있을까? 우리에게는 무속적 신앙을 통해 무당의 입을 빌려 내일을 예측하는 방법밖에 없을까? 아니면 본적도 없는 신에게 모든 해답을 맡기고 의존하는 것이 옳은 일일까? 지구 상에서 수천년을 살아오며 인간은 자신의 삶을 통계 낸 적이 없을 뿐 더러 통계를 낸다는 것도 사실상 불가능하다. 시공간적 한계 속에서 생로병사를 거듭하며 개개인마다 살아가는 복잡다단한 삶의 양태를 어떻게 통계를 내고 논리성을 부여한단 말인가?

그렇다고 해서 만물의 영장이라고 자부하는 인간이 막연히 강물 위를 떠가는 나뭇잎처럼 삶을 표류하기에는 너무 이성적이고 지혜롭다.

우리는 과학적으로 증명이 되지 않은 미지의 영역을 종교적 테두리를 쳐서 신(神)으로 둔갑시키는데 익숙하다. 예수가 바다 위를 걸은 것을 기적으로 신앙하면서도 지구 반대편에 사는 사람과 영상 통화하는 것은 당연시한다. 만일 예수 시대 사람에게 영상통화를 하게한다면 어떤 일이 벌어질까? AI 신인류가 그들 앞에 나타난다면 아마도 AI는 그들의 신으로 등극하게 될 지도 모른다. 우리는 눈 앞에서 벌어지고 있는 과학이 만들어낸 기적 같은 수많은 사건들을 너무나도 당연시한다.

무지는 종교의 탈을 쓰고 우리의 눈앞에서 신으로 둔갑한다. 귀신이란 믿는 자에게 나타나는 믿음의 영역이라 할 수 있다. 신비는 신의 이름으로 포장되어 종교라는 논리적 틀을 걸치고 우리 앞에 나타난다. 그러나 신비가 과학으로 증명되면 신비는 기적이 아닌 물리적 현상이 된다. 우주 삼라만상 중에 그 어느 것도 물리법칙을 벗어나는 것은 없다. 귀신이 존재한다면 아마도 그역시 물리법칙 안에서 존재하는 물리체에 불과할 것이다.

인간은 다른 동식물과 마찬가지로 자연의 일부에 불과하다. 춘하추동 사계절의 순환을 따라 생로병사를 거듭하는 존재일 따름이다.

사시순환의 이치를 밝혀 천간(天干)과 지지(地支)라는 문자로 논리화된 사주 명리학은 인간이 현세에 태어난 생년월일시를 간지로 전환한다. 즉, 생년월일시를 간지(干支)로 전환함으로써 자연의 일부인 개개인의 특성을 문자로 표상한 것이 사주팔자(四柱八字)이다. 우리는 사주 여덟 글자를 분석함으로써 자연으로서의 인간의 특성을 판단할 수가 있다.

태어난 날 이래, 시간은 흐르고 공간은 변해간다. 저마다 태어날 때부터 가지고 있는 사주 여덟 글자를 변화해가는 시공간에 대입함으로써 우리는 개인의 과거와 미래를 확률적으로 판단할 수 있다. 사주 명리학은 천간과 지지로 표현한 자연학이자 인간학이다. 공자님은 『주역』「계사전」에서 "易與天地準역여천지준"이라고 하여 역(易)은 천지 만물을 준거하여 만들었음을 밝히고 있다.

보이지 않는 근원에서 작용하는 음양은 오행생극 시스템에 의해 현상의 세계에서 상(象)과 문자(文字)로 드러난다. 상은 『주역』 팔괘(八卦)가 담당하고, 문자는 천간(天干)이 담당한다. 그러므로 천간을 기반으로 구성된 사주팔자는 음양이라는 근원을 함께 공유하고 있는 『주역』 팔괘를 만날 때 비로소 완전체를 이룬다. 본서는 만물의 근원에서 작용하는 음양을 탐구한 양자물리학, 그리고 음양이 상으로 표상된 『주역』의 팔괘(八卦), 문자로 표현된 사주 명리학이 함께 어우러져 길흉의 해석을 넘어 지적 갈증의 해소라는 지식을 선물한다. 그리고 사주팔자는 개인의 자유의지 발현에 따라 얼마든지 변화시켜 나갈 수 있다는 사주 디자이너의 개념을 도입하여 설명한다.

프롤로그

    인간(物)은 사시(四時)를 순환하는 변화의 과정 속에서 사계절의 영향을 받으며 살아간다. 사주팔자를 연구하는 명리학은 생로병사(生老病死), 생장성쇠(生長盛衰), 생장수장(生長收藏)의 이치를 밝혀 순환의 고리 속에서 윤회하고 있는 나의 존재를 확인하고자 하는 학문이다. 명리(命理)는 지구가 순환하는 이치를 음양과 오행을 통해 내적 원리를 밝히고, 천간과 지지로 인문학적 이치를 드러내어 그 속에서 살아가고 있는 인간의 인사적인 길흉을 알아내고자 하는 노력의 산물이다. 시공(時空)이라는 장벽에 갇혀 생로병사의 사슬에 묶여 있는 존재로서 사색과 탐구를 통하여 존재의 의미를 궁구하는 도구로서 명리학은 더할 나위 없는 훌륭한 공부라 할 수 있다. 그러나 단순히 추명의 수단에 그쳐 개인의 길흉화복에 활용하는 술수적 도구로만 인식한다면 술사들의 언어유희와 그들 만의 혹세무민하는 도구가 될 수도 있다. 사주명리학은 지구가 사시를 순환하고 이에 순응하며 생로병사를 거듭하는 존재로서의 인간의 이치를 탐구하는 학문이니, 그 깊이를 더한다면 홀로선 존재로서의 나를 각(覺)할 수 있을 것이다.

    음양오행이 지구순환의 내적 원리라면, 그것이 펼쳐낸 천간(天干)은 외적 결과로서 인사적인 문제에 간여한다. 천간은 십신(十神)으로 표현되어 지구가 사시를 순환하며 인간에게 영향을 미치는 인사적인 문제를 밝힌다. 지지(地支)는 지구가 사시를 순환하며 계절이 변화하는 과정을 시공간(時空間)으로 표현한 개념이다. 그러므로 천간과 지지가 서로 만난다는 것은 내가 지금 어디쯤 서있는 것인지, 어느 과정 속에서 어떤 영향을 받으며 살아가고 있는 것인지, 앞으로 어떻게 살아가는 것이 좋을지를 파악할 수 있게 한다.

    사주명리는 단순히 인간의 명을 추론하고 길흉을 알고자 하는 학문이기전에 지구의 사시순환을 원리적이고 철학적으로 궁리(窮理)하는 학문이다. 사주명리는 지구가 생장수장(生長收藏), 흥망성쇠(興亡盛衰)로 순환하는 이치에 음양과 오행이라는 형이상학적 원리를 도입하고, 이를 간지(干支)라는 현실적 개념으로 전화(轉化)하여 인간에게 적용, 길흉화복을 판단하는 이론이다.

간지는 단순히 나열된 용어가 아니라 글자 하나하나가 깊은 의미를 가지고 있다. 천간은 지구의 순환을 표현한 『주역』의 후천 문왕팔괘에 대입되어 그 뜻을 부여받는다. 예를 들어 천간 甲은 震☳(木)의 성질을 갖고 있다. 그러므로 木의 성질을 부여받게 된다. 지구의 12개월간의 순환을 표시하는 12지지 중의 하나인 寅은 지장간에 천간 甲木이 들어오게 됨으로써 木의 성질을 부여받는다. 인궁(寅宮)의 지장간에는 己丙甲이라는 3개의 천간이 들어있으므로 寅은 단순히 甲木의 성질만이 아니라 복합적인 성질을 띠게 된다. 이러한 과정을 통해 천간과 지지는 인문 철학적인 의미를 부여받는다.

지장간은 하늘을 유행하는 천간이 땅의 환경(지지)을 만나면서 지지궁에 들어가 현실적으로 작용하는 기운이다. 天氣(天干)와 地氣(地支)가 작용하여 생한 만물로서 인(人)이 된다. 지장간은 지구가 자전하며 태양을 공전하는 순환과정을 인문학적으로 분석한다. 지장간의 원리를 통해 사시순환의 흐름이 어떤 과정을 통해 지구 위를 살아가는 인간에게 영향을 주고받는지를 규명한다.

우주삼라만상은 시간의 흐름에 따라 생장수장의 이법(理法)으로 흥망성쇠, 생로병사를 끝없이 순환한다. 사시의 순환은 12지지로 나누어 그 계절을 분류한다. 그리고 그 계절의 영향을 받으며 생로병사를 겪는 인생의 순환과정을 12운성이라는 기(氣)의 파동에 대입한다. 12운성은 생멸을 반복하는 생명의 흐름을 12궁에 대입하여 인사(人事)를 추명하는 방식이다. 지장간의 순환원리는 생왕사절(生旺死絶)이라는 12운성의 순환과 맞물려 돌아간다.

▷ 12운성의 파동과 순환

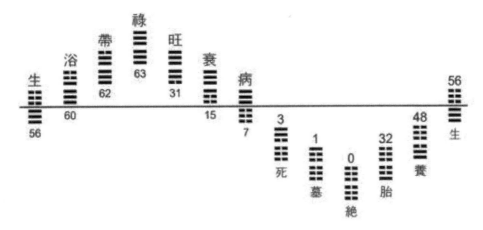

生	浴	帶	祿	旺	衰	病	死	墓	絶	胎	養
寅	卯	辰	巳	午	未	申	酉	戌	亥	子	丑

12지지와 12운성의 순환/火오행 기준

지지(地支)는 12개월이라는 시간의 변화를 표현하며, 춘하추동 사계를 통해 12운성이라는 생장수장의 시간표를 만든다. 만물은 타고난 명국(命局)이라는 탑승권을 가지고 인생운행시간표에 의해 12운성을 따라 흘러가는 배에 올라타 12단계 변화의 과정을 거쳐간다. 그 과정 속에서 생극제화(生剋制化)와 합충형파해(合衝刑波害)라는 수많은 파도를 만나게 된다.

음양(陰陽)이 사상(四象)으로 펼쳐지고, 중앙의 오토(五土)가 음양작용으로 사상을 돌려 10천간(天干)을 펼쳐낸다. 천간은 지구의 순환시간표인 지지를 만나 상호작용한다. 천간과 지지는 음양오행의 내적작용으로 펼쳐진 외적결과물로서 음양과 오행의 성질을 기본적으로 품고 있다. 작용이란 천간과 지지가 음양오행의 상호작용으로 상생과 상극을 통하여 그 의미를 펼쳐내는 것을 말한다. 그러므로 인간은 지구상에 생명을 드러낼 때 기본적으로 천간과 지지를 부여받으며, 음양과 오행의 상호작용이라는 원리 속에 들어가게 된다. 이 간지(干支)의 상호작용을 통하여 자연의 일부로서 개개인을 분석하고자 하는 것이 바로 여덟 글자로 표현된 사주명리학(四柱命理學)의 목적인 것이다.

일간(나)을 중심으로 펼쳐진 천간과 지지 여덟 글자는 음양오행의 편재 또는 편중을 통해서 중화를 이루기 위한 상호작용을 통해 일간인 내가 생존하기위한 최적의 환경을 만들어내고자 사용하는 도구라 할 수 있다. 즉, 팔자(八字)는 나를 구성하는 기운을 문자로 시각화한 것으로서 일생을 통하여 내가 사용하여야 할 생존 인자(因子)인 셈이다.

우주의 생성과 순환, 그리고 만물의 변화에 대한 정보를 함축하여 저장하고 있는 천간, 지지, 지장간, 12운성 등은 서로 지기(至氣)의 그물망으로 연결되어 개인이라는 통일체를 형성한다. 하나의 개인은 수많은 정보가 복합된 존재이지만 매우 정밀하게 시스템화된 하나의 프로세스와 같다. 그러므로 정보를 함유하고 있는 8개의 문자가 서로 관계를 맺고 있는 각각의 위치에서 상호작용을 통해 정보를 교환하면서 일어나는 갖가지 사건들의 가능태를 조합하여 정보를 취합 분석하는 것이 사주팔자(四柱八字)로 구성된 사주명리학의 본질이라 할 수 있다.

　사주명리학은 거친 자연 앞에 서있는 인간이 자신이 누구인지, 지구의 시공간 속에서 자신의 좌표가 어디인지, 그리고 스스로의 길을 탐색해 나갈 수 있도록 안내하는 내비게이션, 즉 [운명학 개론서]이라 할 수 있다.

　인간은 생로병사라는 정해진 틀 속에서 12地支의 흐름을 따라 12運星이라는 출렁이는 배를 타고 망망대해로 나아가는 존재이다. 캄캄한 바다 속 거친 풍랑에 올라 배의 방향키를 움켜쥔 나 자신을 보라. 운명의 키잡이는 스스로 쥐라. 남에게 맡기지 마라.

　태어나는 순간 부여된 우주 부호(符號)인 천간과 지지를 제대로 이해할 수만 있다면 나는 지금 어디쯤 가고 있는 것인지, 어떻게 나아가는 것이 현명한 선택인지를 알 수 있으리라.

　명리(命理)를 탐구하는 것은 명리(明理)를 궁구(窮究)하는 것이다. 한치 앞도 보이지 않는 캄캄한 인생이라는 바다, 거친 파도 위에서 한줄기 빛을 만나는 것이다.

2024년7월

이산 박규선
철학박사

천부경(天符經)

一始無始一析三極無盡本

일시무시일석삼극무진본

하나(一)가 시작되다.

무(無)에서 시작하는 하나(一)로서 天(陽) 地(陰) 人(中) 삼극을 포태하다.

하나에서 시작하지만 시작이 없는 무궁이며,

그 하나(一)에서 天地人 삼극이 나오지만 근본은 다함이 없다.

天一一 地一二 人一三

천일일 지일이 인일삼

天은 하나(一)로서 一이 되고,

地는 하나(一)로서 二가 되며,

人은 하나(一)로서 三이 된다.

一積十鉅無匱化三

일적십거무궤화삼

하나(一)에서 시작하여 완성(十)으로 나아가니

이는 무(無)에서 궤匱(태극)가 열려 다함 없이 만물(三)로 화(化)함이라.

18

天二三 地二三 人二三

천이삼 지이삼 인이삼

天一은 음양(二)의 상호작용으로 化三에 참여하고

地一도 음양(二)의 상호작용으로 化三에 참여하며

人一도 음양(二)의 상호작용으로 化三에 참여한다.

大三合六生七八九

대삼합육생칠팔구

天地人 음양(二)이 합하여 육(六)이 되도다.

天地人이 합육(合六)하니

天(一)과 작용하여 하늘(七)을 이루고,

地(二)와 작용하여 땅(八)을 이루고,

人(三)과 작용하여 만물(九)를 이룬다.

運三四成環五七一妙衍

운삼사성환오칠일묘연

삼라만상(天地人3)이 생장수장(4) 무위운행하니(用12)

땅(五황극)과 하늘(七천극)이 고리(環)를 이루어 하나(一)를 이루고(體12)

그 하나(一)에서 묘리(妙理)가 한없이 펼쳐진다.

(一妙衍)萬往萬來用變不動本

(일묘연)만왕만래용변부동본

하나(一)가 시작하여 묘리(妙理)를 한없이 펼쳐 내니
삼라만상이 가고 오며 무수히 쓰임을 달리하지만
본(本)이 되는 하나(一)는 변함이 없다.

本心本太陽 昂明 人中天地一

본심본태양 앙명 인중천지일

마음은 본디 태양처럼 광명이니
마음(本心)을 밝혀 빛(本太陽)을 이루면
人은 中이니 天地가 하나(一)된 자리라.
천지상생의 도가 인간의 존재 속에 구현되도다.
빛에 오르라. 하늘과 땅이 내 안에서 하나(一)되리라.

一終無終一

일종무종일

하나(一)에서 우주만물(三)이 비롯되고
다시 하나(一)로 돌아가니
끝이 없는 영원한 하나(一)로다.

1. 명리(命理)의 시작

태극(太極)이란 음양의 상호작용을 의미한다. 음양이 분합(分合)하여 사상(水火木金)을 펼치고, 중앙의 五土가 사상(四象)과 작용하여 팔괘(八卦)를 펼치니 천지인 우주만물이 사시(四時)를 따라 운행한다. 음양(陰陽)은 만물을 낳는 동력원이고, 오행(五行)은 음양이 작동함으로써 만물을 생화하는 내적원리이다. 음양은 만물을 살아있게 하는 생기(生氣)이며, 오행은 그 생기에 의해 생장수장(生長收藏)의 이치로써 만물을 끝없이 순환하게 하는 내적작용원리가 된다. 그러므로 천지만물을 깊이 들여다보면 그 기저에는 음과 양이 서로 부딪히며 화합하고 상호작용하면서 오행이 끊임없이 순환하며 만물을 생화하고 있음을 알 수 있다. 사주명리학은 음양오행의 작용을 통해 천간과 지지를 펼쳐 냄으로써 생로병사(生老病死)라는 운명의 수레바퀴 안에서 함께 굴러가고 있는 인간의 존재를 이해하고 파악하여 피흉추길(避凶趨吉)을 판단하고자 하는 학문이다.

無極(0) ⇨ 太極(1) ⇨ 陰陽(2) ⇨ 四象(5土) ⇨ 8괘(부호): 64괘(주역)

四時(5土) ⇨ 10천간(문자): 60갑자(명리)

無(0)에서 어떻게 有(1)가 일어날까?

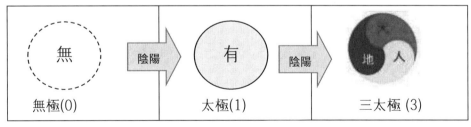

無極(0)　　　　　　　　太極(1)　　　　　　　　三太極 (3)

무(無)는 어느 순간 극(極)에 달하면서 유(有)가 된다. 무(0)에서 음양이 작용하는 순간 유(1)가 되는 것이다. 하얀 백지에 점이 생기는 것과 같으니 과학적으로 보면 무(無)에서 한 점이 폭발하면서 우주(有)가 생성하는 백뱅(bigbang)이다. 점이란 극소이면서 극대이니 무한무량(無限無量)의 개념이다. 천부경에서는 이것을 '일시무시일(一始無始一)'이라 표현하고 있다.

一始無始一析三極無盡本
일시무시일석삼극무진본

하나(一)가 시작되다. 무無에서 시작하는 하나(一)로서 天(陽) 地(陰) 人(中) 삼극三極을 포태하다. 하나에서 시작하지만 시작이 없는 무궁無窮이며, 그 하나(一)에서 天地人 삼극三極이 펼쳐 나오지만 근본은 다함이 없다.

생성론적인 관점에서 보면 '하나(1)가 시작하니, 무(0)에서 시작하는 하나(1)이다'라는 의미가 되고, 구조론적 관점에서 보면 '하나(一)가 시작되지만 시작이 없는 하나이다'라는 의미가 되어 '시작도 없고 끝도 없는 우주만물의 근원적 존재원리'로서의 '하나(一)'를 정의하고 있다.

태극(一)이란 대립인자인 음양의 상호작용을 말함이니, 무극(無)에 음양의 기운이 흐르기 시작하면서 태극(有)으로 전환된다. 무극이란 음양이 작동하지 않아 멈춰선 기계(休)이고, 태극은 음양이 작동하는 기계(動)로 비유할 수 있다. 무극(0)에 정보(理)로만 존재하던 天0地0人0의 특성이 음양(氣)이 작동함으로써 태극(一)이 되어 天一地一人一로 드러나는 것이다.

무극과 태극은 기운이 작용하느냐 작용하지 않느냐로 구분된다. 이것은 물상(物象)의 개념이 아닌 기(氣)의 형태이기 때문에 인간의 인식 범위에는 들어오지 않는다. 다만 정밀하게 스캔을 해보면, 무극은 음양의 혼일(混一)상태로서 상호작용이 없는 허(虛)가 되어 인식이 되지 않는 상태이며, 유극은 음양이 분별되어 상호작용함이 있으니 유(有)가 되어 그 기운이 인식되는 것으로 이해할 수 있다.

태극(一)은 상반된 성질의 음양(二)이 상호작용하는 기(氣)로 정의되고, 안에 품고 있는 天地人(三)이라는 정보(理)를 펼쳐내는 시원(始原)이 된다. 이것을 천부경에서는 '天二三 地二三 人二三'이라고 표현함으로써 천지인이 공동으로 우주만물의 화생작용에 참여하고 있음을 말하고 있다.

天二三 地二三 人二三
천이삼 지이삼 인이삼

天一은 음양(二)의 道로써 化三에 참여하고
地一도 음양(二)의 道로써 化三에 참여하며
人一도 음양(二)의 道로써 化三에 참여한다.

음양이 작용을 멈춘 무극은 영(0)이 되고, 음양의 작용 그 자체인 태극(太極)은 일(一)로 정의된다. 그러므로 일태극(一太極)이 품고 있는 天地人은 天一地一人一이 된다. 태극(一)은 곧 음양(二)의 작용이니, 천지인은 각각 태극(一)을 품고 있는 天二 地二 人二가 된다. 그리고 天地人은 각각 음양(二)의 작용으로 만물(三)을 펼쳐내니 天二三地二三人二三이 되는 것이다.

2. 무극(無極)

▷ 무(無)

무(無)는 절대 없음(空無)이 아닌, 묘리(妙理)로 가득 차 있으나 작용함이 없는 적연부동한 태허(太虛)를 의미한다. 즉 음양의 혼륜(渾淪)으로 상호작용이 없는 상태를 말한다. 무에서 음양(氣)이 작용하는 순간 유로 전환되는 것이니 무는 만물의 본원이라 할 수 있다. 무극은 음양의 혼륜으로 대립이 없는 상태로서 상호작용함이 없으니 에너지는 제로(0)이지만 '없음(無)' 속에는 天地人이라는 정보(理)가 내재되어 있으므로 공즉묘유(空卽妙有)라 할 수 있다. 이것을 『삼일신고 (三一神誥)』에서는 다음처럼 묘사한다.

創創非天 玄玄非天
창창비천 현현비천

푸르고 푸른 것은 하늘이 아니며
검고 검은 것이 하늘이 아니다.

天 無形質 無端倪 無上下四方
천 무형질 무단예 무상하사방

하늘은 형태도 질량도 없으며
시작과 끝이 서로 맞닿지 않으며 위 아래 사방도 없다.

虛虛空空 無不在無不容
허허공공 무부재무불용

텅 비어 있는 허공은 어디에 든 있지 않은 곳이 없고
그 무엇이든지 포용하지 않는 것이 없노라.

여기에서 하늘은 눈에 보이는 하늘이 아니다. 무극(無極)은 음양미분의 상태로서 음(--)과 양(一)이 서로 짝을 이루지 않아 상호작용함이 없으므로 작동하지 않는 허(虛)가 되고, 에너지의 작용이 없으니 공(空)이다. 분리되지 않은 하나(一), 피아가 구별되지 않는 절대계로 이(理)가 된다. '없음(無)'이지만 만물이 터져 나오는 본원(本源)으로서 '진공즉묘유(眞空卽妙有)'라 할 수 있다.

▷무극(無極)
  -없음(無), 음양미분(陰陽未分)의 절대계(理)
  -절대 없음(空無)이 아닌 진공즉묘유(眞空卽妙有)의 세계
  -무형(無形)의 영역, 태허(太虛)
  -무극은 음(--)과 양(一)이 짝을 이루지 않아 상호작용이 없으므로 에너지의 작용은 제로(0)가 된다.
  -무극에는 천지인(DNA)이 '정보적 속성(理)'으로 존재한다.

3. 태극(太極)

3.1 태극

무극(無)에서 하나(一)가 시작(始)되니 비로소 태극(有)이다. 우주 삼라만상(三)은 궁극인 하나(一)에서 비롯된다. 태극(一)은 천지인 삼극의 속성을 내포하나 근본은 하나(一)로서 다함이 없다.

一始無始一析三極無盡本
일시무시일석삼극무진본

하나(一)가 시작되다. 무無에서 시작하는 하나(一)로서 天(陽) 地(陰) 人(中) 삼극三極을 포태하다. 하나에서 시작하지만 시작이 없는 무궁無窮이며, 그 하나(一)에서 天地人 삼극三極이 나오지만 근본은 다함이 없도다.

천부경

무극이란 음과 양이 서로 작용을 하지 않는 상태를 의미한다(一終). 어느 순간 기운이 극에 달하면서 음양(--, 一)이 짝을 이루어 상호작용을 시작하니 비로소 태극이 된다(一始). 무극이 작용함이 없어 0이라면, 태극은 1이다. 완전한 균형과 조화를 이루고 있던 무극에서 음양의 대소·장단·강약(大小·長短·强弱)의 미묘한 차이가 발생하면서 음양이 상호작용을 시작한다. 이것을 『주역』「계사전」에서는 "강유가 서로 밀고 당기는 상호작용을 통해 변화를 일군다(剛柔相推而生變化)"라고 표현하고 있다. 무(無)가 음양이 혼륜된 무질서(chaos)라면 유(有)는 음양으로 나뉘어 작용하는 태극으로서 질서(cosmos)

를 의미한다. 질서는 곧 생명을 말한다. 무질서(0)에서 질서(1)가 나오고 질서는 붕괴되어 다시 무질서해지며 한없이 만왕만래하며 순환하니, 천부경에서는 질서의 발생을 "一始無始一"이라 했고 또한 만물의 순환을 "一妙衍萬往萬來用變不動本"이라 표현하고 있다.

無極	太極
0	1
無	有
靜	動
終	始
理	氣
혼돈 (CHAOS)	질서 (COSMOS)

(一妙衍)萬往萬來用變不動本
(일묘연)만왕만래용변부동본

하나(一)가 시작하여 묘리妙理를 한없이 펼쳐 내고,
삼라만상은 가고 오며 무수히 쓰임을 달리하지만
본(本)이 되는 하나(一)는 변함이 없도다.   /천부경

　하얀 백지(無) 위에 점(1)을 찍으니 有가 된다. 無(0)에서 有(1)로 전환되는 것이니, 점이란 개념상 정의일 뿐이니, 그 크기는 무한무량(無限無量)하며 극소이면서 또한 극대의 개념이라 할 수 있다.

▷유(有)

▷태극(太極)

-있음(有), 음양으로 구분되는 상대계(氣)

-유형(有形)의 영역, 태극(太極)

-태극은 음(--)과 양(—)이 짝을 이루어 상호작용을 통해 변화(中)를 지향하니 에너지의 작용은 1로 표현된다. 음양의 작용이 곧 태극(1)이며, 태극은 음양의 상호작용에 의해 천지인(天一地一人一) 삼극의 속성을 발현시킨다. 상반된 속성의 대립적인 음양이기(陰陽二氣)가 상호작용함으로써 천지인의 속성이 발현되는 것이다.

-天地人은 음양의 상호작용에 의해 발현되는 것이므로 천지인(天一地一人一)은 그 자체에 각각 음양(二)의 성질을 품고 있다(天二地二人二). 그러므로 우주만물(三)은 음양(二)의 성질을 내포하고 있으며 만물 속의 음양은 만물이 살아있게 하는 생기(生氣)가 된다. 노자의 도덕경에서는 이를 "二生三 三生萬物"으로 표현하고, 천부경은 "天二三 地二三 人二三"이라고 표현하고 있다.

-음양은 만물 속에 내재되어 있는 생기(生氣)로서 천지인 만물을 발현시키는 동력이다. 그러므로 음양(二)이 상호작용을 멈추면 물질(三)은 생명(一) 작용을 멈추게 된다.

낮은 밤이 있으므로 상호 관계를 맺으며 하나로써 존재하고, 남(男)은 여

(女)가 있어야 영속성을 가지며 존재한다. 모든 사물은 상호 대립하면서도 상호보완적 대대(對待) 관계를 맺고 있다. 만물의 근원인 음양은 대립하면서도 상대가 없으면 나도 존재할 수 없는 상보적 관계로서 양의 존재 근거는 바로 음이며, 음의 존재 근거는 바로 양이 된다. 대대(對待)란 독립적으로는 의미가 없고 '상대를 자기 존재성을 확보하기 위한 필수적인 전제조건으로 요구하는 상호관계'를 의미한다. 대대관계의 두 주체인 음과 양이 상호조화를 향해 끊임없이 진퇴하는 과정이 곧 생명의 생성과 소멸의 순환 원리가 된다.

무(無)에서 홀연히 있음(有)이 시작되니 태극(太極)이다.

무극(0)에서 홀연히 결정結晶(bigbang)이 시작되니 태극(1)이다. 태극은 있음으로 유극(有極)이며, 무극은 공간(天)도 없고 시간(地)도 없는 無(0)이지만 만물(人)이 펼쳐 나오는 태극(1)의 본바탕이다. 그러므로 무극은 절대무(絶對無)가 아닌 유극의 상대적 개념으로서 진공묘유(眞空妙有)라 할 수 있다. 무극은 0이니, 수학적으로 설명하면 {0}=1이 되며, 無極(0)=太極(1)으로 이해될 수 있다. 따라서 무극이 곧 태극이며 공즉묘유이니, 세상만사 공즉시색(空卽是色)이요, 색즉시공(色卽是空)이로다.

태극은 대립적인 성질의 음(陰)과 양(陽)으로 나뉘어 상대적으로 상호작용하는 세계를 말한다. 태극음양도는 상반된 성질의 음과 양이 상호보완적 관계를 맺으며 강유상추(剛柔相推)하는 원리를 보여준다. 극미의 세계이든, 그것이 펼쳐진 현상의 세계이든 만물은 상대가 없으면 나도 존재할 수 없는 상대적이면서도 상보적인 상호관계성(關係性)으로 존재하고 있는 것이다.

태극은 음양이 작동하는 상대계이다. 네가 있으므로 내가 있다. 모든 만물은 상대적으로 존재하며, 인식의 상대성이 없다면 개체는 존재할 수 없다.

태극은 만물을 작동시키는 생명지기(生命至氣)의 본원으로서 기(氣)가 된다. 만물은 음양이라는 생기(生氣)로써 존재하며 생장수장(生長收藏)의 이치로 생멸을 거듭한다. 음양의 상호작용으로 인하여 만물은 상대성으로 존재하며, 그러므로 상대가 없으면 나도 존재할 수 없는 상호의존적 관계를 맺고 있다. 음양은 만물의 생기가 되므로 음양이 무너지면 만물은 소멸한다. 음양은 만물을 작동시키는 동력원이니, 그러므로 음양이 작용하지 않으면 만물은 생명력을 잃고 소멸하게 되는 것이다.

음양이 분합하면 사상(四象)이 되고, 중앙에서 5土가 4상(象)을 돌리니 오행(五行)이 된다. 사상은 목화금수(木火金水)의 성질로 분류되고, 중앙은 목화금수의 기운이 하나로 버무려진 토(土)가 되어 사상을 돌리는 황극이 된다.

음양은 상호작용을 통해 다섯 가지의 유형으로 구분된다. 즉 오행은 음양이 작동하여 팔괘라는 만물의 극성을 생성시키는 중간 장치로 이해할 수 있다. 그러므로 오행은 태극이 품고 있는 천지인(DNA)을 우주에 팔괘(八卦)라는 여덟 가지 형태로 펼쳐 놓는 내적원리가 된다.

음양이 작용하는 오행은 상생과 상극이라는 작용원리로써 천지인을 생성시킨다. 그러므로 천지인 만물은 오행생극의 작용에 따라 생화(生化)됨으로써 목화토금수 오행의 형질(形質)을 품게 되는 것이다.

음양은 만물(천지인)을 생화하는 生氣(동력원)이고
오행은 만물(8괘)을 생극(生剋)의 이치로써 작용시키는 순환원리이다.
만물은 음양(생기)이 없으면 소멸되고,
오행은 생극(生剋)하지 않으면 형질(形質)을 드러내지 못한다.

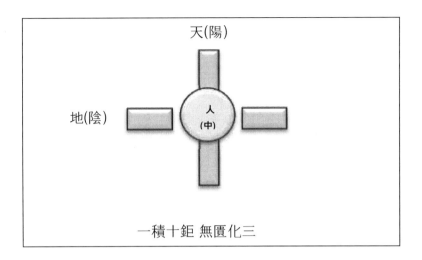

一積十鉅 無匱化三

　모든 수는 하나(一)가 바탕이 되며, 하나(一)가 쌓여 이루어진다(一積十鉅 일적십거). 만물은 하나(一)라는 기본수가 쌓이고 쌓여 완성(十)되는 것이니 모든 만물에는 하나(一)가 내재되어 있다(天一地一人一). 천지만물에 편재되어 있는 우주에너지는 일체로서 하나(一)를 의미하니, 하나(一)가 만물을 돌려 생장수장(生長收藏)의 이치로써 우주 삼라만상을 순환시키는 것이다.

3.2 음양이기(陰陽二氣), 만물의 동력원

음양이 작용을 시작하면 무극(無極)은 유극(有極)으로 전환된다. 무극은 절대 없음이 아닌 공즉묘유(空卽妙有)로서 분리되지 않은 절대계이다. 유극(태극)은 있음이니, 음과 양이라는 상대가 전제됨으로써 존재하는 상대계를 의미한다.

음양은 무극이라는 정지된 장치를 돌리는 동력원이다. 무극은 없음이나 만물의 본바탕으로서 묘유(妙有)가 된다. 음양이 작동하면서 무극은 유극(태극)으로 전환되고, 태극(氣)은 작동을 시작하면서 품고 있던 천지인이라는 정보(理)를 펼쳐내기 시작한다. 음양의 작용을 기(氣)의 작용으로 본다면 천지인의 정보는 이(理)라 할 수 있다.

음양은 만물을 살아있게 하는 생기(生氣)로서 만물을 생장수장의 이치로 순환시키는 원동력이다. 모든 사물은 음양이라는 생기가 사라지면 생명이라는 장치는 멈춰 선다. 음양은 목화토금수(木火土金水) 오행을 생극 작용으로 순환시킴으로써 온갖 만물의 형상을 만들어낸다.

음양은 만물의 동력원(生氣)이고, 오행은 음양의 상호작용에 의해 만물을 각가지의 형상으로 드러내는 사물의 근원적인 물성(物性)이다. 음양이 만물을 작동시키는 기본적인 동력원이라면, 오행은 형질(形質)의 다섯 가지 성질로서 상생과 상극작용을 통해 만물을 드러내는 시스템이며, 드러난 만물은 주역 8괘로 표상된다. 8괘는 우주만물을 8가지 극성으로 범주화시킨 괘상으로서, 상(象)과 수리(數理)를 품고 있으므로 우주만물에 대한 철학적 사유를 가능하도록 해주는 역(易)의 기본이 된다.

3.3 태극이 펼쳐내는 천지인

음양이 만들어내는 물상을 괘효(卦爻)로 표현하면 천지인 삼효(三爻)가 된다. 만물을 표현하는 3개의 효는 天地人의 묘합으로 각각 天一地一人一(體)이 되고, 그 작용성(음양)은 天二地二人二(用)가 된다. 그리고 天地人의 작용성인 음양이 펼쳐내는 만물은 天三地三人三(象)으로 표현된다. 3개의 효로 8개의 우주극성을 표현하니 주역의 8괘가 되고 모두 24개의 효가 펼쳐진다.

태극이 음양작용을 한다는 것은 그 속성인 천지인 삼극도 각각 음양의 작용성이 있음을 뜻한다. 태극의 속성은 천지인(天一地一人一) 삼극이며, 작용적 측면에서는 음양(天二地二人二)이다. 천지인은 음양이 작용함으로써 그 모습을 드러내는 것이니, 본디 천지인(三)의 작용성이 음양(二)이기 때문이다. 이것을 천부경에서는 天二三 地二三 人二三으로 표현하고 있다. 천지인(3)이 각각 음양(2)의 상호작용을 하면 六爻가 되니, 모두 64개의 괘상이 펼쳐진다.

太極(一)		
天	地	人
陽	陰	中
體	用	象
理	氣	物
空	時	變
天一	地二	人三
3 爻	6 爻	64 卦

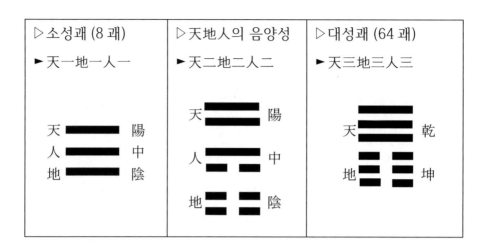

▷소성괘 (8 괘)
►天一地一人一

天 ▮▮▮ 陽
人 ▮▮▮ 中
地 ▮▮▮ 陰

▷天地人의 음양성
►天二地二人二

天 ▮▮▮ 陽
人 ▮ ▮ 中
地 ▮ ▮ 陰

▷대성괘 (64 괘)
►天三地三人三

天 ▮▮▮ 乾
地 ▮ ▮ 坤

≫人(中)은 상괘(天陽)와 하괘(地陰)에 각각 속하므로 天(陽)과 地(陰)의 속성을 동시에 지니게 된다.

3.4. 환존(環存): 참여하는 우주

환존이란 천지인이 삼신일체(三神一體)를 이루는 참여적 우주네트워크 시스템을 상징한다.

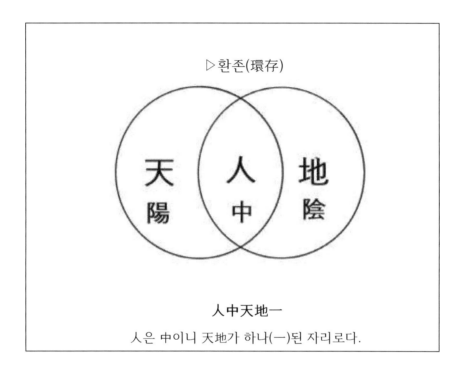

▷환존(環存)

人中天地一
人은 中이니 天地가 하나(一)된 자리로다.

환존은 천지인이 공동으로 참여하는 우주 네트워크시스템으로서, 천지 음양이 교합하여 하나된 인중(人中)의 자리, 만물이 시생(始生)하는 자리를 의미한다.

환존(環存)이란 天(陽)·地(陰)·人(中)이 고리(環)를 이룬 상호관계망 속에서 서로 의존하며 공존함으로써 존재하는 '참여적 우주 네트워크시스템'을 의미한다. 우주 삼라만상이란 시공간에 따른 음양의 부분적인 대소·장단·강약(大小·長短·强弱)이 복잡한 양태로 발생하면서 이에 따른 상호작용이 지역적이면서 지엽적으로 복잡다단한 형태를 띠며 다양한 중화들을 발현시킴으로써 생겨난 무수한 천지 만물을 의미한다. "우주 안에 존재하는 그 어떤 것도 사실 홀로만 존재하는 독존(獨存)이란 없는 것이며, 표면상 상반된 양태나 성질을 가진 사물도 사실 모두 서로 부딪히고 교감하며 상호 영향을 주고받으면서 새로운 형태의 변화를 이루어 가는데 협력함으로써 내부적으로는 상호의존적 관계를 형성하고 있는 것이다."

중(中)은 음양(陰陽)이 서로 교접함으로써 교감작용이 일어나는 교합의 영역이니, 음양이 서로 고리(環, loop)를 이뤄 상호작용하면서 만물을 생화하는 자리가 된다. 음양은 홀로 각각 존재할 수 없으며 서로 고리를 이루어 중(中)을 생할 때 비로소 존재할 수 있다.

그러므로 미시세계가 그렇듯 거시세계도 상호작용 없이 나 홀로 독존할 수 있는 사물이란 없는 것이며 상호 의존하는 관계망 속에서 서로 영향을 주고받을 때 비로소 존재 가능한 환존이라 할 수 있는 것이다.

그러므로 中은 陰陽의 끊임없는 상호작용에 의한 피드백(feedback)을 통해 사물 간에 고리(環)로 연결된 환존 상태를 유지함으로써 음중양(陰中陽)이 일체를 이루어 존재하는 것이다.

상호관계망을 의미하는 환존이란 만물이 공존하는 존재 원리이며 생멸의 문으로서 천지인이 공동 참여하여 서로 돕는 '자발적 우주 네트워크시스템'이라 할 수 있다. 우주 삼라만상은 天地人이 동등한 위상으로 참여하여 천지 만물의 화육을 함께 함으로써 서로 존재한다. 홀로 고립되어 존재할 수 있는 이치를 가진 사물이라는 것은 있을 수 없으며, 그러므로 나의 존재는 타자(他者)의 존재를 필수조건으로 하는 상호의존적 관계에 있다고 할 수 있는 것이다.

4. 오행(五行)

오행은 만물을 형성하는 다섯 가지 기운으로서 오행이 응결하면 사물의 형질(形質)이 된다. 만물을 생장수장의 이치로 순환시키는 장치인 오행(五行)에 동력원인 음양코드가 접속되면서 작동을 시작하니, 5토가 4상을 돌리며 오행이 돌아간다.

오행은 음양이라는 플러스(+) 마이너스(-) 동력원이 들어오면서 작동을 시작하는 만물의 순환장치이다. 5행 작용이란 5토가 4상을 돌리면서 괘상으로는 8괘를, 문자로는 천간(天干)을 펼쳐내는 것을 말한다.

오행은 태극이 품고 있는 천지인의 속성을 만물로 구현시키는 장치로서, 만물을 생장수장의 이치로써 생로병사를 돌리는 순환시스템이다. 음양이 작동하는 순환시스템으로서, 만물은 오행이라는 장치를 통해 구체적인 형상(形象)을 갖는다.

만물을 표현하는 기호로는 불립문자인 부호와 문자가 있다. 불립문자(不立文字)로는 상(象)으로 표현한 8괘(卦)가 있고, 문자(文字)로는 10천간(天干)이 있다.

음양(陰陽): 동력원(+-) ⇨	태극 (추상적, 형이상학적)
오행(五行): 음양으로 작동하는 순환원리 ⇨	황극 (실제적, 형이하학적)

오행은 목화토금수라는 생기(生氣)로서 하늘(우주)을 유행(流行)하는 만물의 기운이다. 오행은 물질적인 요소가 아니라 만물을 생화하는 본상(本像)으로서 조건이 충족되면 응결되면서 형상으로 드러난다. 그러므로 지상에 모습

을 드러낸 모든 현상계는 오행의 변화 그 자체라 할 수 있다.

▷ **음양과 오행**

음양은 생명의 근원이다. 태극이 품고 있는 천지인이라는 정보(DNA)가 음양이 작동하면서 우주 삼라만상으로 발현되는 것이니, 음양은 만물을 움직이게 하는 근원인 생명의 또 다른 이름이라 할 수 있다.

오행은 지구가 태양을 공전하면서 사시가 만들어내는 목화토금수라는 5가지 기운으로서 순환작용을 통해 만물의 형상을 만들어낸다. 즉, 오행이란 지구의 춘하추동 사시순환에 따라 발생하는 5가지 기운을 범주화한 것으로서 사시(四時)가 순환하며 발생하는 기운과 음양이 상호작용하면서 응결된 기운이 된다. 그러므로 음양은 우주만물의 작용원리가 되고 오행은 지구의 순환원리가 되는 것이다.

음양은 5가지 기운의 작용을 의미하는 오행과의 분합작용을 통해 태양 주위를 공전하는 지구상의 만물을 구성한다. 음양은 우주의 생명작용을 의미하며, 오행은 일월 오성의 영향을 받는 지구의 순환작용을 의미한다. 지구의 순환 작용이란 생장수장의 이치로써 춘하추동 사시를 따라 만물이 생로병사를 순환하는 것을 가리킨다.

태극(1)에서 음양(2)이 작용하여 사상(4)을 내고, 사상은 '작용하는 태극'인 황극(5토)과 작용함으로써 팔괘(8)를 펼쳐낸다. 오행의 개념은 일월 오성의 영향을 받는 지구적 개념으로서 오행의 생극 순환작용으로 우주역인 선천 복희팔괘도를 재배열한 것이 지구역인 후천 문왕팔괘도가 된다. 태양을 공전하면서 춘하추동 사시에 의해 발생하는 기운은 목화토금수 오행으로 범주화되고, 오행의 상호작용은 지구상의 만물을 생장수장이라는 순환의 이치로써 생로병사를 거듭하게 한다. 즉, 만물의 근원은 음양의 상호작용이며, 만물의 형상을 이루는 기운은 오행이 되는 것이다.

4.1 오행(五行)

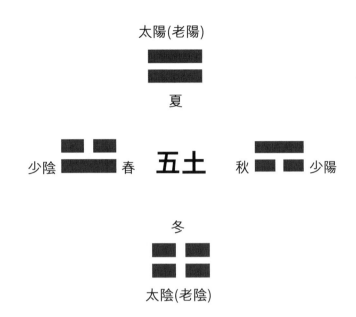

음양의 분합작용으로 생겨난 사상은 춘하추동 사시의 변화를 표현하며, 한 난조습(寒暖燥濕)이라는 계절의 기운을 통하여 천간오행의 기운을 발현시키 는 환경과 여건이 된다.

五土(황극)			
火	木	金	水
태양(太陽) 南 夏	소음(少陰) 東 春	소양(少陽) 西 秋	태음(太陰) 北 冬

천간은 오행이 음양으로 나뉘어 작용하는 것을 표현한 것이다. 지지는 춘하추동에 따라 생겨나는 한난조습이라는 기후가 만들어내는 오행의 기운을 의미하며, 천간오행이 하늘을 유행하며 지상으로 내려와 상호작용하는 기운으로서 천간은 지지의 조력을 받아 자신의 뜻을 실현하게 된다.

천간은 오행이 음양작용으로 만들어내는 생기(生氣)이지만, 지지는 천간오행을 지상에서 뒷받침하는 기운으로서 춘하추동 사계절의 순환에 따라 생성하는 한난조습이 만들어내는 형질(形質)로서 오행과 동일한 속성을 지닌다. 그러므로 천간오행과 지지오행 기운은 서로 쓰임이 다르다.

천간오행(象)	10天干	甲乙丙丁戊己庚辛壬癸	氣
지지오행(形) (한난조습)	12地支	子丑寅卯辰巳午未申酉戌亥	質

한난조습(寒暖燥濕)이란 지상의 사계절이 춘하추동을 순환하며 만들어내는 조후(調喉)로서, 목화토금수 오행과도 같은 기운으로 천간오행과 달리 별도로 지지오행이라고 한다. 한(寒)은 수기(水氣)에 해당되고, 난(暖)은 화기(火氣)에 해당되며, 조(燥)는 금기(金氣)에 해당되고, 습(濕)은 목기(木氣)에 해당되며, 사계절 전환기는 토기(土氣)에 해당된다.

-하늘의 오행(氣)은 지구의 사계절 한난조습(質)이 만들어내는 기운을 통하여 그 뜻을 실현한다.
-천간오행(象)은 지지오행(形)을 통해서 그 뜻을 실현한다. 즉, 기상(氣象)을 통해 형질(形質)을 만든다. 그러므로 지상의 모든 만물은 오행이 발현된 성질을 가진다.

▷ 오성(五星)과 오행(五行)

지구를 중심으로 수성(水星), 금성(金星), 화성(火星), 목성(木星), 토성(土星)이 도열해 있다. 이들 오성(五星)은 지구와 함께 태양의 주위를 도는 태양계 행성이다. 이들 오성은 각각 특정 시간과 날짜, 절후에 특정한 방향에 목화토금수(木火土金水)의 차례로 출몰한다.

수성(水星)은 매일 자(子)시(1시)와 사(巳)시(6시)에 북쪽 하늘에서 볼 수 있다. 또 매월 1일과 6일, 11일과 16일, 21일과 26일에는 해와 달이 북쪽의 수성에서 만난다. 또한 매년 1월 11월과 6월 저녁에는 수성이 북쪽에서 보인다. 이 때문에 1과 6을 합하면 수(水)가 된다.

화성(火星)은 매일 2시(丑시)와 7시(午시)에 남쪽에 출현하고, 매달 2일과 7일에는 남쪽 화성 근처에서 해와 달이 만난다. 또 매년 2월.12월.7월 저녁에 화성이 남쪽에 나타난다. 그러므로 2와 7일은 화(火)가 된다.

목성(木星)은 매일 3시(寅시)와 8시(未시)에 동방에서 보이고, 매년 3월과 8월 저녁에 역시 동방에서 볼 수 있다. 또 매월 3일과 8일에는 동방의 목성 인근에서 해와 달이 만난다. 그러므로 3과 8은 목(木)이 된다.

금성(金星)은 매일 4시(卯시)와 9시(申시)에 서방에서 보이고, 매년 4월과 9월 저녁에는 서방에서 자주 출몰한다. 매달 4일과 9일에는 서방의 금성 인근에서 해와 달이 만난다. 그러므로 4와 9는 금(金)이 된다.

토성(土星)은 매일 5시(辰시)와 10시(酉시)에 하늘 중앙에서 보이고, 매년 5월과 10월 저녁에 중천에서 보인다. 또 매달 5일과 10일에는 중천의 토성 근처에서 해와 달이 만난다. 5와 10이 토(土)가 되는 이유이다.

이때 각각의 오성(五星)이 출몰하는 때의 천지의 기운은 해당 오행(五行)의 기운이 된다. 말하자면 오성 가운데 목성이 출몰하는 봄에는 목의 기운이 지배하고, 화성이 출몰하는 여름에는 화의 기운이 왕성하며, 토성이 출현하는 계절에는 토기(土氣)가 지배하고, 금성이 나타나는 가을에는 금의 기운이 넘치며, 수성이 나타나는 겨울에는 수기(水氣)가 왕성하게 작용하는 것이다.

출처:『알기 쉬운 상수역학』김진희 저

4.2 오행의 분화

간지(干支)는 음양오행이 만물을 순환시키는 자연의 이치와 원리를 함유한 문자이다. 팔괘나 천간지지(天干地支)로 인간의 존재를 규명하려 하는 것은 인간이 곧 자연의 일원이라는 것을 의미한다. 음양은 일월(日月)이며, 오행(五行)은 목화토금수(木火土金水) 오성(五星)이 하늘의 28수를 통과하면서 상호작용으로 만들어내는 기운이다.

陰陽 ⇨ 四象(五土) ⇨ ⎰ 8괘   ⇨ 64괘
四時(五土) ⇨ ⎱ 10천간 ⇨ 60갑자

음양이 분합(分合)하여 사상(四象)이 되고, 중앙의 五土황극이 사상을 돌려 상(괘상)으로는 8괘를 드러내고, 인문학적 개념을 표상한 문자(文字)로는 10천간을 드러낸다. 괘상은 물상을 부호로 표현한 불립문자(不立文字)이고, 10천간은 물상을 언어로 표현한 문자가 된다. 8괘과 10천간은 우주만물의 속성을 그려낸 '부호(象)와 문자(字)'라는 관계성을 갖는다.

태극은 곧 음양이다. 음양은 무극이 품고 있던 천지인의 속성(理)을 발현시켜 현상으로 드러나게 한다. 무극은 이(理)가 되고, 태극은 작용하는 기(氣)가 된다. 음양은 분합작용을 통하여 사상(四象)을 만들고, 중앙의 태극은 실제 작용하는 태극으로서 5토황극(五土皇極)이 되어 사상을 돌려 오행작용을 일으킨다. 오행은 만물을 5가지의 성질로 범주화시킨 극성으로서, 각각 음양의 성정을 품고 있어 만물을 우주에 화생시키는 내적작용 원리가 된다. 오행은 음양과 작용함으로써 상(象)으로는 8괘를 펼쳐내고, 문자로는 10천간을 펼쳐낸다. 8괘와 10천간은 음양오행이 펼쳐낸 만물을 의미한다.

8괘는 불립문자(不立文字)로서, 물상을 8개의 극성으로 범주화시킨 것으로 음양오행의 성질을 내포하고 있으며, 64개의 대성괘를 펼쳐내어 만물의 순환과 작용을 표현한다. 10천간은 물상을 10개의 문자로 범주화한 것으로서 음양과 오행의 성질을 내포하고 있으며, 12지지와 작용하여 60갑자를 펼쳐 만물의 순환과 이치를 드러낸다.

간지(干支)는 자연이 변화하는 이치와 원리를 문자로 표현한 것으로서 음양과 오행이 상호작용하는 순리성(順理性)와 역리성(逆理性)을 분석하여 인간의 존재성을 규명한다.

오행은 태극이 품고 있는 천지인의 속성을 만물로 구현시키는 시스템이다. 오행은 음양이 작용하는 순환원리로서 오행을 통해 구체적인 만물이 생화된다. 불립문자인 상으로는 8괘가 되고, 문자로는 10천간이 되는 것이다.

상생과 상극은 그 자체가 길흉을 의미하지 않는다. 생극 작용은 만물이 생장수장의 이치로써 생멸을 거듭하며 순환하는 근본원리이다. 생함으로써 극하고, 극함으로써 생한다. 예를 들어 자연학적으로 목은 토를 극함으로써 토를 단단하게 하여 금을 생하게 한다. 인문학적으로는 목이 토를 극함으로써 재성을 만들어내며, 토가 금을 생함으로써 식상이 만들어지는 것이다.

생극은 길흉이 아니라 만물이 살아가는 원동력이며 원리이다. 십신이란 음양오행의 생극제화 작용을 통해 일어나는 자연의 변화를 인간의 삶에 대치하고, 시간의 흐름에 따른 변화에 순응 또는 역행하는 인사적 관계성을 조명하는 원리이다.

천지(天地)는 인(人)을 통하여 말한다. 지금은 바야흐로 생장 분열, 확장하는 양기☰를 토성(土性)☷이 숙성하고 선별하며, 금성(金性)☱이 수렴하여 공의(公義)로써 순백한 생기(生氣)☰를 추수하는 금기(金氣)의 숙살지기가 왕성한 기운으로 칼춤을 추는 시기이다. 우주는 내 안에서 삼신일체 하나되는 성통광명을 이룬 대인을 찾아 지혜를 전한다. 지혜를 아는 자는 금생수(金生水)의 이치를 깨달으라. 수(水)는 지혜이니 이제는 만물의 본원인 水☵를 찾으라.

昻明人中天地一
천지가 내 안에서 하나가 되었으니 나는 곧 천지의 주인이라.

이제는 천지가 나(人)를 통해 말을 전하니 지혜가 있는 자는 水☵를 찾으라. 인(人)은 깨달은 자를 말함이로다. 지혜 있는 자는 마음을 열고 들으라.

3차원에서 4차원으로 차원이동이 가능한 시대가 온다. 마음으로 물질을 변화시키는 마법이 사실로 이루어지는 세상, 곧 水☵를 말함이니, 우주는 곧 하나(一)의 생명이로다.

天	陽	體	空	理	一
地	陰	用	時	氣	二
人	中	象	變	物	三

무극(천0지0인0),	이(理), 체(體), 절대계, 무극(0)
태극(천1지1인1)	기(氣), 용(用), 상대계(음양), 태극(1)
삼극(천2지2인2),	물(物), 상(象), 천지인(3, 만물)
6효	만물의 내적 상호작용
64괘	만물의 순환

천지인 삼극은 구체적인 기운이지만 보이거나 만져지거나 느껴지지 않고, 냄새도 맛도 없는 기운이다. 이것을 괘효(卦爻)로 시각화함으로써 그 작용을 눈으로 보고 느끼며 이치를 파악할 수가 있는 것이다.

천지인 삼극은 무극이 품고 있는 이(理)로서 음양의 작용으로 드러낸 태극의 기운이다. 태극은 천지인의 속성을 드러내는 음양의 작용을 의미한다.

4.3 하도와 낙서로 이해하는 오행의 원리: 상생과 상극

　오행이란 상대성으로 인해 불일치되는 에너지의 이동을 통해서 서로 부딪히고 화합하면서 상생과 상극작용을 일으키는 것을 말한다. 서로가 완전한 균형을 이루고 있다면 상호작용은 일어날 수가 없다. 작용이란 에너지의 불균형에서 균형으로의 이동을 통해 일어나는 것이기 때문이다.

▶**상생과 상극의 원리는 하도 낙서에서 비롯된다.**

▷하도

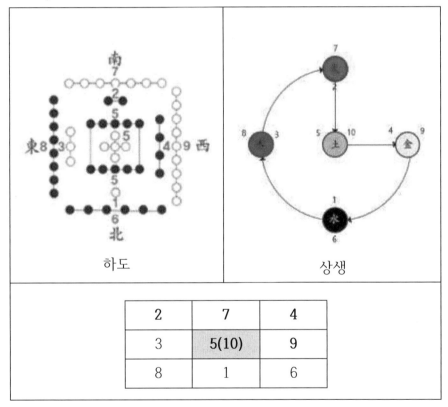

하도 　　　상생

2	7	4
3	5(10)	9
8	1	6

▷낙서

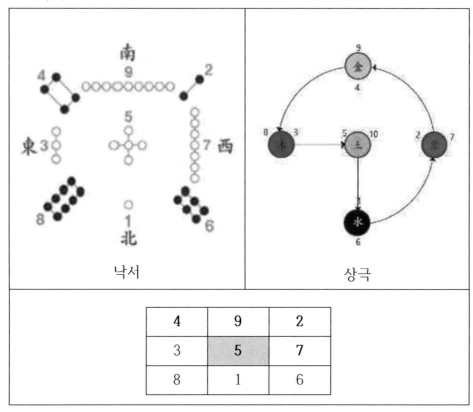

| 낙서 | 상극 |

4	9	2
3	5	7
8	1	6

하도의 2,7(火)과 4,9(金)가 낙서에서 4,9(金)와 2,7(火)로 서로 자리바꿈(金火交易)을 함으로써 강유(剛柔)가 서로 부딪히며 조화를 이루기 위해 에너지가 이동하면서 상극작용이 일어나게 된다 즉, 하도에서 2,7(火)이 4,9(金)를 시계방향으로 뒤따르다가(상생), 낙서에서 갑자기 4,9(金)가 뒤돌아서 맞부딪히니(상극), 전체가 시계 반대방향으로 돌게 되면서 [火克金-金克木-木克土-土克水-水克火]라는 상극작용을 만들어내는 것이다. 주역 계사전에서는 이것을 '강유가 서로 밀고 당기면서 변화를 만든다(剛柔相推而生變化강유상추이생변화)'라고 명쾌하게 정의하고 있다.

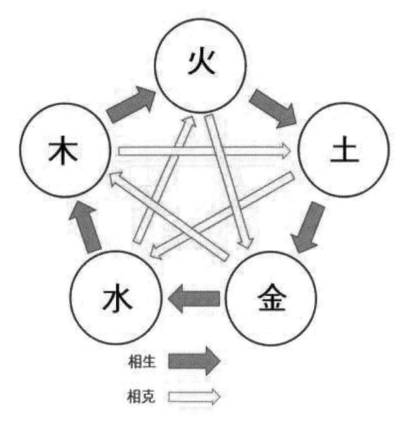

▶오행생극의 순환원리

相生 ⇨
相克 ⇨

상생(相生): 水生木-木生火-火生土-土生金-金生水
상극(相克): 土克水-水克火-火克金-金克木-木克土

▶목화토금수는 사물을 의미하는 것이 아니라 그것이 품고 있는 물성(物性)
을 의미한다.

▷ 오행상생작용

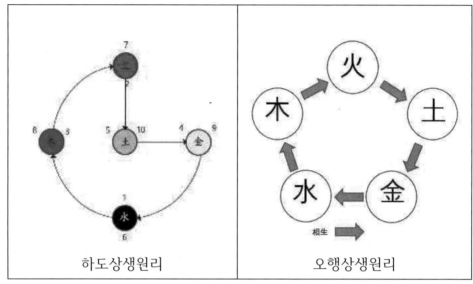

| 하도상생원리 | 오행상생원리 |

상생(相生): 水生木-木生火-火生土-土生金-金生水

▷ 오행상극작용

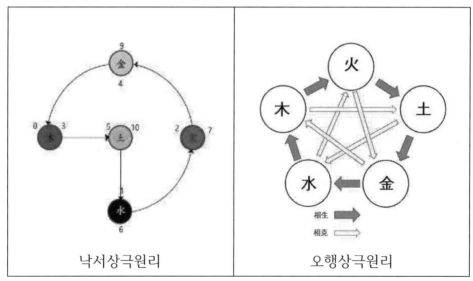

| 낙서상극원리 | 오행상극원리 |

상극(相克): 土克水-水克火-火克金-金克木-木克土

4.4 자연현상으로 이해하는 오행의 원리

　오행은 상생(相生)과 상극(相克)을 서로 반복하면서 순환한다. 생(生)은 낳아서 기른다는 의미이고, 극(克)은 저지하고 제어하며 조절한다는 의미이다. 생(生)과 극(克)은 길(吉)과 흉(凶)으로 단순하게 구분하여 판단할 수 있는 것이 아니다. 물(水☵)은 생명(木☳)을 낳아 기르지만(生), 화기(火☲)를 식혀 땅(土☷)를 기름지게 한다(克). 상(相)이 의미하는 것처럼 생극은 상대적(相對的)이면서 상보적(相補的)인 개념을 품고 있다. 만물은 생극작용을 통하여 상호 보완함으로써 성장한다. 단순히 생(生)만으로 자랄 수 없고 극(克)만으로도 살아나갈 수 없다. 생(生)이 태과(太過)하면 기운이 생설(生泄)되어 내가 탈진하게 되고, 극(克)이 태과하면 상대방을 다치게 한다. 화기(火氣)의 확산이 지나치면 꽃이 맺히지 않는다. 적당한 선에서 음기가 들어와 양기를 제어하면서 열매를 매다는 것이니 『주역』의 괘상으로 표현하면 바로 이화(離火)☲의 상이 된다. 그럼으로 생과 극이 적절하게 조화되어야만 상호생존이 가능하게 되는 것이다. 오행의 생극(生克)이란 만물이 공생(共生)하고 공존(共存)하며 순환하기 위한 천지자연의 지혜라 할 수 있다. 『자평진전』에서는 이것을 [生與克同用 克與生同功] 이라 표현하고 있다.

▶ 상생(相生) ≫ 상극(相克)

　물(水)은 나무(木)를 길러 땅(土)에 뿌리를 내리게 하며(水生木≫木克土), 나무(木)는 자신을 태워 불(火)을 생하고 금(金)을 녹여 생명의 형상을 만들게 하며(木生火≫火克金), 불(火)은 나무를 태워 땅(土)을 기름지게 하여 생명(水)을 품게 한다(火生土≫土生金). 땅(土)은 단단하게 뭉쳐 쇠(金)를 생하니 나무를 베어 화기(火)를 북돋운다(土生金≫金克木≫木生火). 돌(金)은 물(水)이 흘러나오는 통로가 되고 물은 화기(水)를 식혀 숙성시킨다(金生水≫水克火).

▶상극(相克) ≫ 상생(相生)

나무(木)는 땅(土)을 파고 들어 뿌리를 내림으로써 땅을 단단하게 묶어 쇠(金)를 생하고(木克土≫土生金), 땅(土)은 물(水)을 흡수하여 나무(木)가 자라는 토대가 되어주며(土克水≫水生木), 물(水)은 화기(火)를 식혀 땅(土)을 기름지게 하고(水克火≫火生土), 불(火)는 쇠(金)를 녹여 생명수(水)를 만들고(火克金≫金生水), 금(金)은 나무(木)를 베어 불(火)을 피울 수 있도록 한다(金克木≫木生火).

▷ **오행생극(五行生克)의 조화**

오행(五行)은 생(生)함으로써 극(克)하고 극(克)함으로써 생(生)하여 생명이 순환하도록 하는 우주만물의 지혜이자 존재의 원리이다. 생(生)에도 길흉이 있고(生助吉, 生泄凶), 극(克)에도 길흉이 있다(克制吉, 克害凶). 그러므로 만물의 작용은 상대적(相對的)이면서도 상보적(相補的)이며 상호의존적이니 단순하게 길흉으로 좋고 나쁨을 판단하는 것만큼 어리석은 일도 없다.

한가지 기운이 태과하거나 태부족이면 오행은 서로를 보완하기 위하여 생극과 합충 작용을 통해 움직이기 시작한다. 오행이 천지를 순행하면서 과한 것은 덜어내고, 모자라는 것은 채워주니, 그 과정에서 길흉득실이 생겨난다.

사주 여덟 글자인 팔자(八字)로 표현되는 인간의 존재는 항상 불완전한 존재일 수밖에 없다. 사주(四柱)는 오행(五行)에서 한글자가 부족하다. 그래서 류운(流運)에서 들어오는 간지로 사주팔자가 채워지면서 오행은 생극과 합충 형파해라는 상호작용을 통해 활기를 띠며 움직이게 되는 것이다.

지구가 태양 주위를 공전하면서 사계절이 만들어지고, 그로 인해 발생되는 기온의 불균형과 모순에 의해서 에너지가 이동을 시작하며 생극작용이 일어나게 되고, 만물은 생장수장의 이치로 생명을 순환한다.

사주팔자(四柱八字)는 태양과 달, 사계를 순환하는 지구의 기운과 운성의 기운이 프로그래밍된 코드이다. 사주명국에 표현된 여덟 개의 코드(code)는 고정되어 있는 텍스트가 아니다. 기운은 항상 변한다. 사주팔자 주인의 움직임에 따라 여덟 개의 글자는 역동적으로 작동한다. 그럼으로 우주와 지구, 그리고 주변의 환경과 나의 관계를 파악하고 시공간의 변화에 따른 여덟 글자의 움직임을 분석함으로써 운로(運路)의 흐름을 파악하여야 한다.

만물을 비롯한 인간은 '태어나서 죽는다'라는 명제는 변하지 않는다. 태어나는 순간부터 운명은 죽음이라는 목적지를 향하여 흘러간다. 인간은 운명이라는 배에 올라타 사주팔자로 표현되는 인생운행시간표에 의하여 목적지를 향해 흘러간다.

사주명국에서 년주(年柱)와 월주(月柱)가 숙명(宿命)이라면, 일주(日柱)와 시주(時柱)는 운명(運命)이다. 부모와 계절, 생과 사는 선택할 수 없는 숙명이지만, 오늘과 내일은 나의 선택에 따라 결과를 달리할 수 있다. 운명(運命)이라는 뜻이 그렇듯이, 인간은 스스로 방향키를 움켜지고 사주팔자라는 좌표를 제대로 읽어 운로(運路)를 조정할 수가 있다. 때로는 의지대로 조정이 되기도 하지만, 때로는 불가항력적인 기운에 부딪혀 어쩔 수 없이 흘러가기도 한다.

우리는 이 세상에 왜 나왔는가?
잠시 소풍 나온 현생(現生),
기왕이면 좌표를 제대로 읽어 풍류를 즐기다 감이 어떠한가?

4.5 　주역으로 이해하는 오행의 원리

水☵는 씨앗(生氣)을 품고 있는 생명의 상이다. 물(水)☵에서 생명이 시작된다. 간토(艮土)☶가 水☵를 극하면서 생명이 깨어난다(土克水). ☶(艮)은 하늘☰(乾)의 양기가 땅☷(坤)을 터치한 모습으로 생명이 기적을 한 상이다. ☳(震木)은 간토를 극함으로써 생장한다(木克土). 장성한 나무☴(巽木)는 그 끝에 꽃과 열매☲(火)를 길러내고(木生火), 땅☷(坤土)은 떨어진 열매를 품어 알갱이와 쭉정이를 선별하고(火生土), 金氣는 선별된 알갱이를 수렴☱(兌金)하여 순백의 생명☰(乾金)을 만들고(土生金), 물☵(水)은 그 생명을 정수(精髓)로 바르게 저장하여 다음 생을 위하여 쉬게 한다(金生水).

☞**원형이정(元亨利貞)의 도로써 설명하면,**
수생목(水生木)은 원(元)이 되고, 목생화(木生火)는 형(亨)이 되며, 화생토(火生土), 토생금(土生金)은 이(利)가 되고, 금생수(金生水)는 정(貞)이 된다.

☞**생명이 순환하는 생장수장(生長收藏)의 이치로 설명하면,**
수생목(水生木)은 만물이 시작되는 생(生)이되고, 목생화(木生火)는 만물이 장성하는 장(長)이 되며, 화생토(火生土), 토생금(土生金)은 열매가 땅에 떨어져 수렴되는 수(收)이 되고, 금생수(金生水)는 만물이 다음 생을 위하여 바르게 저장하는 장(藏)이 된다.

☞**사시순환(四時循環)의 이치로 설명하면,**
수생목(水生木)은 만물이 시작되는 봄(春)이고, 목생화(木生火)는 만물이 장성하여 화기(火氣)가 충만한 여름(夏)이며, 화기가 수렴되기 시작하는 화생토(火生土)는 여름에서 가을로 넘어가기 위한 통관 과정이며, 만물의 이로움을 선별하여 수렴하는 토생금(土生金)은 가을(秋)이 되고, 생명을 저장하여 다음 생의 순환을 위하여 휴식하는 금생수(金生水)는 겨울(冬)이 된다. 여름에서 가을은 오행상 화극금(火克金)으로 금화상쟁(金火相爭)이 일어나니, 직접 넘어갈 수가 없으므로 토의 중재작용(火生土-土生金)인 금화교역(金火交易0이 필요하다.

4.6 오행과 지구역(문왕팔괘도)의 이해

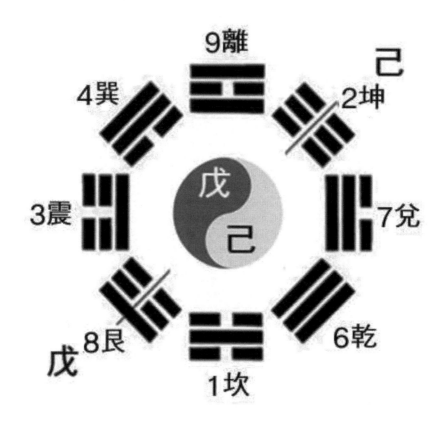

木(生)		火(長)		金(斂)		水(藏)
☳태동, ☴성장		☲분별, 질서		☱수렴, ☰생명		☵혼돈, 저장
春		夏		秋		冬
東		南		西		北

土
☶종시(終始)   ☷교역(交易)

토(土)는 木火金水의 성질을 모두 한 그릇에 넣어 섞어 놓은 모습으로 목화금수(木火金水)를 낳아 기르고, 숙성시키고 수렴시키며 다시 품는 중화(中和)적 성질로서 모태(母胎) 역할을 한다. 토(土)는 공전과 자전의 순환 축인 지축(地軸)이 된다(☷☷).

4상을 중앙의 5토황극이 돌리면 8괘가 펼쳐진다. 5토황극은 추상적인 태극이 아니라 실제 작용하는 태극으로 지구의 축을 의미한다. 5토에 의하여 펼쳐진 8괘는 지구역(문왕역)으로 지구의 동서남북 방향과 춘하추동(春夏秋冬) 사시를 정하고 상생과 상극의 작용으로 지구의 만물이 생장수장(生長收藏)의 이치로 원형이정(元亨利貞)의 도를 표현한다.

▷ 木生火 ≫ 火生土 ≫ 土生金 ≫ 金生水 ≫ 水生木

▶문왕8괘와 음양오행

문왕 팔괘	坎	艮	震	巽	離	坤	兌	乾
오행	水	양土	양木	음木	火	음土	음金	양金
계절	冬		春		夏		秋	
방위	北	北東	東	東南	南	南西	西	西北

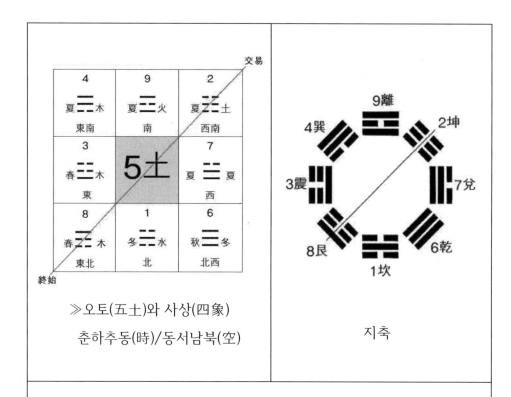

≫오토(五土)와 사상(四象)

춘하추동(時)/동서남북(空)

지축

坤土(음)와 艮土(양)는 지구를 자전시켜 만물을 작용하게 하는 5土의 축으로 지구의 기울어진 지축을 상징한다. 간토(艮土)는 종만물(終萬物), 시만물(始萬物)로서 종시(終始)작용을 하고, 곤토(坤土)는 장성한 만물을 받아드려 열매(양기)를 숙성, 수렴시키는 작용을 한다.

▷낙서와 문왕팔괘

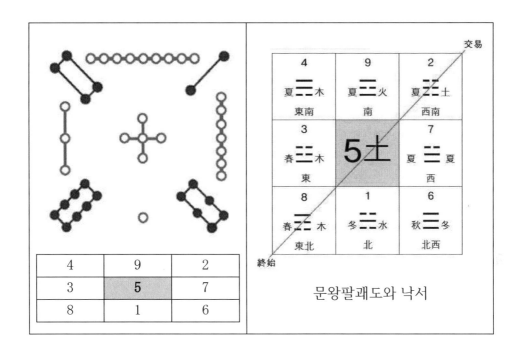

4	9	2
3	5	7
8	1	6

문왕팔괘도와 낙서

달리기 경주에서 뒤에서 대기하며 쉬고 있는 상태가 坎☵水(休)가 된다.
달리기 직전 출발선에 서있는 상태가 艮☶山(止)이며, 출발한 상태가 震☳
雷(進)이 된다. 본격적으로 달리고 있는 상태가 巽☴風(流)이며, 완성은 만
물의 질서가 잡힌 모습으로 하늘에 높이 떠있는 태양을 상징하는 離☲火(成)
가 된다. 지구의 공전과 자전을 수리적으로 표현한 지구역인 문왕팔괘 구궁
도의 수리를 보면 1에서 9까지로 되어있는데 坎☵水는 1이 되고, 離☲火는
9가 된다.

坤☷土에서 만물을 숙성시키고, 兌☱澤에서 수렴하니 乾☰天은 수렴된 순
백한 생기(生氣)가 된다. 생기는 坎☵水에서 작용을 멈추고 쉬며 다음 순환을
준비한다.

4.7　오행의 의미

　木火金水는 계절로는 춘하추동(春夏秋冬)이요. 시간의 철학적 개념으로는 생장수장(生長收藏)의 의미가 있으며, 인사적 개념으로는 원형이정(元亨利貞)의 도로서 인의예지(仁義禮智)의 의미를 품고 있다.

☞木 (春, 生)

태동(☳), 성장 상승(☴): 생명의 태동과 성장

　생명이 태동☳된 모습. 혼돈 속에 있는 생명☵(2양)이 드디어 기운을 얻어 태동☳(陽木)되고 성장☴(陰木)하는 모습이다. 겨우내 응축되었던 양기가 밖으로 분출하는 상으로 봄의 생명력을 상징한다.

☞火 (夏, 長)

발산, 질서(☲): 사물의 분화, 확장, 만물의 분별, 질서, 완성

　음양이 구분되고 남녀가 분별된다. 사물이 분화하여 만물이 분별되니 천지만물(天地人)의 질서가 잡힌다. 火☲는 水☵에서 만물이 생화하여 분화되고 완성되어 질서가 잡힌 상태를 의미한다. 괘상으로는 ☲가 되니, ☵에서 양(생명)이 분화하여 분별되고 질서를 잡은 상태로서 초양과 3양(3陽)이 상하로 나뉜 것이 이를 가리킨다.

☞金 (秋, 收)

수렴(☱), 생명(☰): 생명의 수렴

　☱은 음이 2개의 양을 수렴한 모습이다. 계절로는 만물이 수렴되고 열매를 거두는 가을이다. 만물로 분화☲되었던 생기를 수렴☱하고 품는다. 3효는 음으로서 토(土)가 되고 1,2효는 양으로서 생기를 의미하니, ☰는 순백하게 제

련된 생명이 된다. 가을이 지나면 다시 水☵가 되어 카오스(혼돈) 상태로 접어들지만 생명☳의 기운은 혼돈 속에서도 살아있다☵(2효). ☵의 초효와 3효는 음으로 土☷를 의미하며, 2양효는 토(土)가 품은 생명(陽)의 모습이다.

☞水 (冬, 藏)

혼돈, 응축, 저장(☵): 카오스, 생명의 씨앗(2양효)

음양이 구분되지 않은 상태로서 理와 氣가 하나로 섞여 구분되지 않는 카오스(혼돈)를 상징한다. 그 혼돈 속에서 생명(2양효)을 품고 있으니, 괘상으로는 坎水☵가 된다. 만물은 坎水☵에서 시작한다. 문왕8괘도에서 水☵는 수리적으로 1이 되고, 子水도 1이다.

坎水☵가 품고 있던 생명(2양)이 하늘과 터치하는 艮土☶의 상은 만물의 마침과 시작을 의미하는 종시(終始)의 뜻이 있다.

☞土 (四季, 中)

중화. 중재, (終始☶), (선별☷): 종시(終始)와 교역(交易)

土는 木火金水의 성질을 모두 한 그릇에 넣어 섞어놓은 모습으로서, 木火金水를 낳아 키우고 기르며 숙성시키고 다시 품는 모토(母土)의 역할을 한다. 괘상으로는 坤土☷는 확산 분열하는 양기를 받아드려 알갱이와 쭉정이를 선별하는 역할을 하고, 艮土☶는 만물이 마치고 다시 시작하는 종시(終始)의 역할을 수행한다. 문왕팔괘도에서 간토와 곤토는 음양을 순환시키는 사계절의 축인 지축을 상징한다.

4.8 오행과 팔괘의 성질

4.8.1.   木

 목(木)은 시작과 성장의 기운을 나타낸다. 시작☳과 성장☴을 상징하는 木氣
는 잠재된 기운이 위로 솟구쳐 용출하는 상승의 성질이 있다. 겨우내 씨앗의
형태로 굳게 응축되어 있던 양기가 밖으로 터져 나오면서 분출하는 봄의 기
운을 상징한다. 진(震)☳은 시작, 상승, 분출, 생장, 전진, 직립 등의 의미가 있
으며, 손(巽)☴은 장성, 원숙, 유순, 소통, 흐름(流) 등의 의미가 있다.
만물을 발아시켜 키우는 때가 계절로는 봄이며, 해가 떠오르는 곳이 동쪽이
고, 인사적으로 보면 질풍노도처럼 성장하는 청소년기에 해당한다. 봄은 영
어로 spring이 되는 데 봄(春), 스프링(용수철), 샘, 용출(湧出)의 뜻이 있다.
샘이 용출하는 기운이며, 스프링처럼 튀어 오르는 의욕이 넘치는 젊음이며,
동토(凍土)를 뚫고 나오는 봄의 생명력이다. 무(無)에서 유(有)를 만들어내는
기운이라 할 수 있다.
 시간으로는 아침이 된다. 8괘로 보면 진(震)과 손(巽)에 해당되니 震木☳, 巽
木☴이라고 한다. 천간(天干)으로는 甲木, 乙木이, 지지로는 인(寅), 묘(卯)가
된다. 순환의 과정으로 보면 생장수장(生長收藏) 중에서 生에 해당된다. 만
물의 시작인 원(元)이 되고, 오상(五常)중에 인(仁)에 해당된다. 만물을 생하
는 것은 서로의 사랑을 바탕으로 하니 인(仁)의 뜻이다.

 ☳+1 ≫ ☴+5

≫☳의 상은 초양이 억누르고 있는 2 개의 음을 뚫고 분출하는 모습으로 목

(木)의 기운을 표상한다. 진목☳은 쭉쭉 자라나는 나무, 청소년기의 용출하
는 기운을 의미하고, 손목☴은 장성한 나무, 원숙한 장년을 상징한다.

괘상 오행	천간	에너지	의 미
震☳雷 木	甲	+1	동(動), 진(進), 태동(胎動), 우레, 전파, 인터넷, 진동(震動), 움직임, 이동, 봄(春), 새싹, 시작, 청소년, 기상, 쭉쭉 자라나는 나무(木), 대로(大路), 빌딩, 높은 산, 육중한 움직임, 강물, 전차, 탱크, 독수리, 용(龍), 천명(天命), 선포, 위엄, 장남(長男), 동(東)
巽☴風 木	乙	+5	류(流), 입(入), 순(順), 통(通), 유동성, 자유, 방종, 외향적 성격, 밖(外), 소비, 낭비, 탕진, 발산, 접시. 대머리, 못생김, 늦봄(초여름), 장년, 원숙한 나무(木), 바람(風), 흐름, 유통, 무역, 유연, 원숙, 타협적, 관통, 열린 문, 열린 마음, 소통, 소식, 방송, 가벼움, 촐랑거림, 시냇물, 부드러움, 공손, 겸양, 끈, 닭, 풀이나 채소, 넝쿨식물, 장녀(長女), 동남(東南)

☞ 현대적 의미에서 목(木)은 생명력, 생기(生氣)를 상징하고, 생장력 확장성
을 의미하며, 수(水)가 저장하고 있는 정보를 먹으며 생장(生長)한다.

4.8.2.　　火

　화(火)는 완성과 정점을 의미하며 기운이 만개한 상태가 된다. 만물이 성장하여 질서가 잡힌 모습이며 기운이 최고조로 확장되어 발산하는 상태이다. 완성, 질서, 만개, 화려, 최고, 정점 등의 의미가 있다. 수리는 완성을 의미하는 자연수의 최고인 9가 된다.

　계절로는 만물이 왕성하게 펼쳐진 여름이 되고, 해가 가장 높이 떠있는 남쪽이 되며, 기운이 가장 왕성한 장년기가 해당된다. 시간으로는 해가 중천인 한낮이다. 8괘로는 離火☲가 되며, 천간(天干)으로는 丙火 丁火, 지지(地支)는 사(巳), 오(午)가 된다. 순환의 과정으로 보면 생장수장(生長收藏) 중에서 장(長)에 해당된다. 만물이 열매를 맺는 형(亨)이 되고, 인사적으로는 예(禮)에 해당된다. 巽☴으로 장성하여 만화만상으로 흐트러진 기운을 음이 중(中)에 거하여 상하로 양의 질서를 잡는 상이니, 오상(五常)중에 예(禮)가 되는 것이다.

☳+5　≫　☵+3

무질서　　　　질서

≫무성하게 흐트러진 양의 기운이 균형을 갖추어 질서를 잡는다. ☲의 상은 2개의 양이 가운데 음으로 인해 분별되어 질서를 잡고 있는 모습이다. 만물이 질서를 잡는다는 것은 인사적으로 보면 상하(上下)로 예(禮)를 갖추는 것이다. 여름의 외형은 무성하지만 내면은 음(陰)해지는 때이므로 양이 생장(生長)을 멈추고 열매를 맺으니, 음의 수장(收藏)의 시기로 접어들게 된다.

괘상/오행	천간	에너지	의 미
離 ☲ 火 火	丙 丁	+3	질서(cosmos), 분별, 해(日), 밝음(明), 지혜, 이성적, 문명, 최고, 정상, 완성, 조화, 어른, 희망, 명예, 화려, 외향성, 분열, 이별, 중녀(中女), 맑은 날씨, 번개, 전기, 전자, 여름, 남(南)

☞ 현대적 의미에서 화(火)는 정보를 전달하는 수단으로서 빛, 전기, (광)전자, 인터넷 등을 상징하며, 생명을 키우고 만물에 질서를 부여하며 문명을 일군다.

4.8.3.　　土

　토(土)는 중화적 성질로 木火金水의 성질을 하나로 버무린 중(中)의 성질로서 木火金水의 조절자의 역할을 한다. 木火金水를 하나로 포용하고 키우며 중재하는 모태(母胎)의 성질이 있다. 토의 중화적 성질이 없으면 木火金水가 안정적인 순환으로 이어지지 못하므로 춘하추동 4계절이 자연스런 순환을 하지 못한다.

　동북방의 간괘(艮卦)☶는 무토(戊土), 서남방의 곤괘(坤卦)☷는 기토(己土)에 해당된다. 간토(艮土)는 지구 만물의 마침과 시작(終始)을 조율하는 위치에 있으며, 양이 주도하는 건도(乾道)를 주관하는 오행이다. 간토(艮土☶)가 감수(坎水☵)를 극함으로써 음이 주도하는 곤도(坤道)의 시대를 마감 지우고(終), 진목(震木☳)은 간토(艮土☶)를 극함으로써 양이 상극(相剋)을 주도하는 건도(乾道)의 시대를 시작한다(始).

　기토(己土)는 火(여름)가 金(가을)으로 전환하는 과정에서 발생하는 금화상쟁(金火相爭)의 기운을 중재함으로써 火生土-土生金의 구조를 만들어 상생으로 이어주는 역할을 한다. 즉, 서남방의 己土는 생장하는 양의 기운인 木火를 수장(收藏)하는 음의 기운 金水로 넘겨주는 역할을 하며, 지지(地支)에서는 각 계절이 전환되는 진술축미(辰戌丑未)의 위치에 있어 오행의 전환을 돕는다.

　순환의 과정으로 보면, 생장수장(生長收藏)이라는 순환의 과정을 중재(仲裁)하고 조절하는 중화(中和)의 성질이 있다. 화극금(火克金)으로 부딪히는 금화상쟁(金火相爭)의 기운을 상생으로 화해시킴으로써(火生土->土生金), 분열 확장하는 火(여름)에서 수렴 통일하는 金(가을)으로 자연스럽게 넘어가도록 하는 가교역할을 한다. 확산 분열하는 화기(火氣)를 받아드려 안에 품음으로써 시의적절하게 금기(金氣)로 수렴시킨다.

坤☷은 뜨거운 여름의 화기(火氣)를 식혀 주어 금기(金氣)로 수렴될 수 있도록 하며, 艮☶은 만물이 휴식을 마치고 하늘(양)이 땅(음)을 처음 터치하는 형상으로 만물의 시작을 의미한다(終始).

개벽의 시기에는 토성(土性)을 지닌 군자들이 시대를 이끈다. 땅에 떨어진 열매를 삭히고 씨앗을 걸러내고, 쭉정이를 썩힘으로써 밑거름이 되게 하며, 가을의 금기(金氣)가 생명의 정수인 알갱이를 수렴할 할 수 있도록 한다.

坤土☷는 생장하며 분열 성장하는 양기를 제어하여 열매를 맺게 한다. 그리고 떨어지는 열매를 받아드리고 껍데기와 쭉정이를 삭혀 알갱이(씨앗)을 걸러내어 품는다. 그리하여 음이 주도하는 수장(收藏)의 시대에 금기(金氣)는 공정과 공의로써 정제된 씨앗(알갱이)를 거두어 드린다. 금기는 토기에 의해 푹 삭혀 걸러내고 선별한 알갱이(정수)를 담는다.

일반적으로 동양종교를 보면, 양에서 음으로 이행하는 전환의 시기, 즉 개벽의 시대인 미시(未時)에 토성(土性☷)을 지닌 군자가 나타난다고 한다. 사기충천(土氣衝天)하는 화기(火氣)를 누그러뜨리고 음에게 수렴되도록 하는 가교역할을 한다는 것이다. 이는 서남방에 위치한 坤土☷를 의미하는 것으로 여름의 열매를 가을 금기로 넘기는 坤土☷(己)의 역할을 종교적으로 해석한 것이라 할 수 있다. 토☷는 확산된 양기를 담아 놓은 그릇의 상으로 인내 포용 선별, 숙성의 성질이 있다.

토(土)는 木火金水가 믿고 맡기는 모태로서 중화적 성정을 가지고 있으므로 오상(五常) 중에 신(信)에 해당된다. 팔괘로는 坤土☷, 艮土☶이며 천간은 戊土☷ 己土☷가 되고, 지지는 진술축미(辰戌丑未)가 되어 사계절에 관여한다.

坤☷ (金火交易) / 艮☶ (終始)

≫곤(坤): 땅☷ 속으로 열매☰를 받아드려 숙성시킨다.

≫간(艮): 하늘(☰양)이 땅(☷음)을 터치하는 모습이다. 간(艮)은 겨울 동면을 마치고(終), 양이 기지개를 펴는 모습(始), 만물이 휴식을 마치고 시작하는 종시(終始)의 뜻이 있다.

☞ **실리(實利)**

곤토의 陰氣(--)는 화(열매)의 양기를 제어하여 숙성시키면서 나무에서 열매가 떨어지도록 한다. 坤土는 火氣를 제어함으로써 가을의 이로움(利)으로 만드는 중간자적 역할을 한다. 문왕팔괘도에서 坤土는 음의 시작(利貞)이고, 艮土는 양의 시작(元亨)으로서 지구가 순환하는 축이 된다.

괘상/오행	천간	에너지	의 미
坤☷地 土	己	-7	유순(柔順), 유(柔), 어머니(母), 모태, 포용, 생육, 숙성, 선별, 질료, 따스함, 평지(平地), 평야, 금화교역, 중재, 늦여름(초가을), 남서(南西)
艮☶山 土	戊	-5	지(止), 정지, 그침, 고정성, 막아주는 것, 방패, 방호시설, 우산, 막혀 있음, 집(HOUSE), 닫힌 문, 감옥, 성(城), 우직함, 고집, 남성적, 침묵, 고요, 묵직함, 지름길, 소로(小路), 집 지키는 개, 산(山), 전답, 소남(少男), 종시(終始), 초봄(늦겨울), 동북(東北)

☞ 현대적 의미에서 토(土)는 정보의 저장수단(땅, 책, 하드디스크 등)으로서, 모든 생명(DNA)의 보호자, 조력자로서 만물의 생육을 돕는다.

4.8.4.　　金

　금(金)은 토(土)의 중재과정을 거쳐 음이 양을 포장하는 수렴작용을 시작하는 단계이다. 木火라는 양의 발산 작용이 金에서는 수축 작용하는 음의 수렴으로 전환된다. 양이 주도하는 건도(乾道)에서 음이 주도하는 곤도(坤道)로 접어드는 것이다. 火生土-土生金이라는 토의 중재과정을 통해 수렴단계로 전환되어간다.

　木의 생장(生長)하는 성질과 달리 金은 수축하고 수렴하는 성질로 단단하게 응축되어 뭉친 금(金)으로 그 성질을 표현한다. 수렴, 절제, 제어, 수확, 결실, 성숙, 실리(實利) 등의 의미가 있다. 계절로는 결실을 수확하는 가을이 되며, 알갱이와 쭉정이를 올바르게 가려내는 의(義)로운 숙살지기의 기운이 있다.
　방위는 해가 지는 서쪽이 되고, 시간으로는 하루를 정리하는 저녁이 되며, 인생의 성숙기인 중년기에 해당된다. 팔괘로는 兌金☱, 乾金☰이 되며, 천간으로는 庚金☱, 辛金☰이 된다. 순환의 과정으로 보면 생장수장(生長收藏) 중에서 수렴(收)에 해당된다.

　乾道(양)에 이어 坤道(음)가 이끄는 가을(秋)에는 쭉정이는 버리고 알갱이를 모으는 추상(秋霜)같은 의로움(義)으로 이로움(利)을 거두어 드리니(收), 오상(五常) 중에 의(義)에 해당되고, 사덕(四德) 중에 이(利)가 된다.

수렴　　　》　　　생명

≫兌☱는 수렴된 양을 음으로 포장하는 모습이고, 乾☰은 수렴되어 정제된 순백한 생명을 상징한다.

괘상/오행	천간	에너지	의 미
兌☱澤 金	庚	-1	수렴, 보호, 안(內), 그릇, 은행, 저축, 가정, 이익, 여성적, 주머니, 내성적 성격, 기쁨(說), 결실, 수확, 정(靜), 안정, 평화, 가정, 지혜, 지식, 덕(德), 입(口), 말(言), 구설수, 교태, 아첨, 훼손, 정제되지 않은 원석, 양(羊), 소녀(少女), 가을(秋), 서西
乾☰天 金	辛	+7	강건(剛健), 강(剛), 아버지(父), 머리, 어른, 대인, 관공서, 정제된 금(보석), 리(理), 공간, 생명, 창조지기, 차가움, 예리함, 늦가을(초겨울), 강건한 말(馬), 서북西北,

☞ 현대적 의미에서 금(金)은 목기(木氣)가 생육한 농작물을 거두어 드리는 수확을 상징하는 기운으로서 정보를 수렴하여 결과물을 만들어내는 기운이다.

4.8.5.　　水

　　금(金)에서 수렴된 양의 기운이 드디어 음의 기운 속에 응축, 저장되어 마무리하는 단계가 된다. 하강하고 수축하던 기운이 마지막으로 저장되어 휴식하는 단계이다. 휴식, 충전, 계획, 준비하는 상태로서 인사적으로는 소유욕, 보존, 생명으로 본다. 해체, 소멸, 죽음의 의미가 있으며 종교 철학 심리 등 정신세계를 지향한다. 수(水)는 그 안에 순환을 시작하는 양의 기운을 품고 있다.

　　괘상으로는 坎水☵가 되며, 양기(陽氣)가 음기(陰氣) 가운데에서 휴식하고 있는 모습으로 수리적으로는 1이 되고, 지지(地支)는 외양내음(外陽內陰)으로 子水가 음의 성질로 1이 된다. 만물의 시작은 양이 아니라 양을 품고 있는 음이 되는 이유이다.

　　계절로는 수렴을 마치고 휴식하는 겨울이며, 인사적으로는 노년기에 해당된다. 방위는 북쪽이며, 시간으로는 해가 떨어진 한 밤중이다. 팔괘는 坎水☵가 되고, 천간(天干)은 壬水, 癸水, 지지(地支)는 亥子가 된다.

　　순환의 과정으로 보면 생장수장(生長收藏) 중에 장(藏)에 해당된다. 저장된 생명의 씨앗(핵)은 다음 세대를 위하여 바르게 저장되어야 하니 사덕(四德) 중에서 정(貞)이 되며, 춘하추동 사계를 순환하며 축적된 경험은 새로운 시작을 위한 지혜가 되는 것이니 오상(五常) 중에 지(智)에 해당된다. 저장과 휴식은 새로운 시작을 하기 위함이니 그 바탕은 바름(貞)이 되어야 하니, 그래야 지혜(智)를 담아 다음 세대에 제대로 전할 수가 있는 것이다. 괘상☵을 보면 2개의 음 가운데 양이 바르게 중정(中正)을 지키고 있다.

괘상 오행	천간	에너지	의 미
坎 ☵ 水 水	壬 癸	-3	혼돈(chaos), 무질서, 혼란(亂), 달(月), 어두움(暗), 도둑, 무지(無知), 곤궁, 곤란, 난관, 실질(實質), 핵심, 생각이 깊음, 내면적 성향, 정신세계 추구, 수축, 저장, 어지러움, 교활, 번민, 함정, 구덩이, 빠짐(險陷), 미해결, 미완성, 유동적, 어린아이, 감정적, 감성적, 여심(女心), 중남(中男), 겨울(冬), 북(北)

☞ 현대적 의미에서 수(水)는 만물의 생명(DNA)을 품고 있는 양자물리학의 양자장(量子場), 동양철학적 개념의 기(氣)를 상징한다. 모든 것의 정보를 품고 있는 생명의 원천(源泉), 정보의 바다로서 음양이 미분된 혼돈상태를 의미한다. 수기(水氣)를 통해 만물만상으로 생육되며 질서를 잡아간다.

▷오행의 인사적 의미

구분	목(木)	화(火)	토(土)	금(金)	수(水)
사계(四季)	春	夏	中	秋	冬
사덕(四德)	元	亨	中	利	貞
순환(循環)	生	長	中	收	藏
방위(方位)	東	南	中	西	北
오색(五色)	靑	赤	黃	白	黑
천간(天干)	甲乙	丙丁	戊己	庚辛	壬癸
지지(地支)	寅卯	巳午	辰戌丑未	申酉	亥子
오상(五常)	仁	禮	信	義	智
오기(五氣)	風	熱	濕	燥	寒
후천수(낙서)	3·8	4·9	5·10	2·7	1·6
신체	간(肝臟)	심장(心臟)	비장(脾臟)	폐(肺臟)	신장(腎臟)
	담(膽)	소장(小腸)	위(胃)	대장(大腸)	방광(膀胱)
오미(五味)	신맛	쓴맛	단맛	매운맛	짠맛
하루	아침	낮	정오(中天)	오후	밤

4.9 만물의 창조원리 복희팔괘도의 이해

▶팔괘의 명칭과 속성

물상	천 (天)	택 (澤)	화 (火)	뢰 (雷)	풍 (風)	수 (水)	산 (山)	지 (地)
속성	건 (乾)	태 (兌)	리 (離)	진 (震)	손 (巽)	감 (坎)	간 (艮)	곤 (坤)
괘상	☰	☱	☲	☳	☴	☵	☶	☷

▶우주창조원리를 표상한 8괘도(복희역)

무극(0)에서 하나(1)로, 하나가 음양(2)의 작용으로 천지인(3) 우주만물(6)로 분화해 나가는 우주창조원리는 복희8괘도에서 체계적으로 설명하고 있다. 그러나 복희8괘도는 양(天)의 관점에서 우주의 본체를 설명하는 한계를 지닌다. 음양은 서로 대소 고저 귀천 없이 평등하지만 양의 관점에서 8괘를 바라봄으로써 주역의 괘사(卦辭)도 음보다는 양을 우선하여 설명하고 있다.

▶가일배법(加一倍法) 원리에 의한 팔괘의 형성 과정

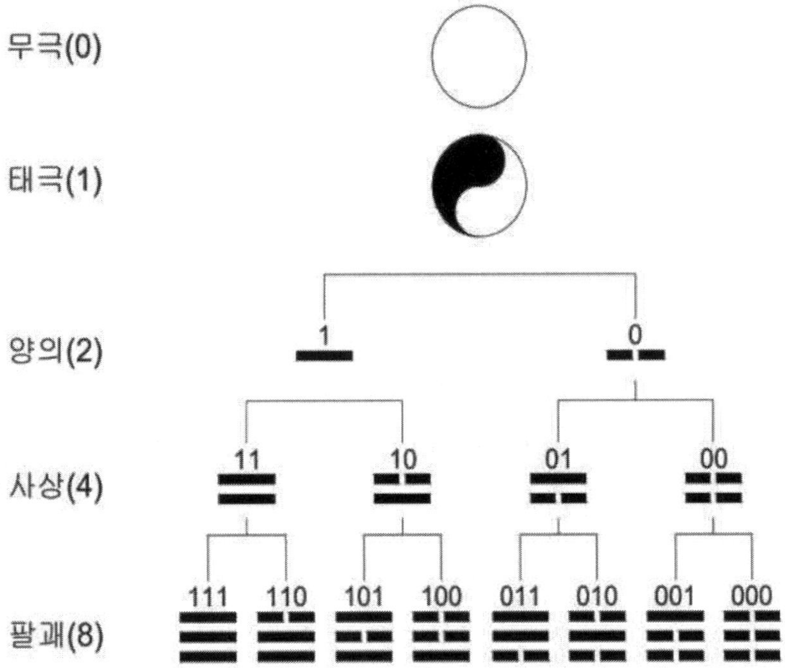

<복희팔괘차서도>

태극(1)-음양(2)-사상(4)-팔괘(8)의 순서로 라이프니츠의 2진법 수리체계인 가일배법(加一倍法)의 원리에 따라 괘가 형성되어가는 과정에서 乾(1), 兌(2), 離(3), 震(4), 巽(5), 坎(6), 艮(7), 坤(8)으로 순서로 팔괘가 배열되며, 이것에 번호를 매기면 다음 그림이 된다. 이 수가 전통적으로 복희팔괘도에서 사용하는 수리가 된다. 이 수리는 양의 관점, 즉 위에서 아래로 2진법 수리 체계로 계산한 수로서 큰 수부터 나열한 것이다. 복희역은 양(陽)의 관점인 천역(天易)을 의미하며, 그 자체에 2진법 수리를 내재하고 있다.

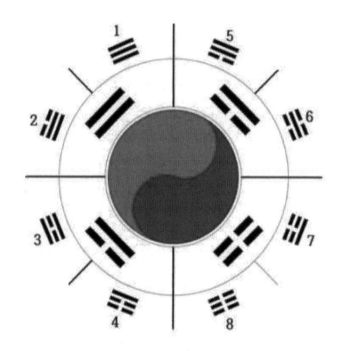

<태극(음양)에서 비롯되는 복희팔괘도(우주역)의 생성 원리>

위 그림은 태극이 음양을 낳고 음양은 사상을 낳고 사상은 팔괘를 낳는 우주창조의 과정을 표상한 복희팔괘차서도를 입체적으로 설명한다. 팔괘(八卦)로 범주화되는 만물만상의 근원은 음과 양이다. 즉 만물을 범주화한 팔괘는 음효와 양효로 구성되어 있는데, 이는 팔괘가 음양에서 비롯되었기 때문이다.

▶복희팔괘의 수리화 모형
라이프니츠의 가일배법의 원리에 따라 음효를 0, 양효를 1로 팔괘를 이진법 수리로 전환하면 다음과 같은 복희팔괘의 수리가 나온다.

관점 ⬇	乾 (1) ☰ 111 +7	兌 (2) ☱ 110 +6	離 (3) ☲ 101 +5	震 (4) ☳ 100 +4	巽 (5) ☴ 011 +3	坎 (6) ☵ 010 +2	艮 (7) ☶ 001 +1	坤 (8) ☷ 000 0
수리	1	2	3	4	5	6	7	8

이것을 8괘 원도로 나타내면

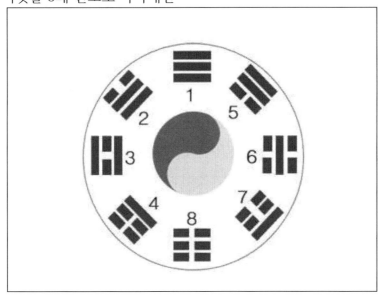

양의 관점에서 표현한 우주역 복희팔괘도를 오행으로 재배열하면 지구역인 문왕팔괘도가 된다. 문왕팔괘도는 간토와 곤토를 축으로 자전하며 태양을 공전하면서 지구의 동서남북 방향(공간)과 춘하추동 사시(시간)를 정한다.

4.10 음양오행과 사주팔자

시   일   월   년

丁 乙 丙 壬   천간: 내적작용(天氣)

亥 未 午 寅   지지: 외적작용(地氣)

►생년월일시가 간지(干支)로 표현된 사주명국

-천간오행은 하늘 공간에서 일어나는 천기이고, 지지오행은 천간오행이 내려와 땅에서 사시를 순환하며 일으키는 오행 기운으로 하늘의 오행과 동일한 기운을 생성해 낸다. 천간은 지지의 작용에 따라 그 속성이 발현된다. 천간오행이 체(體)라면 지지오행은 용(用)이다.

-천간은 지지의 작용에 따라 생조(生助)를 받거나, 생설(生洩)되어 기운이 누설되거나, 비화(比和), 극제(剋制)를 받는다.

-천간오행은 타고난 선천적인 불변의 성질이고, 지지오행은 천간오행이 땅에 내려와 계절의 순환을 따라 가면서 구체적으로 작용하는 한난조습이 발현시키는 기운이다.

-오행은 음양과 작용하여 10천간(天干)을 만들고, 10천간은 지상에서 춘하추동 사시를 순환하며 12지지(地支)를 따라 유행(流行)하며 작용한다.

-천간오행은 불변적 속성으로 체(體)가 되고, 지지오행은 계절을 따라 순환하며 변화하는 작용적 속성을 가진 용(用)이 된다.

-천간은 지지의 기운에 따라 가지고 있는 본성이 강화되거나 약화된다.

-사주팔자는 음양과 오행이 상호작용하여 인간의 생로병사에 대한 총체적인 흐름을 프로그래밍해 놓은 암호이다. 개인의 생년월일을 사주팔자로 프로그

래밍해 놓은 간지를 분석하면 타고난 성품이나 기질, 성향, 능력 등을 자연의 변화원리를 통해 유추할 수가 있다.

-지지는 천간이 땅 속으로 들어온 지장간에 의해 그 성격이 규정된다. 즉 인(寅)은 지장간의 정기가 갑목(甲木)이므로 오행상 목기(木氣)의 성질을 띠게 되고, 음양으로는 양(陽)이 된다. 그러나 지장간에는 己丙甲이라는 3개의 기운이 혼재되어 있어 천간오행과 달리 복합성을 띤다.

-지지는 천간의 뜻이 실현되는 구체적 시공간이다.

-지구의 땅 속으로 들어온 지장간이 천간에 투출되면 투간된 천간은 그 힘이 강화된다.

▷지지(地支)는 천간의 오행운동이 땅에서 작용하는 기운.

천간오행(음양오행)	지지오행(춘하추동 사시를 통해 발현)
하늘 (추상적 공간)	땅 (구체적 공간, 지구)
10천간(天干) 甲乙丙丁戊己庚辛壬癸	12지지(地支) 子丑寅卯辰巳午未申酉戌亥
천기(天氣)	지기(地氣)
본체(本體)	작용(作用)
불변(不變)	변용(變用)
상(象)	형(形)
생기(生氣)	형질(形質)
비현실적	현실적
추상적	구체적
본질적 기운	현상적 기운
천성, 본성, 성품	직업, 사회성, 적성, 성향, 특성, 재능, 환경
日月을 비롯한 五星이 순환	사시순환을 통해 계절적 기운이 만들어내

하며 만들어 내는 하늘의 오행	는 지구의 조후(오행기운)

    사주팔자를 분석하는 것은 하늘의 뜻(천간)이 땅(지지)에서 제대로 이루어지고 있는가를 살펴보는 것이다. 하늘과 땅의 순환 법칙인 음양오행이 체계화되어 문자로 나타난 것이 천간과 지지인데, 이 木火土金水 오행이 프로그래밍된 개개인의 사주(四柱)가 순환질서에 제대로 순응하면서 순리대로 흐르고 있는가를 살펴보는 것이다.

5. 간지(天支)

5.1 간지는 일월오성(日月五星)의 기운이 내재된 부호

간지는 음양오행이 만물을 순환시키는 이치와 원리를 함유한 문자이다. 인간을 천간과 지지로 그 존재를 규명하려 하는 것은 인간이 곧 자연이라는 것을 의미한다. 음양은 일월(日月)이며, 오행(五行)은 목화토금수 오성(五星)이 하늘의 28수를 통과하면서 상호작용으로 만들어내는 기운이다.

간지(干支)는 하늘오행을 의미하는 10天干과 지구가 사시를 순환하면 만들어내는 오행의 기운인 12地支를 배합하여 60갑자로써 순환하는 시간이다.

천간과 지지에 오행을 부여한 후 음양으로 나누어 간지마다 특별한 의미를 부여하고, 그 글자의 조합을 통해 음양오행이 생극제화(生剋制化)하는 의미를 찾아 추명하는 명리학을 비롯하여 다양한 분야에서 활용된다.

천간(天干)은 하늘의 기운을 뜻하며, 그 성질은 지구역인 문왕팔괘도의 극성(極性)을 따른다. 그러므로 천간의 성질을 이해하기 위해서는 주역 팔괘의 성질을 먼저 알아야 한다. 지지는 천간(天氣)이 지지(地氣)를 파고들어간 지장간에 의해 성격이 규정된다. 태양이 지구에 빛을 내리고 땅 속으로 파고들어가 생명의 기운을 일으키니, 지상의 만물을 순환하게 하는 천기(天氣)가 곧 지장간이다.

생명이 태동(胎動)하는 진震☳뢰雷에서 甲(木)이 시작된다. 그러므로 천간지지의 순환도에서 지장간 갑목(甲木)이 시작하는 인(寅)이 1월이 된다. 천간 戊土는 지지의 배열에서는 辰戌에 속하며, 지축을 회전시켜 음양과 오행을 일으키는 기운이 된다.

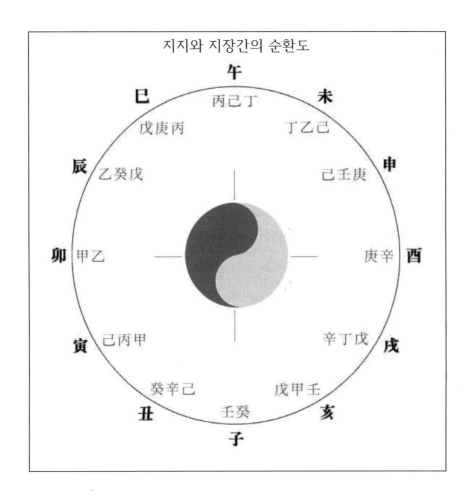

지지와 지장간의 순환도

지지(地支)는 지구의 공전과 자전에 의해 생겨나는 춘하추동, 생장수장이
라는 시간의 법칙을 표현한다. 지지는 坎☵水에서 시작한다. 水는 만물의 시
작점이요, 만물이 생장수장의 이치로 순환하는 과정에서 천지만물을 하나로
품고 쉬며 새로운 생을 준비하는 곳이다. 만물의 씨앗을 품고 만물의 순환을
시작하는 첫 번째로서 지지(地支)의 시작은 子(水)가 된다. 문왕팔괘의 수리
도 坎☵水가 1이 된다.

5.2 문왕팔괘도와 천간(天干)

巽☴風 乙	離☲火 丙丁	坤☷土 己
震☳雷 甲	中土	兌☱澤 庚
艮☶山 戊	坎☵水 癸壬	乾☰天 辛

　주역(周易)을 알아야 간지(干支)를 이해할 수 있다. 왜냐하면 문왕팔괘도에 천간이 부여됨으로써 천간이 뜻을 얻게 되고, 비로소 지지의 성격이 규정되기 때문이다. 震☳雷는 만물이 태동하여 시작되는 괘로 天干의 甲이 정해진다. 甲의 해자(解字)는 밭에 뿌려진 씨앗이 뿌리를 내리는 형상이니 생명이 시작되는 것으로 ☳와 뜻이 일치된다. 인(寅)의 지장간 정기(正氣)가 甲木이므로 인(寅)은 甲木의 성질을 가지게 되어 인목(寅木)의 성질이 부여된다.

　문왕팔괘도는 공전과 자전을 통해 일어나는 춘하추동 사계의 변화에 따른 생장수장의 이치를 표현한다. 지구역인 문왕팔괘도에 천간이 부여됨으로써 비로소 계절적 기운을 표시하는 지지의 성격이 규정된다. 천간의 성질은 문왕팔괘도(지구역)의 괘의(卦意)를 따른다.

5.3 지지는 지구의 사계절이 발생시키는 조후(한난조습)

천간오행과 지지오행은 성질과 역할이 다르다. 천간오행은 우주를 유행(流行)하는 동적인 성질로서 만물을 구성하는 다섯 가지 요소이지만, 지지오행은 지구의 계절에 고정되어있는 조후로서 천간오행이 활동하는 집(宮)이다. 관리가 자신의 부임지를 찾아가듯이, 천간이 지지를 순회하면서 최적의 적임지를 찾아간다. 적임지를 찾은 천간은 그곳에서 자신의 뜻을 실현하는 것이니 곧 오행의 작용을 의미한다.

지지는 오행 그 자체가 아니라 계절에 따라 천간오행의 기운이 일어났다 사라지는 계절적 환경을 의미한다. 지지는 계절적 특성으로서 오행의 기운을 발현시키는 역할을 수행한다. 즉, 지지는 계절에 따른 조후로서 천간의 뜻을 실현시키는 기후적 여건이 되는 것이다.

지지는 순수 오행이 아니다. 지지는 그 자체가 오행이 아니라 계절이 순환하면서 그에 따라 계절에 맞는 오행이 일어났다 사라지는 환경적 여건에 불과하다. 예를 들어 寅木은 지장간의 정기인 甲木에 의해 寅木이라는 성질이 부여되지만, 甲木 외에도 己土와 丙火가 있어 己丙甲 3개의 기운이 합해져 寅木에 해당하는 1월의 조후를 만들어낸다. 그러므로 천간은 지지에 같은 오행의 기운을 뿌리로 두었을 때 기세가 비화(比和)되어 비로소 오행으로서의 역량을 발휘하게 된다.

예를 들어 未土는 丁乙己라는 천간오행이 거주하는 집(宮)이다. 즉, 未는 그 자체가 오행이 아니라 계절적 환경으로서 천간오행을 담는 그릇(宮)이다. 그러므로 未는 丁乙己가 융합되어 있는 복합적 성질을 띠게 된다. 하늘의 천간오행이 지상을 유행하면서 지지를 스칠 때 땅 속의 천간오행(지장간)이 인출되어 상호작용한다. 未는 계절적 환경을 구분하는 명칭에 불과하므로 그 자체가 천간오행과 생극작용을 하는 것이 아니다.

未는 지장간을 담은 그릇(宮)으로서 복합적 성질을 가지고 있으므로 지지오행이라 하여 천간오행과 구별한다. 천간오행은 하늘을 유행하며 만물을 생장수장의 이치로 순환시키는 우주적 기운으로서 생기(生氣)가 되고, 지지오행은 지구가 태양을 공전하며 일으키는 계절적인 환경으로서 조후가 된다.

지지는 천간을 담는 그릇으로서 천간의 작용을 생조(生助)하거나 반대로 생설(生泄)하는 역할을 한다. 인(寅)이라는 조후는 지장간 己丙甲이 담겨있어 복잡한 양상을 나타낸다. 천간오행은 계절이 생성해내는 기운을 생조받을 때 기세를 얻고, 등을 돌리면 그 힘을 잃는다.

천간오행은 동적인 성질로 하늘을 유행(流行)하며 생극을 통해 작용하지만, 지지는 계절에 따라 나타났다 사라지는 환경적 여건에 불과하므로 생극작용을 하지않는다. 생극작용은 오행만이 가능하므로 천간오행에 해당되며, 지지오행은 한난조습이라는 계절적 기운이 발현시키는 정적인 기운으로서 동적인 성질을 가진 천간오행과는 그 역할이 다르다.

오행생극을 통해 십신을 만드는 것은 천간오행의 기능이다. 즉, 지지에 해당하는 계절은 각각 한난조습(寒暖燥濕)을 생성시켜 춘하추동 사계절에 적합한 목화토금수 오행기운을 발현시킨다. 천간은 이렇게 지지에 담겨진 계절적인 조후(調候)를 받아드려 맡은바 소임인 오행의 속성을 발현시켜 나가는 것이다. 한(寒)은 겨울 수기(水氣)에 해당되고, 난(暖)은 여름 화기(火氣)에 해당되며, 조(燥)는 가을 금기(金氣)에 해당되고, 습(濕)은 봄 목기(木氣)에 해당된다. 지지는 지장간, 12운성, 합충형파해 등, 천간오행이 노닐 수 있는 환경적 여건을 제공하면서 인사적인 문제를 판단할 수 있도록 하는 합리적인 논거를 제공한다.

하늘기운(천간오행)과 땅의 기운(한난조습이 만들어내는 지지오행)은 맡은 바 그 역할이 다르다. 천간이 온 우주에 가득한 하늘을 유행하는 목화토금수 생기(生氣)로서 상기(象氣)라면, 지지는 지구가 태양을 공전하며 사계절의 순환을 통해 만들어내는 한난조습에 의해서 제각각 모습이 다른 형기(形氣)를 의미한다.

천간오행과 지지오행은 맡은 바 소임이 다르다. 천간오행은 동적인 성질로 우주만물에 가득한 생기로 쉼없이 유행하지만. 지지오행은 지구라는 환경 속에서 사시를 순환하는 계절에 고정되어있는 기운으로서 시간의 흐름에 따라 나타났다 사라지는 환경적인 기운에 불과하다. 지지오행은 생기인 천간오행을 맞아들여 궁합을 맞추고 형질(形質)을 이룬다. 그러므로 천간오행이 지지에 록지(祿地)를 두면 그 기세가 강화되고, 지장간에 뿌리가 있으면 천간의 뜻과 기질이 강하게 발휘된다. 천간이 지지에 통근하면 관리가 최적의 부임지에 발령받아 자신의 뜻을 강하게 실현하는 것과 같다.

천간오행은 하늘의 기운이 집약된 생기(生氣)로서 추상적이고 형이상학적이며 맑은 무형의 기운으로 본질적이다. 그러므로 냄새도 없고 맛도 없으며 만져지거나 느낄 수 있는 것이 아니다. 천간오행은 만물 속에 내재된 생명으로서 생기(生氣)가 되고, 지지는 계절적 기운으로서 오행의 생기(生氣)를 도와 만물의 형질(形質) 작용을 돕는다.

삼일신고(三一神誥)에서는 다음처럼 하늘을 표현하고 있다.

創創非天 玄玄非天

창창비천 현현비천

푸르고 푸른 것은 하늘이 아니며,

검고 검은 것이 하늘이 아니다.

天 無形質 無端倪 無上下四方

천 무형질 무단예 무상하사방

하늘은 형태도 질량도 없으며,

시작과 끝이 서로 맞닿지 않으며

위 아래 사방도 없느니라.

虛虛空空 無不在無不容

허허공공 무부재무불용

텅 비어 있는 허공은 어디에든 있지 않은 곳이 없고,

그 무엇이든지 포용하지 않는 것이 없느니라.

5.4 지지(地支)와 지장간 정기(地藏干 正氣)

지지		巳	午	未		
	장간	丙	丁	己		
辰	戊		夏		庚	申
卯	乙	春	土	秋	辛	酉
寅	甲		冬		戊	戌
		己	癸	壬		
		丑	子	亥		

≫지지 속에 천간인 정기장간(正氣藏干)이 내장되어 지지의 내적인 성격이 규정된다.

寅이 木의 성질로서 양(陽)이 되는 까닭은 寅의 지장간 正氣가 甲木으로서 양(陽)이기 때문이다. 卯가 木의 성질로서 음(陰)이 되는 까닭은 卯의 지장간 正氣가 乙木으로서 음(陰)이기 때문이다. 다른 지지(地支)도 동일하게 설명된다.

5.5 음양(2)과 오행(5)이 천간(10)을 펼쳐내다.

▷ 五行(5)은 음양(2)이 작용하는 내적 작용원리로써 외부로 十天(10)을 펼친다.

태극(1) ≫음양(2) ≫ 오행(5) ≫ 천간(10)

태극(1)
┌ 음(-)
│   ≫ 오행(5)
└ 양(+)

오행(5)
┌ 목 (+-)
│ 화 (+-)
│ 토 (+-) ≫ 천간(10)
│ 금 (+-)
└ 수 (+-)

천간(10)
┌ 갑을 (+-)
│ 병정 (+-)
│ 무기 (+-)
│ 경신 (+-)
└ 임계 (+-)

　오행은 음양의 활동이며, 음양의 상호작용의 결과로 나타난 것이니, 음양과 오행은 서로 별도로 구분되는 것이 아니라 동시적 작용을 의미한다. 오행이 음양의 작용으로 생극을 드러냄으로써 10天이 되고, 10天은 天氣로서 10干으로 표현되어 인문학적인 성질을 드러낸다. 10天干은 오행(5)의 음양작용(2)의 산물이다. 십천(十天)은 우주의 생성원리를 도식화한 하도의 중앙수로서 완성을 의미하는 수이다.

5.6 오행의 내적원리와 외적현상

▷ **음양오행과 천간 지지**

乾坤	건도(乾道)				土		곤도(坤道)				선후천
五行	木		火				金		水		오행
天干	甲	乙	丙	丁	戊	己	庚	辛	壬	癸	≫**오행의 내적원리** 天氣(오행) 체(體), 상(象), 기(氣), 상기(象氣)
地支	寅	卯	巳	午	辰 戌	丑 未	申	酉	亥	子	≫**오행의 외적현상** 地氣(조후) 용(用), 형(形), 질(質), 형기(形氣)
음/양	양	음	양	음	**양**	**음**	양	음	양	음	

천간은 음양오행의 생극작용으로 일어나는 내적작용(天氣)의 원리로서 체(體)가 되고, 지지는 내적작용에 의해 펼쳐지는 외적결과(地氣)로서 용(用)이 되며, 시간변화(四季, 24時)의 원리를 나타낸다.

5.7 在天成象 在地成形

천기(天氣)는 상(象)을 이루고, 지기(地氣)는 형(形)을 이룬다. 천기는 생명의 근원이 되고, 지기는 만물의 형질(形質)을 된다. 우주를 가득 채운 생기(生氣)는 형체가 있는 바람, 구름, 번개, 해, 달, 별 등의 형상으로 변하며, 산천초목, 동식물 등 각양각색의 물질로 형체화된다.

▷음양으로 보는 천간과 지지의 기질론(氣質論)

干	天	陽	氣	象	오행	生氣	體	형이상
支	地	陰	質	形	한난조습	形質	用	형이하

천간오행은 하늘을 유행하는 생기로서 상(象)을 드러낸다. 본질적인 성질을 의미한다.

지지는 계절적인 조후(調候)로서 계절을 따라 오행이 형(形)을 드러내어 질(質)을 만드는 지구공간이 된다. 물상적으로는 사물, 물건을 드러내고, 인사적으로는 현실적 작용을 드러내어 천간오행의 발화를 돕는다.

천간은 하늘을 유행(流行)하는 불변의 본질적 속성이 되고(象), 지지는 하늘의 오행이 지구로 내려와 계절을 순환하면서 만들어내는 현상적 속성을 지닌다(形). 지지는 한난조습(寒暖燥濕)이라는 사계절 특성이 만들어내는 오행기운으로서 천간오행을 담아내는 그릇(宮)이다. 예를 들어 해(亥)에는 戊甲壬이라는 3개의 천간이 들어가 해(亥)의 성질을 규정한다. 천간은 오행이지만, 지지는 순수 오행이 아니라 사계절이 12개월을 따라 흐르면서 기후가 만들어내는 오행기운으로서, 구분하여 지지오행이라 한다.

지지는 기(氣)의 응집으로서 형이하학적인 형질(形質)을 의미하는 반면에 천간은 형이상학적인 기(氣)로서 상(象)을 의미한다. 천간은 인사적으로 본성, 천성, 성품, 성향 등 본질적인 의미를 가지며 인간의 생각이나 의지, 뜻을 함유한다.

5.8 음양으로 보는 천간의 기질론(氣質論)

(양)	甲	丙	**戊**	庚	壬
生氣	생장	질서	**종시(終始)**	수렴	저장
(음)	乙	丁	**己**	辛	癸
形質	나무 木性	불 火性	**흙** **土性** 교역(交易)	금속 金性	물 水性

▶甲은 생기(生氣)의 시작이고, 乙은 형질(形質)의 완성을 의미한다. 생기는 만물 속에 흐르는 기운이고, 형질은 만물의 형체이다.

생장지기(生長之氣)인 甲木은 숙살지기(肅殺之氣)인 庚金을 만나면 위태롭지만 金의 형질(辛金)로 이루어진 금속(칼)으로는 생기(生氣)를 극하여 죽이지 못한다. 이와 반대로 木의 형질인 乙木은 숙살지기 경금을 만나면 나뭇잎을 떨구지만 오히려 열매를 일구고 뿌리는 견고하게 된다. 그러나 乙木은 金의 형질(辛金)인 칼을 만나면 여지없이 베어진다.

甲木은 목성(木性)을 키우는 본질적인 기운으로 생기(生氣)가 되고, 乙木은 생기(生氣)의 응축으로 목성(木性)의 모습을 갖춘 형질(形質)로서 음양으로 대비된다. 또한 庚金은 금성(金性)을 키우는 본질적인 기운으로 생기가 되고, 辛金은 생기의 응축으로 금성(金性)의 모습을 갖춘 형질(形質)로서 서로 음양이 대비된다. 그러므로 庚은 甲의 칠살(七殺)이 되고 辛은 甲의 正官이 되며, 辛은 乙의 칠살이 되고 甲의 正官이 되는 까닭이 된다. 다른 오행도 같은 논리로 이해한다.

5.9 사주팔자(四柱八字)의 구조

　사주명리는 태어난 년월일시(年月日時)의 간지를 가지고 일간인 "나"를 중심으로 오행의 생극작용과 다양한 추명방법을 통해 운명을 감정하는 이론이다.

　사주명국의 주인은 바로 나이며, 나는 내 인생을 운영하는 선장이다. "나"는 우주만물을 형성하는 생기인 오행 중의 하나로서 "나"를 중심으로 다른 오행과의 생극작용으로 변화를 만들어낸다. 변화를 만들어 내고 또 그 변화를 운영하는 것은 사주의 주체인 "나"인 것이다. 우주만물을 형성하는 오행은 자연 그 자체이기 때문에 오행 중의 하나인 "나" 역시 자연 그 자체이다. 그러므로 우주를 운행하는 사주명국이라는 배의 선장인 나는 운명이라는 물길을 따라 순행하느냐, 아니면 물길을 거슬러 역행하느냐를 스스로 선택하여야 한다. 선택에 따라 명운은 달라진다. 누구나 자신의 의지와 관계없이 사주명국이라는 운명의 배에 올라탔다. 8개의 글자로 이루어진 사주명국이라는 배는 좋고 나쁨이 없다. 다만 어떻게 운행하여 운명이라는 강의 흐름을 제대로 올라타느냐, 아니면 흐름을 놓치거나 빗겨가 제대로 올라타지 못해 힘들게 노를 저어 나아가야 하느냐 하는 것은 오로지 자신의 몫인 것이다. 모든 것은 자신의 선택에 달려있다.

천간: 내적작용(天氣)

지지: 외적작용(地氣)

▶ 생년월일시가 간지(干支)로 표현된 사주명국

-지지는 천간의 형이하학적인 표현으로 천간은 체(體), 지지는 용(用)의 관계를 맺고 있다.

-지지는 형이상학적인 천간오행이 땅에 내려와 사시순환을 통해서 실제적으로 작용하는 형이하학적인 환경을 의미한다. 예를 들어 인(寅)은 천간 갑(甲)이 내려와 땅 속에서 지장간으로 작용함으로써 인(寅)은 인목(寅木)이 된다. 인목은 하늘의 오행인 갑목이 땅에 내려와 작용하는 형이하학적 환경으로서 천간 갑목에게 주어진 활동 공간이다.

-하늘의 천간은 땅에서 계절이 만들어내는 오행과의 상호작용을 통해 그 속성을 발현시킨다.

-간지는 자연의 변화 이치와 원리를 언어문자로 표현한 것으로서 음양오행이 상호작용하는 순리성(順理性)와 역리성(逆理性)을 분석하여 인간의 존재성을 규명한다.

-천간 오행이 땅에서 구체적으로 실현된 것이 12지지 오행이다. 오행의 속성을 가진 춘하추동 지지오행으로 펼쳐져 만물을 작용시키는 기운이 된다.

-12지지는 10천간오행이 지구인 땅에 내려와 구체적으로 작용하는 시공간이다. 천간오행은 지구(토)에 내려와 목화금수 사계절을 따라 유동(流動)하면서 계절이 발현하는 기운과 작용한다.

-천간이 12지지를 따라 움직이면서 같은 기운을 만나면 천간의 기세가 강화된다. 지지궁의 지장간에 같은 기운을 뿌리로 두고 때에 따라 인출하여 쓰면 천간의 쓰임이 좋다. 지지궁에 암장된 천간은 고요하게 쓰일 때를 기다리고 있는 것이니 천간에 투출되면 그 작용력이 크다. 그러므로 천간은 지지에 통근하면 좋고, 지장간은 천간에 투출해야 귀하게 쓰이게 된다. 지장간이 투출하게 되면 고요하게 기다리던 지장간에 쓰임이 생긴 것이다.

-지지 또는 지장간에 같은 기운인 천간오행이 들어오면 힘이 강화된다.

-지지는 천간이 자신의 뜻을 실현시키는 시공간이다. 하늘의 뜻이 땅에서

이루어는 것이다. 사주는 인간의 관점에서 하늘의 뜻(천간)이 땅에서 이루어지는가를 살펴보는 것이다. 사주가 제대로 오행의 질서에 순응하면서 순리대로 흐르고 있는 지를 살펴보는 것이 사주명리학이다.

-지지는 천간오행의 기운을 담고 있는 한난조습이라는 그릇으로서 천간은 지지가 토해내는 오행의 기운을 받을 때 비로소 천간으로서의 기능을 제대로 수행해 낼 수가 있다. 세균은 자신이 번식할 수 있는 여건이 제대로 갖추어지면 왕성하게 활동하며 번식한다. 마찬가지로 오행은 자신의 뜻을 펼칠 수 있는 여건이 제대로 갖추어지면 왕성하게 활동하며 자신의 뜻을 펼쳐 나가게 되는 것이다.

　지지는 천간이 사용하는 집(宮)이다. 그 집에 천간이 쓸 지장간이 뿌리를 내려 살고 있으면 언제든지 인출하여 사용할 수가 있으니, 관리가 자신의 뜻을 펼칠 수 있는 적합한 부임지를 만난 격이다.

　그러므로 천간오행은 같은 기운인 지지의 생조를 받을 때 제 힘을 발휘할 수가 있다. 천간오행과 같은 계절적인 기운을 지지에 두고 있거나(通根), 지장간에 천간오행과 같은 글자가 있을 때(有根), 비록 지장간의 12운성이 약하더라도 천간오행은 지지로부터 강한 생조를 받아 역동적이 된다.

6. 오행과 간지

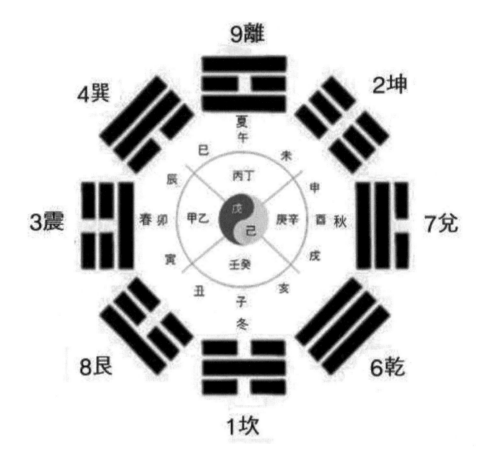

<음양오행의 내적원리와 외적 현상>

6.1. 간지(干支)의 음양오행

6.1.1. 천간(天干)의 음양오행

天干	갑(甲)	을(乙)	병(丙)	정(丁)	무(戊)	기(己)	경(庚)	신(辛)	임(壬)	계(癸)
陰陽	+	-	+	-	+	-	+	-	+	-
五行	木		火		土		金		水	
季節	春		夏		中		秋		冬	

6.1.2. 지지의 음양오행기운(조후)

地支	인(寅)	묘(卯)	진(辰)	사(巳)	오(午)	미(未)	신(申)	유(酉)	술(戌)	해(亥)	자(子)	축(丑)
월(陰)	1	2	3	4	5	6	7	8	9	10	11	12
시	3 -5	5 -7	7 -9	9 -11	11 -13	13 -15	15 -17	17 -19	19 -21	21 -23	23 -1	1 -3
陰陽	+	-	+	+	-	-	+	-	+	+	-	-
五行	목기(木氣)			화기(火氣)			금기(金氣)			수기(水氣)		
계절	봄(春)			여름(夏)			가을(秋)			겨울(冬)		
조후	습(濕)			난(暖)			조(燥)			한(寒)		

► 지지로 표시되는 춘하추동 사시는 한난조습(寒暖燥濕)이 일어나면서 그 자체가 목화토금수(木火土金水) 오행기운을 발현시키는 환경이 된다.

6.1.3. 음양과 간지

天干	甲	乙	丙	丁	戊	己	庚	辛	壬	癸
地支	寅	卯	巳	午	辰 戌	丑 未	申	酉	亥	子
음/양	양	음	양	음	양	음	양	음	양	음

► 五行은 음양이 작용하는 내적원리가 되어 10天干을 펼쳐내고, 10天干이 원리가 되어 펼쳐낸 외적현상인 12地支는 춘하추동 사계(四季)의 12순환과 기후를 표현한다.

6.2. 오행이 만들어내는 시공(時空)

　　음양은 태극의 작동원리(key)이고, 木火土金水로 나타내는 오행은 음양이 작용하여 돌리는 천지만물을 형상화시키는 시스템이다. 그러므로 오행의 기운이 응취(凝聚)하면 형체(물상)를 이루고, 소산(消散)되면 무형의 기(氣)로 돌아간다. 오행은 취산(聚散)을 반복하며 천지만물의 성쇠와 순환을 만들어 낸다.

　　오행은 하늘(天)과 땅(地), 그리고 만물(人)에 동시 작용하는 기운이다. "옛날 복희씨가 천하를 다스릴 때 하늘(天)의 형상을 관찰하고 땅(地)의 이치를 굽어보아 새와 짐승의 무늬와 땅 위의 사물(人)을 살피어 가까이에서는 몸에서 취하고 멀리서는 사물에서 취하여 처음으로 팔괘를 그려 표준으로 삼았다"[1]라고 하였듯이 음양오행의 기운은 천지인(天地人)의 근본원리가 된다. 그래서 예로부터 '천문(天文)과 지리(地理)를 살피고 인사(人事)를 정한다'라고 하였다.

6.2.1. 천문(天文)

　　지구에 가장 많은 영향을 주는 것은 해(日)와 달(月)이고 그 다음이 수, 금, 화, 목, 토 오성으로서 칠정(七政), 또는 칠요(七曜)라고 한다. 해는 양(陽), 달은 음(陰)으로 나타나고, 목화토금수는 오행으로 나타난다. 오행(5)은 하늘의 일로서 음양(2)의 기운을 곱하여 천간(10天干)으로 표시한다.

---

[1] 『주역』, 「계사전」, "古者庖 犧氏之王天下也, 仰則觀象於天, 俯則觀法於地, 視禽獸之文, 與地之宜, 近取諸身, 遠取諸物, 於是始作易八卦"

6.2.2. 지리(地理)

하늘의 일은 천간(天干)으로 표시하고, 땅의 일은 지지(地支)로 표시한다. 태극은 음양의 상호작용을 의미한다. 음양이 작용하면 태극(1)이요, 작동을 멈추면 무극(0)이다. 무극은 天0地0人0의 정보(DNA)를 가지고 있으나, 작용이 없으므로 그 기운이 드러나지 않고, 태극은 음양의 상호작용으로 天一地一人一이 드러난다. 天地人 삼극은 각각 음양(2)이 있으니 天二地二人二로 표시된다. 이것을 효로 표시하면 天一地一人一은 소성괘 삼효(體)가 되고, 天二地二人二은 대성괘 6효(用)가 된다. 8괘를 형성하는 소성괘는 추상적 개념의 천지인이고, 64괘를 형성하는 대성괘는 실제 작용하는 구체적 개념의 천지인으로서 서로 체용 관계에 있다.

지지를 오행에 배분하면 인묘(寅卯)는 木, 오미(午未)는 火, 신유(申酉)는 金, 해자(亥子)는 水에 해당되고. 진술축미(辰戌丑未)는 土에 해당된다. 지리(地理)의 관점에서 보면 목화금수 사상을 돌리는 土가 황극(皇極)이 된다. 황극은 '추상적인 태극'이 아니라 구체적으로 '작용하는 태극'이다.

목화토금수 오행은 춘하추동 사시(時)를 정하고, 동서남북 공간(空)을 정한다. 목(木)은 동방으로 봄이 되고, 화(火)는 남방으로 여름이 되며, 금(金)은 서방으로 가을이 되며, 수(水)는 북방으로 겨울이 된다.

木火(양)로 표시되는 건도(乾道)의 시대에는 상극작용으로 만물의 생장 분열을 나타내고, 金水(음)로 표시되는 곤도(坤道)의 시대는 상생작용으로 만물의 수렴 통일을 나타낸다.

6.2.3. 인문(人文)

목화토금수 오행은 인사(人事)에서는 인의예지신(仁義禮智信)으로 나타나고, 생장수장(生長收藏)의 이치로써 만물의 흥망성쇠와 생로병사를 주관한다.

결과론적으로 정리하면, 천간과 지지는 단순히 시간과 공간을 정하기 위한 문자 기호이기도 하지만, 그보다는 하늘의 성신(星辰)과 땅의 기운과 만물이 서로 영향을 주고받고 있음을 표시하는 기호라고 할 수 있다. 하늘(天)과 땅(地)과 만물(人)의 기운이 서로 얽혀 들어가 간지(干支)로 맺힌 것이다. 그러므로 간지 하나하나는 대립과 상보적인 관계로 서로 얽혀 상호관계를 맺고 있으므로 다양한 분석과 해석이 가능하다고 할 수 있다.

7. 천간(天干)

7.1. 오행과 팔괘

태극에서 음양의 삼변분화(三變分化)로 펼쳐진 팔괘가 복희팔괘도이다. 이
것이 오행의 작용으로 재배열된 것이 문왕팔괘도로서 지구역이 된다. 문왕팔
괘도는 木火土金水 오행의 작용으로 복희팔괘도의 순서가 오행에 맞게 재배
열된 것으로서 지구의 춘하추동 사시순환을 표현한다. 그러므로 문왕팔괘도
는 우주역인 복희팔괘도와 달리 지구역으로서 공전과 자전이 만들어내는 사
계절을 표현하고, 생장수장의 이치로써 생로병사를 거듭하는 지구상 만물의
성쇠와 인간의 존재원리를 표상한다.

<오행과 문왕팔괘도>

<오행에 따른 팔괘>

五行	木		火	土		金		水
卦象	☳ 震	☴ 巽	☲ 離	☶ 艮	☷ 坤	☱ 兌	☰ 乾	☵ 坎
四時	春		夏	中		秋		冬

7.2. 오행과 천간

　四象은 계절적인 기운과 결합되어 木火金水로 표현되고, 木火金水 四象을 돌려 팔괘를 형성하는 것은 '실제 작용하는 태극'인 五土(黃極)으로서 木火金水 4가지의 기운을 버무린 복합적인 성질을 가진다.[2] 중앙의 五土黃極은 실제 만물을 생장염장의 이치로 生老病死를 순환시키는 '실제 작용하는 太極'으로 사방팔방 모든 기운에 관여한다 "甲乙寅卯는 木이고, 丙丁巳午는 火이며, 戊己四季는 土이고, 庚辛申酉는 金이며, 壬癸亥子는 水이다"[3]라는 내용이 [회남자][천문훈]에 언급되고 있다. 여기에서 戊己(土)는 木火金水가 표현하는 春夏秋冬 四季를 관장하는 것을 뜻한다. 土는 木火金水의 沖氣가 응결된 복합적 기운을 의미한다.

<오행에 따른 천간>

五行	木		火		土		金		水	
天干	甲	乙	丙	丁	**戊**	**己**	庚	辛	壬	癸
陰陽	陽	陰	陽	陰	**陽**	**陰**	陽	陰	陽	陰
四時	春		夏		**中**		秋		冬	

---

[2] 심효첨, [자평진전] [論十干十二支]: "有是四象 而五行具於基中矣 水者 太陰也 火者 太陽也 木者 少陽也 金者 少陰也 土者 陰陽老少木火金水沖氣所結"

[3] [회남자] [천문훈]: "甲乙寅卯木也 丙丁巳午火也 戊己四季土也 庚辛申酉金也 壬癸亥子 水也"

7.3. 팔괘와 천간

태극에서 음양의 작용으로 四象이 나오고, 사상은 五土(五行)와 작용하여 사시순환을 표상하는 지구역 후천문왕팔괘도가 배열된다. 지구역 문왕팔괘도는 춘하추동 사시와 동서남북 사방을 나타내고, 생장수장하는 생명의 순환 이치와 원형이정(元亨利貞), 인의예지신(仁義禮智信) 등 사시를 따라 생로병사를 순환하는 길흉득실을 표현한다.

주역은 불립문자로서 괘상이라는 부호로 표상되어 의미의 확장이 무한하고, 괘·효사[4]가 달려있어 길흉회린무구(吉凶悔吝無咎)에 의해 사색과 성찰, 반성과 도덕적 수양 등 자각이라는 철학적 탐색을 통해 인문학적인 자아를 성장시킬 수 있다(사주명리학은 개인의 부귀에 뜻을 둔다). 주역은 때와 균형을 찾는 적극적인 개념으로 "특정한 때(時)에 특정한 위치에서 어떻게 처신해야 하는가 라는 시중(時中)"[5]의 의미가 있으며 괘효사의 음미와 사색, 그리고 실천을 통해 성인(聖人)의 도에 뜻을 둔다.

천간은 음양과 오행으로 분류되고, 사시(四時)와 사방(四方)을 나타내며, 오행 생극제화를 통해 인사적 길흉득실을 판단한다. 천간은 음양오행을 품고 있으나 문자가 갖는 의미의 한계에 갇혀 있고, 간지로 표현된 사주팔자는 주역과 같은 괘·효사가 없어 음미와 사색을 통하여 성찰, 자각, 도덕적 수양과 같은 인문학적 행위를 할 수 있는 근거가 없기 때문에 명(命)의 결과만을 해설해야 하므로 통변자의 풍부한 인문학적 소양을 필요로 한다. 명리는 때와 대세를 따르는 수동적 개념으로 수시(隨時)[6]의 의미가 있으며, 처세의 때를 알

---

[4] [주역] [계사전상]: "聖人設卦 觀象繫辭焉而明吉凶"

[5] 심귀득, [주역과 명리의 상관성 연구-시중론 중심으로], 동양문화연구21권, 129-160, 영산대학교 동양문화연구원, 2105

[6] [주역] 澤雷隨 단사 "天下隨時 隨時之義大矣哉" 천하가 사시의 순환을 따르듯 만물은 사시의 운행을 따라 生長斂藏의 이치로 生老病死를 거듭한다. 이는 자연의 이치를 따라 순응하는

아 부귀(富貴)를 이루고자 하는 함에 목적을 두고 있다.

　甲乙丙丁戊己庚辛壬癸는 십천간(十天干)으로 지구역인 후천문왕팔괘에 대입하여 그 성격을 정한다. 문왕팔괘도는 음양이 사상을 내고 五土가 四象과 작용하여 펼쳐낸 만물을 상징하며, 지구의 하루 12시, 춘하추동 사계절의 순환을 표상하며 생장수장의 이치를 드러낸다. 천간오행은 계절의 순환에 따라 오행을 발화시키는 지지에 뿌리를 내렸을 때 비로소 오행으로서의 기세가 강화된다.

<천간과 문왕팔괘도>

巽☴木 乙	離☲火 丙丁	坤☷土 己
震☳木 甲	**土**	兌☱金 庚
艮☶土 戊	坎☵水 癸壬	乾☰金 辛

것이니 이를 거스르면 오히려 탈이 생기는 법이다.

<음양오행과 문왕팔괘>

五行	木		火		土		金		水	
天干	甲	乙	丙	丁	戊	己	庚	辛	壬	癸
음양	양	음	양	음	양	음	양	음	양	음
괘상	☳	☴		☲	☶	☷	☱	☰		☵

<오행 생극작용>

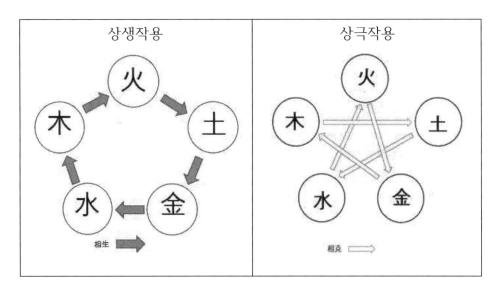

양기(陽氣)인 갑목, 병화, 무토, 경금, 임수는 상기(象氣)에 해당되고, 음기(陰氣)인 을목, 정화, 신금, 계수는 질적인 성정이 강한 형기(形氣)에 해당된다. 오행 작용은 양기(陽氣)가 시작하고 음기(陰氣)가 완성한다.

7.4. 부호(象)와 문자(字)

▷ 주역과 명리의 상관관계

無極(0) ⇨ 太極(1) ⇨ 陰陽(2) ⇨ ┌ 四象(5土) ┌ 8괘(象): 64괘(주역)
                              └ 四時(5土) └ 10천간(字): 60갑자(명리)

　태극은 만물의 본원으로서 천지인이라는 삼재(DNA)를 품고 있으며, 음양이 작용함으로써 천지인 삼극을 우주만물로 펼쳐낸다. 천부경에서는 이것을 "하나(1)에서 시작하니 무(0)에서 시작하는 하나(1)로다. 그 하나(1)는 천지인 삼극(3)을 품고 있으나 근본은 다함이 없다(一始無始一析三極無盡本)"라고 정의한다. 만물은 그 성정이 木火土金水이며, 만물의 시생(始生)과 순환은 '실제 작용하는 태극(1)'인 황극(5)이 담당한다.

　태극이 만물의 씨앗인 천지인 삼재를 품고 있다면, 황극(五土)은 四象과 작용하여 天地人 三才를 구체적 의미의 만물로 펼쳐내는 역할을 한다. 五土가 사상과 작용하여 팔괘(8)를 펼치니 지구역인 문왕팔괘가 펼쳐지고, 오행이 음양의 작용으로 천간(10)을 펼친다. 즉, 五土황극은 상으로는 팔괘를 펼치고(주역), 문자로는 천간을 펼친다(사주명리).

　문왕팔괘는 사시를 순환하며 생로병사를 거듭하는 만물의 생장수장의 이치를 밝히고, 천간과 계절적 기운인 지지가 짝을 이룬 사주명리는 천상천하 독존하는 인간의 키워드로서 자연의 변화에 순응하는 존재원리를 규정해 준다.

　사주명리는 천간지지라는 문자로 표현되므로 관찰자의 해석이 필요하며, 문자가 가지고 있는 의미의 한계에 갇히게 될 수 있어 통변자의 풍부한 인문학적 소양을 필요로 한다.

그러나 괘상은 부호(符號)이므로 그 의미의 폭이 한계에 갇히지 않는다. 그러므로 음양오행이라는 공통된 뿌리를 가지고 있는 부호인 괘상과 문자로 구성된 간지의 상관관계를 살펴 그 뜻을 상호 보완한다면 통변의 폭은 보다 확장될 수 있다.

7.5. 八卦와 天干의 통섭(通涉)

  사주명리를 배우는 자가 팔괘의 이치를 모르면 천간이라는 문자가 가지고 있는 意味의 한계에 갇히게 됨으로써 현학적인 해석으로 흐를 수가 있다. 괘가 천간의 성질을 규정하고 있으므로 먼저 명리의 뿌리가 되는 괘상의 성질을 이해한 후, 천간을 학습하는 것이 올바른 방법이다.

  천간은 동적인 오행이고, 지지는 계절에 고정되어 있는 환경적 기운이다. 예를 들어 甲은 생명이 움트고 생장하는 기운을 의미한다. 그러므로 위로 곧게 상승하는 성질을 갖는다. 乙은 이미 장성한 나무의 상으로 비바람에 굽힐 수 있는 성숙한 성정을 가지고 있다. 그런데 乙이라는 문자의 상과 의미에 갇히게 되면 땅을 뚫고 나오는 새싹이라느니, 새의 상이라느니 하는 언어유희로 흐를 수가 있다. 시간 순서상 甲의 다음에 乙이 오는 것이니 어찌 乙이 새싹이 되고, 甲이 큰 나무가 되겠는가? 진뢰(震雷☳)가 상징하는 甲木은 생장하는 청소년기의 성정을 의미하고, 손풍(巽風☴)이 상징하는 乙木은 장성하여 고개를 숙일 수 있는 어른의 성정을 가진다. 질풍노도와 같이 성장하는 청소년기의 성정은 아직 삶이 서툴러 굽힐 줄 모른다. 그러나 어른은 풍상(風霜)을 겪은 후라 험난한 때에 처해서는 기다리거나 굽힐 줄 아는 성숙한 성정을 갖고 있다. 심효첨은 자평 명리학의 기본서라 할 수 있는 『자평진전』에서 천간과 지지를 다음처럼 정의하고 있다.

  甲과 乙은 천간이니 동하여 멈추지 않는다. 寅月에는 어째서 항상 甲을 쓰며, 卯月에는 어째서 항상 乙을 쓰는가? 寅卯는 地支이니 고정되어 움직이지 않는다. 甲이 쉽게 자리를 옮기지만 月建은 寅에 두고, 乙이 쉽게 자리를 옮기지만 月建은 卯에 두게 된다. 氣를 가지고 논하면, 甲은 乙보다 旺하고, 質을 가지고 논하면 乙이 甲보다 견고한 것이다. 속서에서 '甲은 무성한 大林이니 쪼개야 좋다'하고, '乙은 미약한 싹이니 상하면 아니 된다'는 따위의 말을 하는 것은 음양의 이치를 모르고 한 소리일 뿐이다. 木의 이치를 가지고 나머지 五行의 이치도 유추할 수 있으리라. 그런데 오직 土는 木火金水의 氣가 뒤엉킨 것으로 四時(辰戌丑未)에 기생하여 왕성하다. 음양, 기질의 이치가 이러하니 명리를 배우는 자는 모름지기 먼저 천간과 지지의 이치를 알아야 비로소 입문할 수 있을 것이다.[7]

　　甲丙戊庚壬은 양의 성질로 生氣(象)를 의미하고, 乙丁己辛癸는 음의 성질로 形質을 의미한다. 즉, 甲은 木氣, 丙은 火氣, 戊는 土氣, 庚은 金氣, 壬은 水氣가 되어 기운(氣運)이 되고, 乙은 木質, 丁은 火質, 己는 土質 申은 金質, 癸는 水質이 되어 형질(氣質)을 이룬다. 陽은 質의 근원인 氣(象)가 되고, 陰은 氣의 현상인 質(形)을 이루는 것이다.[8] 즉, 양인 甲木은 나무의 근원인 生氣가 되고, 乙木은 생기가 형상으로 펼쳐진 形質로서 나무가 되는 이치이다.

　　丙火는 불의 근원인 태양(明)이 되고, 丁火는 明의 형질인 불이 된다.
　　庚金은 칼이나 기물(器物)의 근원인 쇠가 되고, 辛金은 쇠가 다듬어진 칼이나 기물이 된다.
　　壬水는 물의 근원인 바다가 되고, 癸水는 바다로부터 발현된 현상인 물(강물, 시냇물)이 된다.
　　戊土는 생명이 시작되는 근원이고(終始), 己土는 생명이 숙성되고 수렴되

---

[7] 심효첨, 『자평진전』, 「십간과 십이지지를 논함」, "甲乙在天 故動而不居 建寅之月 豈必常甲 建卯之月 豈必常乙 寅卯在地 故止而不遷 甲雖遞易 月必建寅 乙雖遞易 月必建卯 以氣而論 甲旺於乙 以質而論 乙堅於甲 而欲書謬論 以甲爲大林 盛而宜劈 乙爲微苗 脆而莫傷 可爲不知陰陽之理者矣 以木類推 餘者可知 惟土爲木火金水沖氣 故寄旺於四時 而陰陽氣質之理 亦同此論 欲學命者 必須先知干支說 然後可以入門"

[8] 심효첨, 『자평진전』, 「십간과 십이지지를 논함」, "木之在天成象而在地成形者也" 목의 오행은 하늘에서는 象을 이루고, 땅에서는 形을 이룬다.

어 완성시키는 자리로서, 土는 모든 오행의 기운이 버무려진 중화적 기운
이다.

예를 들어 "甲은 乙의 氣이고, 乙은 甲의 質이다. 하늘에서 生氣가 되어 만
물 가운데 유행하는 것이 甲이다. 땅에서 만물이 되어 生氣를 받아드리는 것
은 乙이다. 그러므로 기(氣)를 가지고 논하면, 甲은 乙보다 왕하고 질(質)을
가지고, 논하면 乙이 甲보다 견고한 것이다."[9]

오행의 작용에 의하여 배열된 문왕팔괘는 지구의 사시순환에 따른 만물
의 생장수장의 이치를 표상하고 있는데 사주명리와의 상관관계를 살펴 통
섭한다면 현학적 논변이 아닌 보다 깊은 원리에 따른 논리를 전개할 수 있
을 것이다.

---

[9] 심효첨, 『자평진전』, 「십간과 십이지지를 논함」, "甲者乙之氣 乙者甲之質 在天爲生氣而流
行於萬物者甲也 在地爲萬物 而承玆生氣者乙也……以氣而論 甲旺於乙 以質而論 乙堅於甲"

7.6. 간지와 괘상의 상관성 연구

음양의 통일체인 태극이 낳은 상반된 성질의 음과 양은 우주만물을 작용시키는 생기로서 생명의 원천이라 할 수 있다. 음양이 상호작용을 멈추면 만물은 생기를 잃어버리고 사라진다. 오행은 음양이 만물을 펼쳐내는 장치로서, 사계절을 순환하며 만물을 생화하는 목화토금수 창조시스템이다. 음양과 오행은 상호작용함으로써 10가지의 유형을 만들어내는데 생기로서의 천간을 의미한다. 그러므로 천간은 오행으로 분류되며 각기 음양의 성질을 갖는다.

지구의 공간과 시간의 순환은 12지지로 표상되는데 천간보다 2개가 더 많다. 남은 2개는 토(土)로 편입되어 辰戌은 陽, 丑未는 陰으로 나뉘어 사계(四季)의 모서리(환절기)에 위치한다. 그러므로 천간과 마찬가지로 木火土金水 오행으로 분류되며, 오행은 각각 음양으로 나뉜다. 사주 명리학은 10간과 12지를 각각 음양으로 나누어 음양 상호간에 밀치고 당기는 성질을 이용해서 인간사의 다양한 상황들을 해석하고, 오행으로 분류하여 오행 간의 생극제화(生剋制化) 작용을 활용, 힘의 균형을 분석함으로써 인사길흉(人事吉凶)을 탐색한다. 음양은 상반된 성질로서 강유상추하며 만물을 작동시키는 동력원이고, 오행은 생극제화를 통해 서로 하나의 체로 순환하며 만물을 다양한 방식으로 생멸(生滅)시키는 생멸시스템이라 할 수 있다.

음양사상은 『주역』에서는 상반된 양면의 2가지 부호(--, ㅡ)로 표시된다. 『주역』이 제자백가의 음양 사상과 다른 점은 음양을 부호로 전환하여 괘상이라는 도구로써 음양사상을 전개하고 있다는 점이다. 상반된 양면의 성질을 가진 음양은 상호작용으로 사상(四象)을 이루고, 사상은 五行(五土) 작용으로 3개의 효로 구성된 팔괘를 이룬다. 팔괘(八卦)란 음양이 상호작용으로 펼쳐낸 광대무변한 삼라만상을 8개의 부호로 단순하게 범주화시킨 우주에 대한 요약이다 라고 정의할 수 있다.

팔괘를 구성하는 괘상은 기본적으로 음효(--)와 양효(一) 3개로 이루어져 있으며, 목화토금수 오행으로 분류된다. 천간을 보면 甲乙은 木, 丙丁은 火, 庚辛은 金, 壬癸는 水, 그리고 戊己는 土가 된다. 지지를 보면 寅卯는 木, 巳午는 火, 申酉는 金, 亥子는 水가 되고, 辰戌丑未는 土가 된다. 천간의 戊己는 지지의 辰戌丑未가 되는데 戊(양토)는 辰戌, 己(음토)는 丑未에 해당된다.

토는 사실상 中土로서 천간지지를 조절하는 기운이라 할 수 있다. 지구역인 문왕팔괘도로 비교하면 갑을(인묘)은 진(震)괘와 손(巽)괘, 병정(사오)은 리(離)괘, 경신(신유)은 태(兌)괘와 건(乾)괘, 임계(해자)는 감(坎)괘, 무(진술)는 간(艮)괘, 기(축미)는 곤(坤)괘에 해당된다.

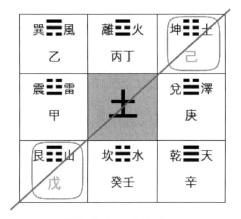

『주역』의 팔괘는 기본적으로 음양과 오행의 합체로서 천간과 지지로 전환할 수 있으며, 그러므로 간지로 전환된 생년월일시는 주역의 괘상으로 전환할 수 있다. 명리에 대한 주역적 해석이 가능한 이유이다.

<문왕팔괘도와 천간>

우주만물의 형성과정과 작용을 정의하는 주역은 음양의 작용으로 형성된 괘상(卦象)과 그 괘상을 풀이하는 괘사(卦辭)를 통칭한다. 그렇다면 지구의 사시순환에 따른 만물의 생장과 성쇠를 설명하는 오행은 어떤 과정을 통해서 주역에 접목하게 된 것일까? 음양이 분화되어 사상을 이루고, 사상이 한번 더 분화하여 팔괘를 이루는 과정에서 어떻게 오행이 자리매김하고, 사시와 관계를 맺게 되었을까? 또한 오행을 근간으로 만들어진 사주명리는 주역과 어떤 상관관계를 맺고 있는 것일까?

『주역』은 기본적으로 음효와 양효로써 팔괘를 형성하고, 괘사와 효사, 상수및 효변을 활용하여 우주만물의 성쇠의 이치를 설명하고 있으며, 명리는 천간과 지지를 오행에 배속하여 생극제화의 원리로써 인사의 이치를 설명한다.

『주역』「계사전」을 보면 "역(易)에 태극이 있으니, 태극(1)은 양의(2)를 낳고, 양의는 사상(4)을 낳고, 사상은 팔괘(8)를 낳는다."라고 하여 '太極-兩儀-四象-八卦'라고 하는 '1-2-4-8'의 분화과정을 제시하고 있다.[10] 이것을 복희팔괘차서도에서는 양과 음이 3단계에 걸쳐 삼변하여 분화하고 겹침으로써 괘가 만들어지는 과정으로 설명하고 있다. 즉, 태극이 음양으로 분화되고, 음양은 다시 분화되어 사상으로 확장되고, 사상은 한번 더 음양이 분화됨으로써 팔괘를 생성하는 과정을 거쳐 '乾-兌-離-震-巽-坎-艮-坤'이라는 순서로 팔괘도가 나오는 과정을 도식화하고 있다.

『천부경』은 만물의 시작을 "하나(1)에서 시작하다. 무(0)에서 시작하는 하나(1)로서 천지인(3) 삼재를 포태하나 하나라는 근본은 다함이 없다"[11]라고 기술하고 있다. 태극(一)이 천지인(三) 삼극을 포태하고 있으니, 천지인도 각각 태극(一)을 품고 있는 것이 되므로 천지인 삼극은 '天一地一人一'이 된다. 태극(一)에서 비롯된 만물은 모두 모체인 일태극(一太極)의 성정을 품고 있다는 의미이다. 또한 태극은 곧 음양의 작용을 의미하므로 태극의 속성인 '天一地一人一'도 음양의 속성을 품고 있어 이를 표현하면 '天二地二人二'가 된다. 태극(1)이 음양(2)의 작용으로 내재된 천지인(3) 삼극을 펼쳐내듯이, 천지인도 각각 음양(2)의 작용으로 만물(3)을 펼쳐내니, '天二三 地二三 人二三'이다. 음양으로 수리를 표현하면 '天二地二人二'가 되니 합이 6으로서 육효(六爻)가 된다. 곧 천지인 大三이 합하여 六이 되는 것으로서 大三合六(대성괘)

---

[10] 임정기, [인간연구에 있어서 음양과 사상과 오행의 관계], 철학연구 249-271, 대한철학회, 2019

[11] [천부경]: "一始無始一析三極無盡本"

이 이루어지는 것이다. 만물의 시생 과정을 수리로 표현하면 '0-1-2-3-6'이 된다. 이를 문자로 표현하면 '무극(0)-태극(1)-음양(2)-천지인 삼극(3, 본체, 삼효)-천지인 작용(6, 작용, 육효)'으로 표현할 수 있다.

　　노자의『도덕경』은 "도는 태극을 낳고, 태극은 음양을 낳고, 음양은 천지인 삼재를 낳으니 삼재는 만물을 낳는다"[12] 라 하여 '도(0)에서 태극(1)이 나오고, 태극은 음양(2)을 낳고, 음양은 천지인(3) 삼재를 낳으니 삼재는 만물(6)을 이룬다' 라고 하였다. 이 과정을 수리로 표현하면 천부경과 마찬가지로 '0-1-2-3-6'이 된다. 도는 무극과 같은 개념으로 모든 유무를 품고 있는 근원으로 태극의 본바탕이다. 이것을 문자로 표현하면 '도(0)-태극(1)-음양(2)-천지인(3, 체, 삼효)-만물(6, 용, 육효)'이 되는 것이다.

　　『자평진전』을 보면, 일기(一氣)에서 음양으로 나뉘어지고, 음양에서 사상으로 나뉘어지는데, 이 사상이 바로 水火木金이고, 이것의 응결에 의해서 土가 생하여 오행이 갖추어 짐을 말하고 있다. 간단하게 정리하면 '一氣-陰陽-四象=五行'이 되고, '1-2-4(=5)'라고 하는 형태로 一氣에서부터 五行까지의 분화과정을 설명한다. 그러므로 사주로 표현되는 명리는 주역의 사상에 뿌리를 두고 사시순환에 의하여 생성되는 木火土金水 오행을 따라 천간으로 분가해 나온 것으로 이해할 수 있다.

　　『춘추번로』의 「오행상생」을 보면 "천지의 기는 합해져서 하나가 되고, 나뉘어져서 음양이 되며, 갈라져서 사시가 되고, 펼쳐져서 오행이 된다"라고 '一氣-陰陽-四象-五行'의 분화과정을 설명하고 있다. 이것을 숫자로 나타내면

---

[12] [도덕경]: "道生一 一生二 二生三 三生萬物"

1-2-4-5의 분화과정이 된다. 이처럼 사상은 분화과정 단계에서부터 사시(四時)를 결부시켜 해석되어 왔음을 알 수 있다.

사주명리는 주역의 사상(四象)에 뿌리를 두고 사시순환에 의하여 생성되는 木火土金水 오행을 따라 천간으로 분가해 나온 것이다. 즉, 우주역인 복희팔괘의 생성과정에서 四象에 五行의 개념이 들어오면서 두 갈래의 길로 나뉘어 가는데, 하나는 오행이 팔괘를 돌려 우주역인 선천복희팔괘를 재배열한 것으로서 지구역인 후천문왕팔괘가 되고, 다른 하나는 오행이 음양의 분화로 문자로 표현되는 10천간이 되는 것이다.

▷ 오행의 분화

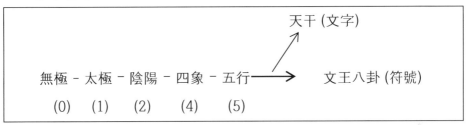

☞ 『주역』은 기본적으로 음효와 양효로써 팔괘를 형성하고, 괘사(卦辭)와 효사(爻辭), 상수(象數)및 효변(爻變)을 활용하여 우주만물의 성쇠의 이치를 설명하고 있으며, 명리는 天干과 地支를 五行에 배속하여 생극제화(生剋制化)의 원리로써 인사적 득실의 이치를 설명한다.

7.7. 천간(天干)

양	음
甲丙戊庚壬	乙丁己辛癸
기(氣)	질(質)
상(象)	형(形)
추상성	현실성
본질	현상
형이상	형이하

7.7.1. 갑목(甲木☳)

갑목은 목기(木氣)의 시작으로 한겨울 엄동설한에 깊이 응축되어 있던 생기가 딱딱한 음기를 뚫고 터져 나오는 강한 생명력을 상징한다. 초봄에 새싹이 땅 위로 솟구쳐 나오는 강한 용출력이며, 상승, 분발, 저돌적, 직진성 등을 의미한다.

괘상은 진뢰(震雷)☳로 천지를 진동시키며 꽁꽁 얼어붙은 대지를 흔들어 응축된 생기를 깨우는 강한 기운이다. 목기(木氣)는 생명을 낳고 기르는 어진 성격의 소유자로 오상(五常) 중에 인(仁)에 해당된다.

일을 시작하고 추진하는 힘이 강하다. 새로운 일을 시작하는 창조적 성향이 있으며, 미래지향적이다. 웬만한 난관에는 부러지지 않고 뚫고 나아가는 불굴의 투지력을 가지고 있다. 앞장서서 이끌고 나아가려는 리더자로서의 욕구가 있으며, 혈기 왕성하고 자존심이 강하여 남에게 굽히지 않는 성정의 소유자로서 명분을 중시한다.

괘상	천간	속성
震☳雷	甲木	木氣(象), 새싹(나무의 근원), 쭉쭉 자라는 나무, 생장력 청소년, 상향성, 직진성,

7.7.2. 을목(乙木☴)

갑목은 목기(木氣)의 시작이 되고, 乙木은 목기(木氣)의 완성을 의미한다. 생장하는 甲木이 기(氣)적인 성질이라면 을목은 질(質)적인 요소가 강하다. 갑목은 땅을 뚫고 자라나는 새싹같이 혈기 왕성하여 굽힐 줄 모르는 청년 같은 감성적 성정의 소유자라면, 을목은 성숙한 큰 나무로서 바람에 굽힐 줄 아는 유연성과 부드러움, 비바람을 경험한 원숙함, 타협이 가능하고 합리적이며 이성적 성향의 소유자이다.

괘상은 손풍(巽風)☴으로 만물이 왕성하게 성장하는 봄의 기운을 상징한다. 땅(초음)에 뿌리를 두고 양기가 상승 확장하는 기운이다. 부드러운 바람처럼 피해가고 담쟁이 덩굴처럼 굽히며 넘어가기도 하지만 때로는 정면으로 부딪히고 넘어트리는 태풍 같은 강한 기질이 있다.

막힌 곳은 피해가고 굽힐 줄 아는 부드러운 성정, 타협할 줄 아는 유연성, 뻗어가려는 기상과 부드러운 굴신의 성질을 함께 가지고 있는 강인한 기질의 소유자이다. 외면적으로는 부드럽고 합리적이지만 내면적으로는 타협할지 언정 꺾이지 않는 기상이 있으며 실리를 중시한다.

괘상	천간	속성
巽☴風	乙木	木質(形), 나무(甲木의 발현), 청장년, 어른, 유연성, 류(流), 통(通), 실리(實利)

7.7.3. 병화(丙火 ☲)

丙火는 화기(火氣)의 시작으로 생장(生長)하며 확장해가는 乙木의 양기를 음이 중심을 잡아 질서를 세워가는 성질이 있다. 무조건적인 양기의 분열 확산이 아니라 내부적으로는 완성을 위하여 음기를 중심으로 양기의 질서를 잡아가는 시작점이다. 괘상은 이화(離火)☲로서 음을 중심으로 양기가 양쪽으로 걸려있어 질서가 잡힌 모습을 보여준다. 손풍(巽風)☴의 초음이 상향하여 확산하는 2개 양의 가운데를 잡은 모습이 이화(離火)☲이다.

그러므로 이화☲는 질서(COSMOS)를 의미한다. 분열하며 확장하는 양기의 중심을 잡아 질서를 세움으로써 열매를 맺게 하는 성질이 있다. 병화는 질서를 잡으려는 성향과 분열 확산하는 성향을 동시에 가지고 있다. 질서란 양의 분열 확산으로 무질서하게 흐트러진 만물이 서로 예(禮)를 갖추는 것을 의미하니, 오상(五常) 중에 예(禮)에 해당된다.

병화는 나뭇가지에 씨앗을 품은 열매를 맺기 위하여 화려하게 꽃을 피우기 시작하는 형상으로서, 밖으로 드러내고 펼쳐내려는 성향이 강한 외향적 성향을 지니고 있다. 자신을 드러내는 인기에 대한 욕구가 강하고, 겉을 치장하는 화려함과 숨기지 않는 직선적인 성정으로서 명분을 중시한다. 외면적으로는 활동적이고 밝으며 즉흥적이지만 내면적으로는 공허한 일면이 있다.

괘상	천간	속성
離 ☲ 火	丙火	火氣(象), 태양(불의 근원), 질서, 열매, 빛(明), 문명, 지혜, 명분

7.7.4. 정화(丁火☲)

丙火는 화기(火氣)의 시작을 의미하고, 丁火는 병화가 시작한 화기의 완성을 의미한다. 양기의 분열과 확산이 정점으로 치달으면서 화려함이 최고조에 달하지만 내면적으로는 양의 질서를 세우며, 양기로 가득 채운 열매를 완성시키는 기운이다. 열매는 분열 확산하는 양기가 만들어낸 결과물이다. 정화는 열매를 땅☷(未土)에 떨어트려 숙성시킴으로써 양기를 수렴하는 음의 시대인 곤도(坤道)로 넘어가기 위한 금화교역(金火交易)을 준비를 하는 기운이다. 그러므로 정화는 양기를 확산시키려는 성질보다는 분열된 양기에 질서를 세움으로써 결과를 맺게 하려는 성질이 강한 화기(火氣)이다.

지장간을 살펴보면

午火의 지장간은 丙己丁이 되고, 未土는 丁乙己가 된다. 午火에서 丙火와 丁火가 음기인 己土를 품음으로써 화기의 확산을 저지하고, 丁火가 열매를 맺게 함으로써 양기를 채우니, 未土에서는 丁火와 己土가 乙木을 품음으로써 나무에 달린 열매를 땅에 받아드려 삭힘으로써 알갱이와 쭉정이를 선별하는 뜻이 나온다.

문왕8괘도를 살펴보면

오행이 상극하며 생장 분열하는 건도(乾道)에서 상생(相生)하며 수장(收藏)하는 곤도(坤道)로 넘어가는 시기에 해당된다. 즉, 화기(火氣)가 토기(土氣)의 중재에 의해 금기(金氣)로 넘어가는 시기이다. 금화상쟁(金火相爭)이 토의 중화적 성질에 의해 순리대로 교역(交易)이 이루어짐으로써 건도(乾道) 양의 시대에서 자연스럽게 곤도(坤道) 음의 시대로 전환이 이루어지는 것이다.

정화(丁火)는 화려하지만 정돈된 아름다움으로 벌과 나비를 불러드린다. 이는 생명을 수태하여 양기를 완성시키려는 본능으로 아름다움의 극치라 할 수 있다. 병화(丙火)가 빛을 발하는 양기로 상(象)을 의미한다면, 정화(丁火)는 실질적인 형질(形質)로서 불을 의미한다. 불은 정열적이고 화려하지만 실질적이다. 촛불처럼 조용하지만 초가삼간을 태울 수도 있는 열정이 있어 때에 따라 들불처럼 일어나는 폭발적인 성정을 지녔다. 그러므로 내부에 음기가 있어 차분하고 냉정하지만 때로 화가 나면 불같이 폭발하는 성향이 있다. 외형상으로 화려하지만 내면적으로도 실질적인 성정을 지닌 소유자로서 실리를 중시한다.

괘상	천간	속성
離☲火	丁火	火質(形), 불(丙火의 발현), 등불, 등대, 용광로, 화려, 정열, 미(美), 헌신, 실리(實利)

7.7.5. 무토(戊土☷)와 기토(己土☷)

    후천문왕팔괘도에서 戊土☷는 양토로서 乾道(양)를 시작하고, 己土☷는 음토로서 坤道(음)를 시작한다. 토(土)는 중토(中土)로서 중앙에 위치하여 춘하추동 사시를 돌리며 사계절에 두루 간여한다. 괘상으로는 戊土는 동북방의 艮山☶이며, 己土는 서남방의 坤土☷에 해당된다.

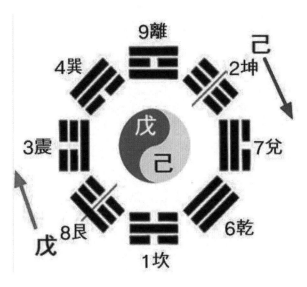

木火는 乾道五行으로 양의 생장(生長)을 이끌고, 金水는 坤道五行으로 양의 수렴(收斂)을 이끈다.

艮土☶(戊)는 감수(坎水☵)를 극함으로써 감수☵가 품고 있는 생명(二효)을 깨워 양이 주관하는 선천 건도(乾道)의 상극세상을 시작하게 한다.

    곤토☷는 선천 건도(양)에서 후천 곤도(음)로 넘어가는 시기에 발생하는 금화상쟁의 중재자가 되어 음이 주관하는 곤도(坤道)의 상생세상으로 이끄는 역할을 수행한다.

    무기(戊己)는 지구역인 문왕8괘도에서 보면 간방(동북)과 곤방(서남)에 위치하여 지구를 회전시키는 지축이 된다. 성질로는 중앙에 위치하여 사계를 돌리는 황극이다. 무기(戊己)는 중앙에 위치한 중토(中土)에서 사상(四象)을 돌리는 황극의 성정을 지녔다.

무토☶(艮)는 동북방에, 기토☷(坤)는 서남방에 위치하여, 무토☶는 수☵를 극하고 목☳은 토☷를 극함으로서 양이 생장하는 상극시대를 연다(토극수-목극토).

기토☷는 화☲가 토☷를 생하고 토☷는 금☱을 생함으로써 음이 양을 수렴하는 상생시대를 연다(화생토-토생금).

위 그림을 보면 [태극음양도]에서 戊는 양토를, 己는 음토를 가리킨다. '추상적인 태극'이 아니라 중앙에서 실제 '작용하는 태극'으로서 '황극'을 상징한다. 무토(양)는 봄과 여름의 甲乙丙丁을 주관하고, 기토(음)는 가을과 겨울의 庚辛壬癸를 주관한다.

동북방의 무토(☶)는 양이 주관하는 선천 상극세상을 여는 종시(終始)의 기운이고, 기토(☷)는 음이 주관하는 후천 상생세상을 여는 금화교역(金火交易)의 기운이다. 종시란 음이 주관하는 후천곤도의 상생세상을 마감지우고, 양이 주관하는 선천건도의 상극세상을 여는 것을 의미한다. 금화교역이란 여름의 화기와 가을의 금기가 서로 다투는 금화상쟁(金火相爭)을 중재하여 자연스럽게 가을로 넘어갈 수 있도록 하는 것을 의미한다.

일반적인 순서는 평면도 구성으로 보았을 때 [갑을병정**무기**경신임계]가 되지만, 실제 작용하는 측면에서 보면 [**무**갑을병정**기**경신임계]가 된다. 중앙에서 목화금수 사방에 작용하는 무기토(戊己土)의 입체적 측면을 생각하라.

木	火	金	水
甲 乙	丙 丁	庚 辛	壬 癸
☳ ☴	☲	☱ ☰	☵
戊		己	
☶		☷	
中土			

무기토는 지구 중심의 용암으로 비유할 수 있다. 용암은 지구의 중심에서 지구 전체를 덥힌다. 무토☷는 丑방에 작용하고, 기토는 未방에 작용하여 지구를 순환시킨다. 丑未를 기준 축으로 태양이 공전하기 때문에 중토인 무토(☷양)는 간방(축)에 작용하여 양이 주관하는 선천상극의 건도세상을 주도하고, 기토(음)는 곤방(미)에 작용하여 음이 주관하는 후천상생의 곤도세상을 주도한다.

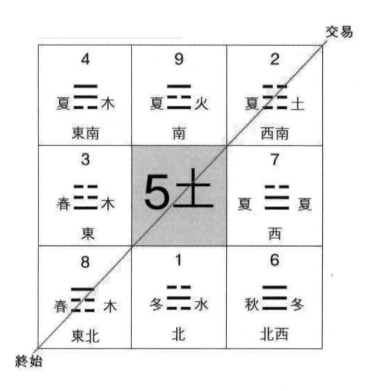

<종시(終始)와 금화교역>

중토인 무토☷는 양토로서 동북방의 丑궁에 작용하여 생명을 품고 있는 동북방의 감수☵를 극함으로써 생명을 깨워 상극의 원리가 주관하는 건도를 시작한다.

중토인 기토☷는 음토로서 여름의 뜨거운 양기의 확산을 제어함으로써 丙丁으로 상징되는 열매☲에 양기를 모으는 역할을 수행한다. 양기를 모은 열매가 땅(己土☷) 떨어지면 이를 받아 삭힘으로써 알갱이와 쭉정이를 분별, 알갱이를 숙살지기인 가을 경금에게 넘겨준다. 경금(태☱)은 숙살지기로서 곤토☷가 선별한 양기를 수렴하는 기운이다

<하도와 낙서>

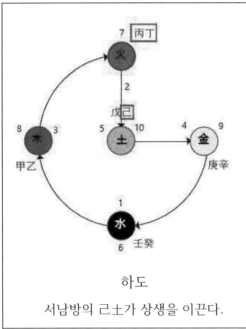

하도

서남방의 己土가 상생을 이끈다.

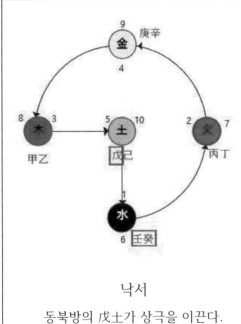

낙서

동북방의 戊土가 상극을 이끈다.

하도는 화기(火氣)와 금기(金氣)의 상쟁을 곤토가 중재함으로써, 금화교역이 순리대로 이루어져 건도(양)에서 곤도(☷음)로 우주적 변화가 이루어지는 것을 보여준다. 문왕8괘도를 살펴보면 곤토(土)는 오행이 서로 상극하며 생장 분열하는 건도(乾道)에서, 서로 상생하며 수장(收藏)하는 곤도(坤道☷)로 넘어가는 시기에 해당된다. 즉, 화기(火氣)가 토기(土氣☷)의 중재에 의해 금기(金氣)로 넘어가는 시기이다. 금화상쟁의 기운이 토의 중화적 성질에 의해 교역(交易)이 이루어짐으로써 양이 주도하는 선천 乾道에서 자연스럽게 음이 주도하는 후천 坤道의 시대로 우주적 전환이 이루어지는 것이다.

낙서는 중토인 무토가 간방(동북방)인 간토☶에 작용함으로써 따스한 기운으로 차가운 북방의 감수, 생명을 품은 감수☵를 극함으로써 잠자고 있던 생기가 깨어나 양이 주관하는 건도 상극세상을 시

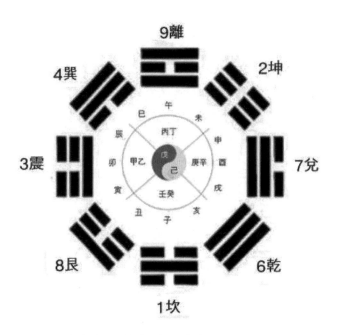

작하게 하는 것을 상징한다. 간토(☶양)가 감수(☵양)를 극하고, 진목(☳양)은 간토(☶양)를 극함으로써 양이 주관하는 선천 상극 세상이 열리는 것이다. 이것을 천간으로 표시하면 따스한 무토가 계수를 극함으로써 품고 있는 생명을 깨우고, 갑목이 무토를 극함으로써 木火로 이어지는 선천 상극세상을 여는 것을 의미한다. 음이 주관하는 후천곤도의 상생시대를 종결시키고(終), 양이 주관하는 선천건도 상극시대를 시작하는 艮土(戊)의 자리는 종시(終始)를 움켜쥐고 있는 자리가 되는 것이다.

木(生)	火(長)	金(斂)	水(藏)
☳태동, ☴성장	☲질서, 열매	☱수렴, ☰생기	☵보존, 휴식
봄(春)	여름(夏)	가을(秋)	겨울(冬)
동(東)	남(南)	서(西)	북(北)
인(仁)	예(禮)	의(義)	지(智)
☷ ☶ 土 中土, 지축, 종시(☶), 교역(☷), 신(信)			

지구의 중심에 있는 뜨거운 용암은 무토(☰☰양), 기토(☷☷음)로 표시할 수 있다. 무토(양)는 축방의 간토(☶☶양)에 작용하고, 기토(☷☷음)는 미방의 곤토(☷☷음)에 작용하며 지구의 축이 된다.

午궁의 지장간은 丙己丁이다. 午궁은 지장간이 2개인 子궁의 지장간 壬癸와 달리 기토☷☷가 내장되어 있음을 알 수 있다. 바로 己土가 丙丁에 포장되어 있는 이유는 열매로 상징되는 丁火에 己土(음)가 중심이 되어 확장하는 양기를 제어함으로써 열매에 생명(씨앗)을 모으기 위함이다. 중토로서 용암의 뜨거운 기운을 품은 곤토☷☷는 열매(☲)를 푹 삭힘으로써 알갱이와 쭉정이를 선별하여 가을 경금(☱)으로 넘겨주는 역할을 한다. 坤土의 자리인 未궁의 지장간 丁乙己는 뜨거운 기운(丁)을 받는 땅(己)이 열매(乙)를 받아드려 삭히며 알갱이를 선별하고 있는 모습을 상징한다.

이화괘☲☲는 2효 음을 중심으로 양효가 분별되어 질서를 잡고 있는 모습으로 씨앗을 담고 있는 열매로 상징된다. 곤토(☷☷음)는 火生土-土生金으로 선천의 상극작용을 후천의 상생작용으로 전환시키는 중재자, 금화상쟁을 교역시키는 중재자적 역할을 한다. 서남방 未궁에 해당하는 己土(☷☷)를 중심으로 상극에서 상생으로 선천에서 후천으로 건도에서 곤도로 기운이 전환되기 시작하는 것이다.

기토(☷☷)에서 선별된 알갱이는 서방의 숙살지기 태금으로 넘겨진다. 태금(☱)은 양기를 모은 주머니의 상으로서, 주머니에 담긴 양기는 순백한 중천건괘(辛金☰)가 된다. 이 辛金(乾)은 북방의 감수괘☵☵에 저장되어 보호되는 생기로 감수괘의 2효에 해당된다. 감수괘☵☵에 보존되어 있는 생명(2효)은 艮土(☶☶)가 터치(극)함으로써 깨어난다(土克水). 간토(艮土)☶☶의 상은 감수(坎水)☵☵에 내장되어 있던 생기(2효)가 土克水 작용을 통해 깨어나 기척을 한 모습을 보여준다.

간토☷가 위치한 丑궁의 지장간을 보면 癸辛己가 되는데, 이는 중토인 용암의 뜨거운 기운을 품은 무토(양)가 차가운 북방의 감수☵를 터치(土克水)함으로써 얼음이 녹아 축축해진 땅 위로 물기가 스며 나오고, 감수☵가 품었던 생명(辛金☰)이 서서히 모습을 드러내는 과정을 보여준다.

土는 甲乙丙丁庚辛壬癸가 戊己를 축으로 선천과 후천을 돌리는 만물의 바탕이 되므로 오상 중에 신(信)에 해당한다.

태극	양 (陽)			중 (中)		음 (陰)	
오행	木	火		土		金	水
괘상	☳ 진 (震)	☴ 손 (巽)	☲ 리 (離)	☶ 간 (艮)	☷ 곤 (坤)	☱ 태 (兌)	☰ 건 (乾)	☵ 감 (坎)
사시	춘 (春)	하 (夏)		중토 (中土)		추 (秋)	동 (冬)
선후천	선천 (乾道) 상극 세상			종 시 終 始	교 역 交 易	후천 (坤道) 상생 세상	

(1) 무토(戊土☶)

무토(戊土)는 괘상이 간산(艮山☶)으로서 땅에 양이 터치하고 있는 형상이다. 戊土(양)는 己土(음)와 사계절을 돌리는 지축으로 무토☶는 丑方에서 양이 주관하는 건도 세상을 시작하고, 기토☶는 未方에서 음이 주관하는 곤도 세상을 시작한다.

2개의 음효 위에 양효(三陽)가 접촉하고 있는 艮山☶의 형상은 땅 속에 잠자던 씨앗이 깨어나 기척을 하는 양기(陽氣)의 상이다.

戊土☶는 차가운 북방의 차가운 감수☵가 품고 있던 생기(생명)을 깨워 곤도(坤道)를 종결시키고 건도(乾道)를 시작하게 하듯이, 마침과 시작을 주관하는 종시(終始)의 성정이 있다. 감수☵가 생명을 품고 있는 모습은 서남방의 곤토가 열매☵ (양기)를 받아들여 순백하게 정제한 생명의 씨앗을 상징한다. 즉 坤土☷(음토)가 품고 있는 생명의 씨앗을 남성을 상징하는 艮山☶ (양토)이 극함으로써 음이 주도하는 곤도를 종식하고 생명을 깨워 양이 주도하는 건도의 세상을 시작하는 것이다.

戊土는 산☶의 형상으로 고요하여 텅 빈 것 같지만 그 안은 산이 끌어안은 온갖 생명이 존재한다. 생명을 깨워 만물이 자라는 바탕이 되듯이, 戊土의 성정은 포용성, 관용성이며, 중후하고 과묵하며, 드러내지 않는 리더로서의 고집이 있다. 戊土는 생명을 깨워 선천 건도를 시작하게 하는 바탕이며, 상극의 원리가 지배하는 세상을 이끌어가는 대인배의 성정이 있다.

괘상	천간	속성
艮☶☶山	戊土	土氣(象), 山(생명의 시작), 종시(終始), 지도자, 리더, 대인배

(2) 기토(己土☷)

기토(己土)는 괘상으로는 곤토坤土(☷)로서 양기가 맺힌 열매(생명☷)을 받아들여 품고 있는 형상이다. 己土☷는 양기를 담은 열매를 속으로 품어 삭힘으로써 쭉정이와 알갱이를 선별하여 숙살지기 가을의 金氣가 바르게 수렴할 수 있도록 중재하는 기운으로서 실리적인 측면이 강하다.

양을 주관하는 간토☶와 축을 이루는 곤토☷는 음을 주도하는 곤도 세상을 주관한다.

己土☷(坤)는 여름의 화와 가을의 금 사이에서 화기를 수렴하여 금기로 수렴시키는 중재자적 성정이 있다. 화와 금이 다투는 금화상쟁(金火相爭)을 중재하여 [火生土-土生金]으로 금화교역(金火交易)을 이룸으로써 건도 상극세상을 곤도 상생세상으로 전환케 하는 개벽사상을 품고 있다.

己土는 무엇이든 품고 수용하지만 옳고 그름을 걸러내는 군자의 성정을 가지고 있다. 己土는 도량이 큰 성정의 소유자로서 자신을 가벼이 드러내지 않으며, 감정에 쉽게 동요되지 않는다. 己土는 어머니의 품안처럼 자애롭고 유순하며 어진 성정의 소유자로서, 크기는 만물을 포용하는 광활한 평지처럼 넓다. 내부에는 보이지 않는 뜨거운 양기를 품고 있어 말없이 행동하는 것 같지만 열정이 있으며 뜻이 분명하다.

괘상	천간	속성
坤☷地	己土	土質(形) 땅, 모태(생명의 숙성), 중재, 교역, 알갱이와 쭉정이를 선별하는 실리를 중시하는 성정

7.7.6. 경금(庚金☰)

경금(庚金)은 金氣의 시작으로서 곤토(己)가 선별해 놓은 알갱이를 본격적으로 수렴하는 기운이다. 선별된 씨앗을 남기고 껍질과 쭉정이는 분리하여 불필요한 요소들은 숙살시켜 버린다. 다음 해를 위하여 곡식을 수확하는 가을 추수처럼 쭉정이는 날려버리고 알갱이는 거두어 드리는 의로운 기운이다. 금기(金氣)는 옳고 그름을 가리는 추상같은 기운으로서 대의를 중시하므로 오상 중에 의(義)에 해당한다.

괘상은 태괘☱로서 음이 양을 포장하여 수렴하는 바구니의 상이다. 흑백논리가 분명하여 시시비비를 가리며 끊고 맺음이 분명하다. 불의를 참지 못하며, 의협심이 강해 냉정하고 호전적으로 보일 수 있으나 내면에는 양기를 축적하고 있으므로 의외로 따뜻한 정이 많다.

괘상	천간	속성
兌☱澤	庚金	金氣(象), 무쇠(器物의 근원), 수렴, 의(義), 대의(大義)

7.7.7. 신금(辛金☰)

신금(辛金)은 庚金이 시작한 수렴을 완성하는 기운이다. 괘상으로 건괘(☰)에 해당되는데 이는 庚金이 알갱이만을 수렴하여 축적해 놓은 순수한 양기가 된다. 다음 세대의 순환을 위한 생명의 씨앗(生氣)으로서 수기(水氣☷)에 의해 저장된다.

신금은 순수한 금기의 정수만을 축적해 놓은 기운이므로 내면이 순수하다. 순수하지만 의로우며, 냉정하고 섬세하고 정밀하고 까다롭다. 옳고 그름을 분명히 하는 성정으로 주관이 굳세다. 논리적이며 자기 생각이 분명하다. 신금은 보석처럼 선별되고 잘 다듬어진 상으로서 성정(性情)이 바르고 정연(整然.)하며 내면과 외면이 일치한다. 건금☰은 바르고 순수한 정기(精氣)의 집합체로서 내면의 정신세계에 집중하는 성정이 있다.

괘상	천간	속성
乾☰天	辛金	金質(形), 器物(제련된 기물, 庚金의 발현), 보석, 칼, 기계, 실리, 생기, 순수

7.7.8. 임수(壬水☵)

壬水는 순수한 정기만을 모아 놓은 생명의 씨앗☰(辛金)을 음기로 더욱 감싸며 저장을 시작하는 기운이다. 괘상은 감수(坎水)☵로서 음기가 양기를 감싸 보호하고 있는 상으로서, 사시를 순환하며 쌓인 정보(DNA)와 지혜가 응축되어 있는 결정체를 상징한다. 水☵는 다음 세대에 생명을 계속 이어 나가기 위하여 만물이 순환을 마친 겨울에 다음 세대에 전해줄 지혜를 응축하여 저장해 놓은 것이므로 오상(五常) 중에 지(智)에 해당된다.

임수는 씨앗을 저장하는 능력이므로 생각하고 준비하며 계획하는 성질이 강하다. 또한 수☵는 엄동설한 꽁꽁 얼어붙은 땅 속 깊이 저장된 씨앗이 봄을 기다리는 상이니, 올바르게 저장이 되어야 만 봄이 왔을 때 딱딱한 껍질을 뚫고 깨어날 수가 있다. 그러므로 수(水)는 인내심이 강하고 또한 성정이 바르므로 사덕(四德) 중의 정(貞)의 상이 된다.

괘상	천간	속성
坎☵水	壬水	水氣(象), 바다(물의 근원), 호수, 바름(正), 저장, 휴식

7.7.9. 계수(癸水☵)

계수(癸水)는 임수(壬水)가 양기를 응축하기 시작한 것을 완성하는 기운이다. 겉은 수수하지만 속은 생명력으로 옹골차다. 계수는 강하게 응축된 생기(生氣)로서 간토(☶양토)가 극하는 순간 터져 나오는 생명의 기운이다.

간방(艮方)에서 艮土☶가 坎水☵를 극하고 震木☳이 艮土☶를 극함으로써 생명이 시작되는 것이니, 坎水☵의 수리는 문왕팔괘도에서 일(1)이 된다. 생장수장의 마지막 순서로서 다음 생을 순환하기위한 모든 준비가 되어있다. 坎水☵는 내부에 생명에너지를 응축해 놓고 토기(土氣)가 극하는 순간을 기다린다.

임수가 생명을 품고 휴식하는 기운이라면, 계수는 생명을 품고 대지 위를 흐르며 생명을 전하는 기운이다.

생명이 순환하며 경험한 모든 지혜가 응축되어 있으므로 계수는 근본적으로 지혜로운 성정이 있다. 다음 생을 위하여 때를 기다리고 있는 상으로 인내심이 강하고 침착하며, 잠재된 기운이 옹골차다.

괘상	천간	속성
坎☵水	癸水	水質(形), 냇물, 강물(壬水의 발현), 실리

8. 지지(地支)

8.1. 지지와 지장간 정기

지지	寅	卯	巳	午	辰 戌	丑 未	申	酉	亥	子
지장간	甲	乙	丙	丁	戊	己	庚	辛	壬	癸
음/양	양	음	양	음	양	음	양	음	양	음

▶지지는 사시순환에 따른 12개월을 의미하며, 계절이 발생시키는 한난조습(寒暖燥濕)으로 지장간의 정기에 따라 그 기운의 성격이 정해진다. 지장간은 여기 중기 정기로 구성되어 있으므로 지지는 정기뿐만 아니라 여기와 중기의 기운이 복합적으로 작용한다.

인(寅)은 오행 그 자체가 아니라 오행의 기운을 발현시키는 계절적인 환경을 의미한다. 즉, 천간오행은 동적인 성질이 있으므로 12개의 지지를 따라 유행(流行)하면서 작용하지만, 12지지는 지구가 태양을 공전하며 만들어내는 계절의 순환에 따라 오행이 생성되고 사라지는 환경적 기후조건에 불과하다. 천간은 만물에 편재(遍在)되어있는 생기(生氣)로서 五行이지만, 지지는 오행이 아니라 사계절이 12개월로 흐르면서 한난조습이 만들어내는 기운이기 때문이다. 그러므로 천간은 오행생극이 일어나지만 지지는 생극작용이 일어나지 않는다. 지지는 한난조습이라는 조후가 만들어내는 기운으로서 천간의 기세와 역량을 담아내는 환경적 조건에 불과하다. 그러므로 천간이 좌하에 록지(祿地)를 두고 있거나 지장간에 뿌리가 있으면 그 기세와 역량이 강화된다.

▷ 1년에는 12개월이 있다.

지지는 달의 운행을 파악하는 부호이다. 그런데 1년 중에는 12달이 운행하므로 지지가 12개가 된다. 실제로 옛사람들이 천상을 관측한 결과 하늘의 중심에 자리가 북두성은 그 자루의 방향이 일정한 규칙으로 옮겨 가서 12개월을 거쳐서 다시 제 자리로 돌아오는 사실을 확인했다. 물론 북두성이 한 바퀴 돌아서 제자리로 복귀하는 시간은 1년이다.

지지(地支)가 12개인 이유는 사람이 인위적으로 만든 것이 아니고 천상의 관측에 의한 실질적인 현상이다. 북두성의 자루가 자(子)의 방향을 가리키면 동짓달

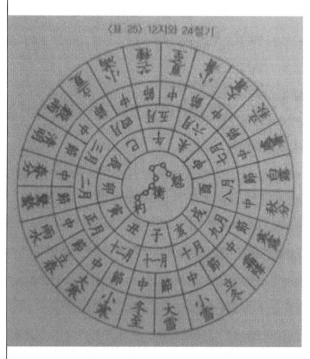

〈표 25〉 12자와 24절기

(11월), 축(丑)방향을 가리키면 섣달(12월), 인(寅)방향을 가리키면 정월(1월), 묘(卯)방향을 가리키면 2월, 진(辰)방향을 가리키면 3월, 사(巳)방향을 가리키면 4월, 오(午)방향을 가리키면 5월, 미(未)방향을 가리키면 6월, 신(申)방향을 가리키면 7월, 유(酉)방향을 가리키면 8월, 술(戌)방향을 가리키면 9월 해(亥)방향을 가리키면 10월이 되는 것이다.

▷ 시간(時間)과 공간(空間)을 표현하는 간지(干支)

북두성(北斗星)은 천구를 따라 매일, 그리고 1년을 단위로 쉬지 않고 선회한다.

그런데 이렇게 선회하면서 북두성의 자루가 가리키는 사방의 방향도 달라지게 된다. 예를 들어 하루 중 북두의 자루가 인(寅)방을 가리키면 인(寅)시가 된다. 축(丑)방을 가리키면 축(丑)시인 것이다. 마찬가지로 1년 가운데 북두가 인(寅)방을 가리키면 정월이 되고, 축(丑)방을 가리키면 섣달인 것이다. 즉, 북두성이 하늘 가운데 자리하여 천구(天球)를 순회하며 가리키는 바에 따라 1년 12달과 24절기가 구분되고, 하루 12시진이 정해지는 것이다. 이렇게 천체의 순환으로 인해 하늘은 물론 땅에서 운기의 변화가 일어난다. 그리고 이 천상을 그대로 본떠서 우주의 시공변화를 파악할 수 있도록 하는 수단이 간지이다.

출처: '알기 쉬운 상수역학' 김진희 저

▷ 12지지와 12개월 순환도(12벽괘)

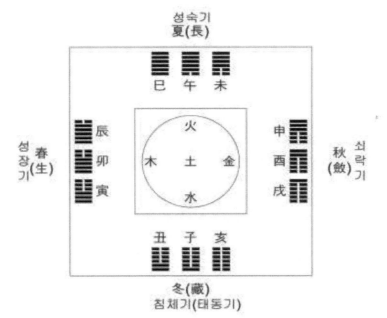

▷괘상으로 보는 12개월 순환도(12벽괘)의 원리

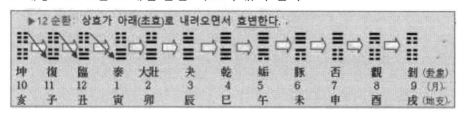

坤	復	臨	泰	大壯	夬	乾	姤	豚	否	觀	剝(박박)
10	11	12	1	2	3	4	5	6	7	8	9 (月)
亥	子	丑	寅	卯	辰	巳	午	未	申	酉	戌 (地支)

▷지지의 계절적 특성

方合	계절	조후	생명의 순환	성쇠강약
寅卯辰	춘(春)	습(濕)	생(生)	성장기(成長期)
巳午未	하(夏)	난(暖)	장(長)	왕성기(旺盛期)
申酉戌	추(秋)	조(燥)	수(收)	쇠락기(衰落期)
亥子丑	동(冬)	한(寒)	장(藏)	태동기(胎動期)

▷ 12벽괘와 12지지

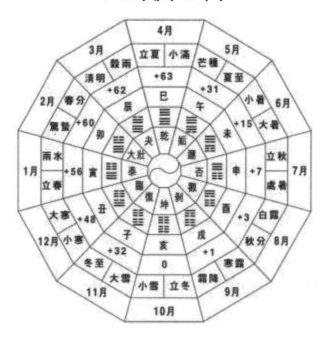

►수리(數理)는 양의 관점에서 위에서 아래로, 2진법으로 양효의 위치에너지를 측정한 것이다.

►인묘진(寅卯辰)은 봄, 사오미(巳午未)는 여름, 신유술(申酉戌)은 가을, 해자축(亥子丑)는 겨울에 해당된다.

►각 계절의 시작은 입춘, 입하, 입추, 입동으로 인신사해(寅申巳亥)가 된다.

▷12운성과 12지지의 관계

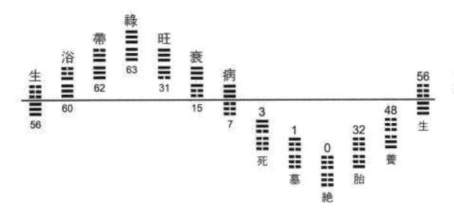

生	浴	帶	祿	旺	衰	病	死	墓	絶	胎	養
寅	卯	辰	巳	午	未	申	酉	戌	亥	子	丑
+56	+60	+62	+63	+31	+15	+7	+3	+1	0	+32	+48

火오행 기준

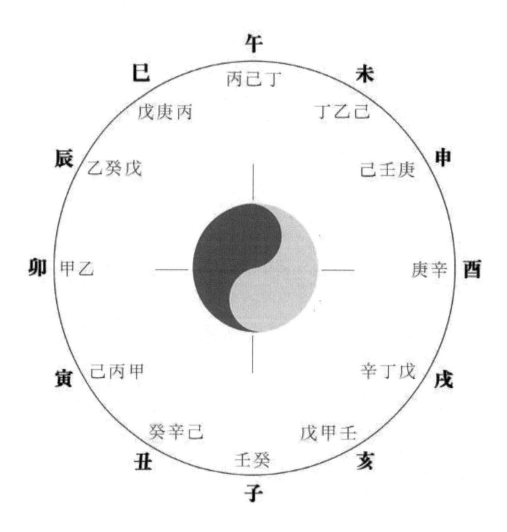

8.4. 자연과학적 시간과 인문철학적 시간의 이해

하루를 균등하게 12地支로 분할하여 2시간 단위로 시간을 설정하는 것은 자연과학적 시간을 의미하며, 이때 地支라는 문자는 단지 시간의 단위를 나타낼 뿐 지지가 함유하고 있는 의미는 없다. 그러나 간지로 표현하는 시간의 개념은 오차 없는 자연과학적 시간을 의미하는 것이 아니라 음양오행의 기운을 함유하고 있는 기호로서 인문철학적 의미를 품고 있다. 그러므로 8개의 기호로 표상되고 있는 문왕팔괘도를 12지지로 균등 분할하면서 생겨나는 괘와 지지의 괴리에 대해 억지 해석을 할 필요는 없다. 즉 8괘도를 12지지로 균등 분할하면 寅은 艮☶土(戊)에 해당되고, 卯는 震☳木(甲)에 해당된다. 그러나 인문학적으로 寅은 震☳木(甲)이고, 卯는 巽☴木(乙)에 해당된다. 8개를 12개 단위로 분할하면서 오는 당연한 모순을 억지로 꿰어 맞추는 식의 해석을 할 필요는 없다. 역학(易學)의 시간은 음양오행의 의미를 함유한 인문철학적 관점에서 보아야 한다.

辰戌丑未는 오행으로 보면 戊土와 己土로 분류된다. 辰戌은 지장간 正氣가 戊土이고 丑未는 己土이다.

그러나 사시순환의 관점에서 보면 辰土은 寅卯辰(春)으로 꽃을 피우기 시작하는 늦봄에 해당되고, 未土는 巳午未(夏)로서 양기로 가득한 열매를 숙성시키는 늦여름에 해당되고, 戌土는 申酉戌(秋)로서 生氣를 저장하기 시작하는 늦가을에 해당되고, 丑土는 亥子丑(冬)으로 生氣의 분출을 준비하는 늦겨울-초봄에 해당된다.

그러므로 辰戌丑未를 팔괘와 연결하면 丑은 艮土☶(戊), 未는 坤土☷(己)에 해당되지만 辰土는 늦봄으로 巽木☴(乙), 戌土는 늦가을 乾金☰(辛)에 해당된다. 辰土는 지장간이 乙癸戊로서 장성한 乙木☴에 꽃(열매)을 피우기 위하여 물을 머금고 있는 옥토에 해당되며 늦봄-초여름에 해당된다. 戊土는 지장간이 辛丁戊로서 수렴하여 정화된 辛金을 火氣(丁)로 담금질하여 水氣☵에 貞正하게 저장할 수 있도록 준비하는 기간(늦가을-초겨울)에 해당된다. 그러므로 戊土는 辛金을 머금은 土로서 괘상으로는 乾卦☰에 해당된다. 丑土는 지장간이 癸辛己로서 물기(癸)가 땅 위로 스며 나와 꽁꽁 얼어붙은 땅을 물렁하게 하면서 저장하고 있던 生氣(辛)를 분출시키기 위한 준비를 하는 늦겨울-초봄에 해당된다. 未土는 지장간이 丁乙己로서 왕성한 陽氣가 맺힌 열매(乙)를 陰氣로써 숙성시키는 늦여름-초가을에 해당된다.

▷인문학적 개념의 지지 배치도에 대한 심층이해

寅은 甲木의 성질로 1월이 되고, 8괘로는 震☳木의 성질을 가지고 있다. 그런데 문왕8괘도를 12시간으로 균등 배분하면 寅이 艮土에 위치하게 되므로 마치 寅木이 艮土의 성질을 부여받은 것으로 잘못 이해할 수가 있다. 그러나 이것은 평면상에 그려진 원도(圓圖), 또는 구궁도(九宮圖)에 배치된 8괘를 균등하게 나누어 시간을 배치하는 작업에서 비롯되는 오해이다. 8괘의 성질과 지지의 성질이 서로 맞지 않는 다른 경우도 같은 이유이다. 그러나 간지는 오차 없는 자연과학적 시간이라기 보다는 글자 하나하나에 철학적 의미를 내포한 인문학철학적 시간의 관점에서 고려하는 것이 옳다(시간의 측정에서는 균등하게 나누어야 하겠지만(자연과학적 시간), 해석에 있어서는 인문학적 개념의 시간을 고려해야 한다(인문철학적 시간). 그러므로 자연과학적 시간의 관점에서 보면, 艮☶土는 축(丑)이 인(寅)으로 전환하는 시점으로서 12월(丑)에서 한 해를 마치고 새로운 1월(寅)이 시작되는 종시(終始)의 뜻을 품고 있으므로 인(寅)이 艮☶土와 의미적으로 전혀 무관하다고 볼 수는 없다(丑의 지장간 癸辛己와 寅의 지장간 己丙甲을 보면 己土를 서로 공유하고 있어 자연시간적으로는 늦겨울 丑에서 초봄 寅으로 전환하는 환절기임을 알 수 있다.

▷[심층이해] 인문학적 개념의 12지지 배치도

巽☴木 卯(辰)	離☲火 巳午	坤☷土 未
震☳木 寅	**土**	兌☱金 申
艮☶土 丑	坎☵水 子亥	乾☰金 酉(戌)

辰戌丑未는 4계절 사이의 계절 전환기를 의미한다.

8.5. 지지(地支)

8.5.1. 자(子)

괘상	䷗+32 地雷復
시간	23시-1시
월	11월
지장간	壬癸

괘상으로는 한 겨울(冬至), 한 밤중(23-1시)으로 절기상 가장 추운 동지(冬至)에 해당되며, 엄동설한으로 꽁꽁 얼어붙은 땅 속 깊이 바닥에 하나의 양기가 태동하는 지뢰복(地雷復)의 상이 된다. 음기에 둘러 쌓여 고도로 응축된 양기(+32)가 저장되어 있는 때이다. 가장 어려운 난관에 처해있을 때 오히려 희망이라는 싹이 트는 법, 소란 떨지 말고 소중히 키워야 하는 때이다(12운성으로 보면 생명이 태동하는 태(胎)에 해당된다).

자(子)는 생장수장의 이치로 순환하며 수렴된 양기가 고도로 응축되어 다음 세대에 전하기 위하여 저장된 씨앗이다. 그러므로 자(子)의 성정은 외향적인 활동보다는 내면적인 정신을 추구하는 경향이 강하다. 진리탐구, 종교나 철학, 연구개발에 심취하는 기질이 강하며, 겉은 수수해 보이지만 내면의 세계는 단단하다.

8.5.2. 축(丑)

괘상	䷒+48 地澤臨
시간	1시-3시
월	12월
지장간	癸辛己

괘상으로는 하나의 양기가 더 쌓여 밖으로 나갈 준비를 하는 단계로 지택림의 상이 된다. 겨울의 막바지로 양기(+48)가 팽창하여 껍질을 깨고 나갈 태세가 되어있는 때이다(12운성으로 보면 양養에 해당된다). 축(丑)은 아직은 얼어붙은 땅 속이고 어둠이 덮여 있는 상태이지만 저 멀리 바닥에서 태양의 뜨거운 기운이 올라오고 있고, 땅은 씨앗에게 나갈 수 있도록 조금씩 물기를 머금으며 물러지고 있다.

현실세계에 관심이 많은 때이지만, 내면에는 신금(辛金)을 포장하고 있으므로 현실에 대해 추상적이기보다는 현실적이다. 논리적이고 계산적이며, 진취적이지만 조심스럽다. 축(丑)은 금융, 전기, 전자 등 정밀한 분야에서 활동할 수 있는 기운과 환경이 된다.

지구의 사시순환을 표상한 문왕팔괘도로 보면 축(丑)은 봄의 진목(震木☳)과 겨울의 감수(坎水☵) 사이의 간토(艮土☶)에 해당된다. 양토로서 남성(男性)을 상징하는 艮土가 생명을 저장하고 있는 坎水☵를 극함으로써 생명을 깨우니(土克水), 간토(艮土☶)는 삼효(三爻)가 상징하는 생명이 땅 위에 기적을 한 모습을 표상한다. 즉, 丑土는 지장간이 癸辛己로서, 땅(己) 속에 저장되어 있던 생명(辛)이 물기(癸)가 축축해지면서 물러진 땅 위로 모습을 드러내는 상태로 양생(養生)의 자리에 해당된다. 震木☳이 艮土☶를 극함으로써 생명(☷)이 태동하는 것이니, 건도(乾道)로 상징되는 양(陽)의 상극시대가 시작되는 것이다.

8.5.3. 인(寅)

괘상	☰☷+56 地天泰
시간	3시-5시
월	1월
지장간	己丙甲

괘상은 삼양양음(三陽三陰)으로 지천태가 되며, 양기(+56)가 단단한 껍질을 깨고 새싹을 틔워 땅 밖으로 고개를 내미는 초봄으로 입춘(立春)이 시작되고, 태양이 빛을 내며 올라오는 새벽 3시-5시가 된다.

인(寅)은 수렴과 응축의 시기인 음이 주도하는 곤도(坤道)의 세상을 벗어나 생장과 분열 확산의 시기인 양이 주도하는 건도(乾道)의 세상을 여는 때이다. 12운성으로 보면 장생(長生)에 해당되어 甲木의 용출하는 상향성의 성정이 있다.

인(寅)은 지장간에 병화(丙火)를 포장하고 있어 응축된 음의 껍질을 깨고 양의 세상을 여는 기운이 충만한 때이므로 무에서 유를 창조하는 창조적인 능력을 발휘할 수 있는 여건이 되며, 웬만한 난관은 헤쳐 나갈 수 있는 진취적인 기상이 있다. 인(寅)은 새로움을 만들어내는 기획이나 교육, 디자인 등 창조적인 능력을 발휘할 수 있는 환경적 조건이 갖추어지는 시기이다.

8.5.4. 묘(卯)

괘상	䷡+60 雷天大壯
時	5시-7시
月	2월
지장간	甲乙

괘상은 양기가 하늘을 뚫고 치솟아 올라가는 때로서 봄의 기운이 만연한 시기로 뇌천대장의 상이다. 양기가 +60으로 정점을 향해 상승하는 시기이며, 왕성하게 성장하는 나무☴(巽木)의 상이 된다.

12운성으로 보면 목욕(沐浴)에 해당되며, 밖으로 용출하는 양의 에너지가 강력한 청소년기에 해당되므로 추진력이나 활동력이 왕성한 때이다. 묘(卯)는 기운이 왕성한 나무의 상으로 땅을 뚫고 나오는 갑목의 곧은 성질과 을목의 굴신의 성질을 포함한 곡직(曲直)의 특성을 담고 있어 그 기질이 강직하다.

8.5.5. 진(辰)

괘상	䷪+62 澤天夬
時	7시-9시
月	3월
지장간	乙癸戊

괘상은 양기가 극에 달해 결단의 때를 나타내는 택천쾌(澤天夬)에 해당되고, 양의 에너지는 +62로 절정에 다다른다(12운성으로 보면 관대冠帶에 해당된다). 계절은 봄기운이 막바지에 다다른 진월(辰月)이다. 진(辰)은 癸水를 머금고 있는 옥토로서 乙木이 뿌리를 내려 열매를 맺을 수 있도록 최적의 환경을 제공한다. 목기(木氣)의 상승이 마무리되고 꽃 몽우리가 부풀기 시작하는 시기로서 양기의 질서를 잡아 열매를 맺는 火氣☲로의 진입을 준비하는 때이다.

진(辰)은 생장 분열하는 양기를 마무리하고 정비를 하는 기운이므로 중재하고 협상, 조율하는 능력이 뛰어나며, 조직의 리더로서 관리, 지휘하는 기질이 있다. 중개업, 무역업, 컨설팅업 등에 적합한 환경이며, 열매를 담을 수 있는 그릇이나 집과 관련된 건축업, 창고업, 숙박업 등이 어울리는 기운이다.

8.5.6. 사(巳)

괘상	䷀+63 重天乾
時	9시-11시
月	4월
지장간	戊庚丙

괘상은 열매를 맺기 위하여 꽃이 흐드러지게 만발하는 사월(巳月)이며 여름이 본격적으로 시작되는 입하(立夏)로서 양기가 최고 절정인 +63이 되는 중천건(重天乾)괘이다. 양기가 극단에 다다른 때로서 인생 최고의 기세를 발휘하고 최상의 절정기를 누릴 수 있는 환경이 조성된다. 12운성으로 보면 건록(建祿)에 해당된다. 음을 물리치고 양을 모두 드러낸 기상으로 외향적 성향을 지닌다.

내면에는 경금(庚金)을 머금고 있어 결과(열매)를 만들어내기 위한 내면의 계획을 세우는 때이기도 한다. 무분별한 양기의 확산이 열매를 담는 꽃에 집중되며 조화를 추구하는 시기이다. 천간 丙火에 해당하는 시기로서 꽃을 피우며 양기의 질서를 세우는 때이다. 그러므로 최고 절정의 시기에 씨앗을 담는 꽃을 피우지 못한다면 타인에게 보여주기 위한 속이 빈 삶이 되기 쉬운 환경이기도 하다.

천지만물이 모두 자신을 드러내는 시기로서 방송, 연예, 언론 분야의 기질이 발휘되기 쉬운 환경이며, 사(巳)는 火氣☰가 강한 丙火의 때이므로 전기, 전자, 통신, 여행 등에 빠른 이동과 관련된 최적화된 환경을 제공한다.

8.5.7. 오(午)

괘상	䷫ +31 天風姤
時	11시-1시
月	5월
지장간	丙己丁

　뜨거운 양기가 절정을 이루는 한여름(夏至), 한낮(11-1시)으로 가장 더운 여름의 한가운데인 오월(午月)에 해당되며, 괘상은 천풍구(天風姤)가 된다. 양기의 확장을 저지하고, 열매에 양기를 채우기 위하여 음이 생겨나는 시기로서 열매가 최고로 커지는 때이다. 꽉 찬 보름달은 곧 어그러지는 뜻이 동시에 담겨있으니 겉으로는 절정을 이루는 듯해도 내부적으로는 음기가 생겨나는 등 변화의 변곡점이 되는 丁火가 작용하는 시기이기도 하다. 12운성으로 보면 제왕(帝王)에 해당된다. 양기가 가장 강렬하게 작용하는 때로서 최고로 뜨거운 때이지만 기운은 이미 +31로 내부적으로는 양기(陽氣)의 확장보다 양기를 담은 열매를 크게 키우기 위한 음기(陰氣)의 작용에 집중한다. 외적으로는 양을 쫓아 화려하지만 내면적으로는 음을 지향하는 성향이 있다.

　오(午)는 지장간의 병정(丙丁)이 내부에 기토(己土)를 포장하고 있어 열매를 얻기 위한 금화교역을 준비하기 시작하는 때이다. 그러므로 결과를 만들어 도출해내는 직업에 적합한 기운으로서 협상가, 프로듀서, 언론, 연예, 의학, 화학, 전기, 전자 등에 어울리는 환경이다. 빠른 이동과 관련된 정보, 통신, 물류 등에도 적합한 기운이 조성된다.

8.5.8. 미(未)

괘상	䷠ +15 天山遯
時	1시−3시
月	6월
지장간	丁乙己

괘상은 천하에서 한발 물러나 은둔하고 있는 상으로 천산돈(天山遯)에 해당되며, 여름의 막바지인 늦여름으로서 양기는 +15으로 뚝 떨어진다. 12운성으로 보면 쇠(衰)에 해당된다. 나무가 양기의 제공을 점차 끊어 열매를 땅에 떨어트림으로써 결실을 준비하는 시기로서, 미(未)는 땅에 떨어진 열매를 받아드려 숙성시키는 己土☷가 작용하는 시기이다. 미(未)가 지장간에 乙木을 포장하고 있는 것은 乙木이 키워낸 열매를 마무리 짓는 의미가 있다.

미(未)는 쭉정이와 껍질을 삭혀 알갱이를 분리하는 군자(君子)의 성정이 있다. 未는 분열 확장하는 화기(火氣)와 양기를 수렴하는 금기(金氣)가 서로 충돌하는 금화상쟁(金火相爭)의 기운을 중재하는 중화적 성정이 있다. 미(未)는 분열 확산을 상징하는 양이 주도하는 건도(乾道)의 시대에서 수렴 저장을 상징하는 음이 주도하는 곤도(坤道)의 시대로 대변혁이 일어나는 시점에 해당되는 기운으로서 중화적인 대인배의 성정이 있으며, 화합과 조화를 이루는 기운으로 협상, 교역, 중재를 다루는 환경이 조성된다.

8.5.9. 신(申)

괘상	☰☷ +7 天地否
時	3시-5시
月	7월
지장간	己壬庚

괘상은 하늘(양)과 땅(음)이 서로 등을 돌리고 멀어져가는 천지비(天地否) 괘가 되며, 양기는 +7에 불과하다. 천지가 교통하고 작용하기에는 기운이 너무 부족하다. 12운성으로 보면 병(病)이 드는 시기에 해당된다. 나무에서 열매(양기)의 꼭지가 떨어진 상태로 본격적으로 양기를 수렴하기 시작하는 때이다. 분열 확산하는 양기를 수렴하기 시작하는 가을의 초입으로 입추(立秋)가 시작되는 신월(申月)에 해당된다.

신(申)은 음의 주도하는 곤도(坤道)의 세상을 본격적으로 시작하는 시기에 변혁의 주체로서 수렴과 결실을 맺는 때이다. 미(未)의 기운이 열매를 숙성시켜 껍질과 쭉정이를 삭혀 놓으면 금기(金氣)인 신(申)이 의로움(義)으로써 알갱이만을 취하고 쭉정이는 단절해 버린다.

신(申)은 가을에 곡식을 추수하듯이 옳고 그름을 구별하고 분리하는 숙살지기(肅殺之氣)의 기운이 있으므로 법을 집행하는 법관, 군인, 금속가공, 전기 전자 금융 등에 역량을 발휘할 수 있는 기운을 조성한다.

8.3.10 유(酉)

괘상	䷓+3 風地觀
時	5시-7시
月	8월
지장간	庚辛

괘상은 양기가 +3으로 사실상 음양이 상호작용을 멈춘 상태이며, 모든 것을 포기하고 멀리서 떨어져서 관조하는 상으로 풍지관(風地觀)이 된다. 유(酉)는 완연한 가을로서 들판에 널려 있는 무르익은 곡식을 거두어들여 결실을 마친 때로서 양기(생기)를 완전히 분리하여 순수하게 모아 놓은 상태이다. 12운성으로 보면 영(靈)으로 상징되는 生氣만이 모인 死에 해당된다.

추수를 끝낸 농부가 알갱이와 쭉정이를 분리하여 순수한 양기☰만을 쌓아 놓고 흐뭇하게 바라보는 관(觀)의 상이다. 순수한 양기는 생기(生氣)가 되어 水☵에 의해 다음 생을 위하여 저장된다.

유(酉)는 양기가 응축된 순수한 결정체인 금(辛金☰)의 정기가 모이는 때이므로 정밀한 작업을 요하는 귀금속 가공, 정밀금속, 반도체, 유가증권 등의 분야에서 그 기질이 발휘될 수 있는 환경이 조성된다. 정밀한 금기(金氣)를 의미하므로 의사, 간호사, 판검사 등에서도 역량이 발휘된다.

8.3.11.   술(戌)

괘상	䷖+1 山地剝
時	7시-9시
月	9월
지장간	辛丁戊

괘상은 금기(金氣)가 거두어들인 양기를 땅(음)속에 응축시키는 늦가을로서 마지막 양을 하나 남기고 간신히 명맥(+1)을 유지하고 있는 산지박山地剝괘가 된다. 술(戌)은 지장간에 辛金과 丁火가 있어 순수한 정기인 辛金을 불에 녹여 음기에 응축시키는 때가 된다. 12운성으로 보면 양기를 저장하는 묘(墓)에 해당된다. 묘(墓)는 수렴된 만물이 창고에 저장되듯이 사람이 죽어 무덤에 들어가는 때이다. 비록 죽어서 묘에 묻히지만 양기의 흔적은 남아있으니 박(剝)괘의 상이다.

술(戌)은 정수만을 녹여 저장하는 용광로 같은 성질이 있으므로 최종적으로 조합하고 정리하며 마무리 짓는 능력이 뛰어나며, 서로 나뉘어 있는 것을 핵심만을 추출하여 융화시킴으로써 종합 정리하는 관리자로서의 역량이 발휘될 수 있는 기운이 충만한 환경이다.

술(戌)은 양기가 녹아 들어 음기 속에 몸을 숨기고 있는 상으로 그 내밀한 속내를 알기가 쉽지 않다. 양기를 녹여 감추고 음기를 열어주는 관문으로 종교, 철학, 역사, 고고학 등 감춰진 미지의 세계와 내적인 정신세계에 대한 관심이 크다.

8.3.12.　해(亥)

괘상	䷁ 0 重地坤
時	9시-11시
月	10월
지장간	戊甲壬

　괘상은 순음의 기운으로 이루어진 중지곤(重地坤)괘로 술(戌)궁에서 녹여 응축된 양기가 완전히 포용된 상태로 양기는 제로(0)가 된다. 12운성으로 보면 양기가 음의 속으로 완전히 사라진 절(絶)에 해당된다. 가을 들판에 곡식이 흔적도 없이 정리된 상태로서 초가을 입동(立冬)으로 들어서는 때이다.

　지장간을 보면 중기에 갑목(甲木)을 포장하고 있으니 이는 새로운 생(生)을 꿈꾸는 절처봉생(絶處逢生)의 뜻이 된다. 양의 기운이 완전히 사라지고 정지된 상태(坤三絶)이지만, 또한 동시에 새로운 생(生)의 뜻을 품는 시기라는 뜻으로 절(絶)은 포(胞)의 뜻을 함유하고 있다.

　해(亥)는 겉으로 보면 스산하고 차가운 음이지만, 그 속을 보면 양기를 녹여 품고 있는 상태로서 따스한 모성애의 성정이 충만하다. 겉은 거칠고 냉정한 것 같지만 속은 드러나지는 않는 모성애가 충만한 환경인 것이다. 해(亥)는 생육의 뜻이 강하므로 유아교육, 농업, 축산, 종교, 철학, 교육사업 등 육신과 정신 등을 기르는 뜻이 기운이 가득하다.

9. 지장간

지장간(地藏干)이란 땅에 내려와 만물에 영향을 끼치는 하늘의 기운(天干)으로서 사시(四時)의 변화에 직접 관여하며 사계절의 흐름을 주도한다. 天干은 地支의 장간藏干이 되어 지지의 성질을 규정짓는다.

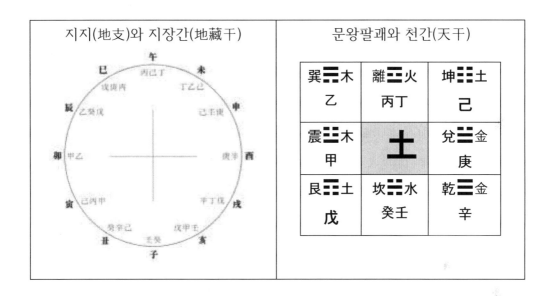

지지(地支)와 지장간(地藏干)	문왕팔괘와 천간(天干)

지지는 각각의 계절에 고정되어 있는 환경적인 기운이며, 지장간은 지지가 포태하여 품고 있는 천간오행이다. 그러므로 지장간은 우주를 유행하는 천간오행과 달리 각각의 지지궁에 한정된 기운으로서 자신을 품고 있는 지지의 짝인 천간과 투간(透干)작용을 통해 자신의 기세와 뜻을 표현한다. 그리고 일간은 사주명국의 주인으로서 각각의 지지와 작용하며, 또한 지지가 품고 있는 지장간과도 상호 작용을 통해 인사(人事)를 표현한다.

天	人	地
陽	中	陰
天干	地藏干	地支

주역 계사전에서 "변화의 도를 아는 자는 神이 하는 바를 안다(知變化之道者 其知神之所爲乎)"라고 했듯이 자연이 변화하는 이치를 알 수만 있다면 자연의 일부인 인간의 생장성쇠하는 흐름을 통해 그 길흉을 들여다볼 수 있을 것이다. 고전에 나오는 구절을 통해 人元(中)인 지장간의 이치를 탐색해 보자.

▷人은 中이니 天地가 하나(一)된 자리로다.[13]
▷중화에 이르면 천지가 제자리를 잡고 만물이 (그 안에서) 길러진다.[14]
▷강유가 서로 밀고 당기면서 변화(中)를 만들어낸다.[15]
▷굳셈과 부드러움이 서로 밀치고 당기니 변화가 그 가운데 있다.[16]
▷천지가 자리를 잡으면 역이 그 중화를 실행한다.[17]
▷만물은 음양 양자가 서로를 낳으며 제삼자(中)를 형성한다.[18]
▷만물은 음을 지고 양을 안으며 沖氣로써 조화를 이룬다.[19]
▷음이 생겨나면 양이 줄어들며, 양이 생겨나면 음이 사멸해 가니, 두 기

---

[13] 『천부경』, "人中天地一"
[14] 『중용』, "致中和 天地位焉 萬物育焉"
[15] 『주역』, 「계사전」, "剛柔相推而生變化"
[16] 『주역』, 「계사전」, "剛柔相推 變在其中"
[17] 『주역』, 「계사전」, "天地設立 而易行乎其中矣"
[18] 『관자』, 「추언」, "凡萬物陰陽 兩生而參視"
[19] 『노자』, "萬物 負陰而抱陽 沖氣而爲和"

운이 서로 어우러져 만물이 생겨난다.[20]

▷ 천지가 서로 사귀어 법도가 바로 서니 만물이 통하며, 상하가 서로 사귀니 그 뜻이 서로 같다.[21]

▷ 하늘과 땅이 사귀지 못하니 만물이 불통하고, 상하가 사귀지 못하니, 천하에 나라다운 나라가 없다.[22]

▷ 천지가 서로 사귀지 않으면 만물이 일어나지 못한다.[23]

---

[20] 경방, 『경씨역전』, "陰生陽消 陽生陰滅 二氣交互 萬物生焉"

[21] 『주역』, 단전「지천태」, "則是天地交而萬物通也 上下交而其志同也"

[22] 『주역』, 단전「천지비」, "天地不交而萬物不通也 上下不交而天下無邦也"

[23] 『주역』, 단전「뇌택귀매」, "天地不交而萬物不興"

9.1 지장간의 원리

지장간(地藏干)은 지지궁(地支宮)에 잉태되어 숨겨진 하늘의 기운(天干)이다. 天이 아버지라면 地는 어머니이니 지장간은 천지가 포태한 만물(人)이 된다. 어머니인 地氣(한난조습)는 天氣(오행)를 포태하여 상호작용함으로써 만물(人)을 생장수장의 이치로써 생로병사를 순환시킨다. 人은 아버지(陽)인 천간과 어머니(陰)인 지지가 상호작용하여 생한 자녀(만물)로서 中이 되니, 지장간은 人中의 성질로서 천지의 내적작용을 의미한다. 천지가 지구의 공전에 의한 사시의 변화에 따라 서로 교합 작용하며 중화로써 만물(人)을 변화시키고 순환시키는 것이다.

지지(地支)는 순환과 변화를 의미하는 시간의 흐름을 나타낸다. 천간은 동적인 성질로 유행(流行)하지만 지지는 12개로 구분되어 고정되어 있는 계절의 환경적인 기운으로서 천간오행의 방문을 반긴다. 지지는 지구라는 땅에 내려와 천간오행의 부름을 기다리고 있는 지장간에 의해 그 성질이 규정된다. 지장간이란 계절적인 환경이 만들어내는 지지궁에 입주한 식구로서 천간에 투출하면 그 쓰임이 강화된다. 지장간은 명주인 일간의 내재된 잠재력을 의미하며 때를 만나면 깨어나 그 모습을 드러낸다.

지장간은 천간 지지의 상호작용으로 생화한 중화의 산물을 의미한다. 그러므로 지지궁에 암장되어 있는 지장간은 다양한 천간의 조합으로 이루어져 복잡한 성질을 함유하고 있으며, 이것은 또한 인(人)으로 표상되는 지장간이 다양한 잠재적 가능성을 내포하고 있음을 의미한다. 자연의 순환에 순응하며 상호작용하는 人(物)의 모습이 지장간이다.

인간을 비롯한 만물이 계절의 흐름에 따라 천간과 지지의 상호작용에 시의

적절하게 감응하면서 흘러가는 것을 시중(時中)이라 하여 최선의 길(吉)로 본다. 생극은 음양오행이 서로 균형과 조화를 이루기 위한 상호작용을 의미하며, 균형과 불균형이 상호작용을 통해 중화를 이루어 가는 과정에서 인사길흉(人事吉凶)이 생겨난다. 중화를 이루는 원리인 생극제화(生剋制化)는 사주명국에서 십신(十神), 육친(六親) 등 인사(人事)를 발생시키고 순환시키는 기본원리일 뿐 그 자체가 길흉을 의미하지는 않는다. 균형과 불균형이 서로 대대(對待)하며 상호작용을 통해 중화를 이루어 가는 과정에서 길흉이 생겨나는 것이니, 나에게 득이 되면 길이요, 실이 되면 흉이다(得卽吉 失卽凶). 주역 계사전에서는 "한번은 음하고 한번은 양하며 가는 것이 도"라고 함으로써 "강유가 서로 밀고 당기며 변화(中)를 생하는 것"을 음양의 작용이라 정의하고 있다.

9.2 지지와 지장간의 관계

◆ 12지지 속에 암장되어 있는 천간(지장간)은 3가지로 분류된다.

여기(餘氣) - 이전 계절의 남은 기운
중기(中氣) - 다음 계절의 기운을 잉태
정기(正氣) - 당해 계절을 시작하는 기운

天(圓)

四生地			寅			申			巳			亥		
餘氣	中氣	正氣	己	丙	甲	己	壬	庚	戊	庚	丙	戊	甲	壬

人(角)

四旺地			子			午			卯			酉		
餘氣	中氣	正氣	壬		癸	丙	己	丁	甲		乙	庚		辛

地(方)

四庫地			辰			戌			丑			未		
餘氣	中氣	正氣	乙	癸	戊	辛	丁	戊	癸	辛	己	丁	乙	己

-寅申巳亥(生地)- 天(圓)

　　이전 계절의 기운이 남아있는 상태에서(餘氣), 다음 계절의 기운을 생
　　(中氣)하며, 당해 계절의 시작(正氣)을 알리는 계절의 문이다.

-子午卯酉 (旺地)- 人(角)

　　당해 계절의 旺한 기운이다. 양극음생(陽極陰生)으로서 양이 극에 달하
　　고 음이 생하는 자리이다. 2개의 지장간으로 구성된다.

-辰戌丑未(墓地)- 地(方)

　　이전 계절의 旺한 기운 子午卯酉를 庫地(墓庫)에 입고시켜 다음
　　계절의 기운과 충(沖)하는 것을 막는다.

　　절기가 바뀌는 것은 갑자기 한 순간에 전환이 이루어지는 것이 아니라 이
전 계절의 남아있는 기운이 들어오고(餘氣). 다음 계절의 기운이 들어와 포
태되면서 서서히 바뀌어 가는 것이다(中氣).

▶餘氣, 中氣, 正氣의 日數비율

地支＼地藏干	餘氣		中氣		正氣	
子	壬	10			癸	20
丑	癸	9	辛	3	己	18
寅	己	7	丙	7	甲	16
卯	甲	10			乙	20
辰	乙	9	癸	3	戊	18
巳	戊	7	庚	7	丙	16
午	丙	10	己	9	丁	11
未	丁	9	乙	3	己	18
申	己	7	壬	7	庚	16
酉	庚	10			辛	20
戌	辛	9	丁	3	戊	18
亥	戊	7	甲	7	壬	16

9.3   생(生)·왕(旺)·묘(墓)의 삼합

사생지(四生地), 사왕지(四旺地), 사고지(四庫地)는 각각 삼합의 생왕묘(生旺墓)로서 짝을 이루어 계절의 순환을 만들어 간다. 삼합(三合)은 각기 다른 계절의 지지 속에 있는 같은 기운으로 3계절에 걸쳐 결합하는 것이므로 강력하고 지속적이다.

▷ **삼합(三合)의 구성**

生	旺	墓	合	계절
寅	午	戌	火	여름
巳	酉	丑	金	가을
申	子	辰	水	겨울
亥	卯	未	木	봄

인신사해는 원圓(天)이고, 자오묘유는 각角(人)이며, 진술축미는 방方(地)이다. 여기에서 원(圓)은 삼합의 시始(生)가 되고, 각(角)은 삼합의 주主(旺)가 되며, 방(方)은 삼합의 종終(墓)이 된다. 원방각의 주체는 사람인 角이 되므로 삼합의 결과는 角의 자리인 자오묘유의 성질을 가지게 된다.

▷비교: 방합(方合)

방합(方合)은 한 계절의 동일한 기운이 결합하는 것이므로 당해 계절의 기운에 편승하는 것으로서 지속되는 힘이 일시적이다.

-寅卯辰은 木기운으로 봄이 되고

-巳午未는 火기운으로 여름이 되며,

-申酉戌은 金기운으로 가을이 되고

-亥子丑은 水기운으로 겨울이 된다.

▷ **생왕묘(生旺墓)의 구성**

(1) 생지(生地): 인신사해(天)

  생지는 寅申巳亥로 구성된다.

≫여기(餘氣): 이전 계절의 남은 기운

≫중기(中氣): 다음 계절의 왕지(旺地)에 내장된 양기를 생한다.

  -寅에는 午궁의 丙火를, 巳에는 酉궁의 庚金을, 申에는 子궁의 壬水

  를, 亥에는 卯궁의 甲木을 生한다.

≫정기(正氣): 당해 계절에 시작하는 양의 기운(寅-甲木, 辛-庚金,

  巳-丙火, 亥-壬水)

(2) 왕지(旺地): 자오묘유(人)

  당해 계절의 가장 왕(旺)한 기운으로서 양의 기운이 극에 달하면서 음

이 생하는 자리이다(陽極陰生의 이치). 왕지는 子午卯酉로 구성된다.

여기와 정기 두 개의 지장간으로 구성된다.

≫여기(餘氣): 양 기운

≫정기(正氣): 음 기운

(3) 묘지(墓地): 진술축미(地)

  고지(庫地)라고도 하며, 이전 계절의 왕지인 자오묘유의 정기(正氣)를

수렴하여 저장한다.

≫여기(餘氣): 이전 계절의 남은 기운

≫중기(中氣): 이전 계절의 왕지(음기)

  -子(癸水), 午(丁火), 卯(乙木), 酉(辛金)에 내장된 음기가 입고된다.

  즉, 丑에는 酉궁의 (辛金)이, 辰에 子궁의 (癸水)가, 未에 卯궁의 (乙

木)이, 戌에 午궁의 (丁火)가 입고된다.

≫정기(正氣): 辰戌은 陽土으로서 戊土가 오고, 丑未는 陰土으로서
己土가 온다.

9.4 생왕묘(生旺墓)의 이해

9.4.1. 四生地 - 寅申巳亥

이전 계절의 남은 기운이 들어오고(餘氣), 다음 계절의 기운을 生하며(中氣), 당해 계절이 시작된다(正氣). 사생지인 寅申巳亥의 정기(正氣)는 양의 기운으로 寅(甲) 申(庚) 巳(丙) 亥(壬)이 된다.

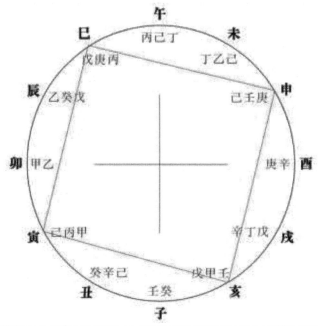

四生地			寅			申			巳			亥		
餘氣	中氣	正氣	己	丙	甲	己	壬	庚	戊	庚	丙	戊	甲	壬

인신사해는 사생지(四生地)라 해서 다음 계절의 기운이 생겨나는 절기이다. 즉, 인신사해는 사생지로 당해 계절을 시작하는 기운이며(正氣), 또한 다음 계절의 강왕한 기운도 중기(中氣)에 태동하여 서서히 자리한다.

▶봄, 寅(己丙甲): 처음으로 여름의 火(丙)가 生한다(木生火).

≫寅午戌 合火

-寅궁(生)에서 丙(여름)이 생하고(長生), 午에서 가장 왕성한 기운을 이룬 후(丁, 旺), 戌에서 마지막 火氣(丁)가 입고된다(入墓).

-午(旺)궁에서 양(丙火)이 극에 달하면서 음(丁火)이 생한다(陽極陰生양극음생).

-戌(墓)궁에서는 午에서 生한 음(丁火)이 입고됨으로써 음이 주도하는 坤道시대를 갈무리하고, 絶에서 그 뜻(丁火, 음)을 다한 후, 새로운 봉생(逢生)의 뜻(丙火, 양)을 품고 양이 주도하는 乾道시대를 꿈꾼다(絶處逢生절처봉생).

▶여름, 巳(戊庚丙): 처음으로 가을의 金(庚)이 生한다(金火交易).

≫巳酉丑 合金

-巳궁(生)에서 庚(가을)이 生하고(長生), 酉궁에서 가장 왕성한 기운을 이룬 후(帝旺), 丑궁에서 입고(入庫)된다(入墓).

-酉(旺)궁에서 양(庚金)이 극에 달하면서 음(辛金)이 생한다(陽極陰生양극음생)

-丑(墓庫)궁에서는 酉에서 生한 음(辛金)이 入庫됨으로써 음이 주도하는 곤도시대를 갈무리하고, 絶에서 그 뜻(辛金, 음)을 다한 후 새로운 봉생의 뜻(庚金, 양)을 품고 건도시대를 꿈꾼다(絶處逢生절처봉생).

▶금화상쟁(金火相爭)으로 인하여 여름 火氣에서 가을 金氣로 자연스럽게 전환하기가 어렵다. 그러므로 '火生土 → 土生金'으로 자연스럽게 火에서 坤道(음)의 시작인 金으로 넘어가기 위해서는 陰土의 중재가 필요하다. 그래서 가장 旺한 기운인 午의 천간 丙丁의 사이에 己土(음)가 자리하여 丙己丁이 된다. 午는 陰의 성정이므로 陰土인 己土가 들어와 화기(火氣)를 수렴한다.

▶가을, 申(己壬庚): 처음으로 겨울의 水(壬) 기운이 생한다(金生水).

► 申子辰 合水

-申(生)궁에서 壬(겨울)이 생하고(長生), 子에서 가장 왕성한 기운을 이룬 후 (癸, 旺), 辰에서 마지막 水氣(癸)가 입고된다(入墓입묘).

-子(旺)궁에서 양(壬水)이 극에 달하면서 음(癸水)이 生한다(陽極陰生).

-辰(墓궁)에서는 子에서 生한 음(癸水)이 入庫됨으로써 음이 주도하는 坤道시대를 갈무리하고 絶에서 그 뜻(癸水, 음)을 다한 후, 새로운 봉생의 뜻(壬水, 양)을 품고 양이 주도하는 건도시대를 꿈꾼다(絶處逢生절처봉생).

▶겨울, 亥(戊甲壬): 처음으로 봄의 木(甲) 기운이 生한다(水生木).

► 亥卯未 合木

-亥(生)궁에서 甲(봄)이 생하고(長生), 卯궁에서 가장 왕성한 기운을 이룬 후 (帝旺), 未궁에서 입고된다(入墓).

-卯(旺)궁에서 양(甲木)이 극에 달하면서 음(乙木)이 生한다(양극음생).

-未(墓庫)궁에서는 卯에서 生한 음(乙木)이 入庫됨으로써 음이 주도하는 坤道시대를 갈무리하고, 絶에서 그 뜻(乙木, 음)을 다한 후 새로운 봉생의 뜻(甲木, 양)을 품고 건도시대를 꿈꾸게 된다(絶處逢生절처봉생).

▷당해 계절의 정기(正氣)는 이전 계절에서 잉태된다.
  -봄(寅)의 正氣인 (甲木)은 이전 生地인 亥水의 中氣에서 생한다
  -여름(巳)의 正氣인 (丙火)는 이전 生地인 寅木의 中氣에서 생한다.
  -가을(申)의 正氣인 (庚金)은 이전 生地인 巳火의 中氣에서 생한다.
  -겨울(亥)의 正氣인 (壬水)는 이전 生地인 申金의 中氣에서 생한다.

9.4.2.   四旺地 - 子午卯酉

당해 계절의 가장 왕(旺)한 기운으로 天干의 양과 음이 함께 존재한다.

계절의 중심에 있는 자오묘유(子午卯酉)는 하늘(天)의 기운인 인신사해(寅申巳亥)와 땅(地)의 기운인 진술축미(辰戌丑未)의 기운이 상호 교합작용을 함으로써 생한 가장 왕(旺)한 만물(人)의 기운으로 양이 극에 달하면서 음이 생하는 양극음생(陽極陰生)이 발생하는 자리이다. 그래서 사왕지(四旺地)라 한다.

四旺地			子		午			卯		酉	
餘氣	中氣	正氣	壬	癸	丙	己	丁	甲	乙	庚	辛

왕지(旺地)에서는 양이 극에 달하면서 음이 생한다(陽極陰生).

子: 任癸, 午: 丙己丁, 卯: 甲乙, 酉: 庚辛

-겨울(子)- 양(壬)이 극에 달하면서 음(癸)이 생한다.

-봄(卯)- 양(甲)이 극에 달하면서 음(乙)이 생한다.

-여름(午)- 양(丙)이 극에 달하면서 음(丁)이 생한다.

-가을(酉)-양(庚)이 극에 달하면서 음(辛)이 생한다.

▶[심층이해] 午의 지장간이 丙己丁으로 己土가 포장된 이유

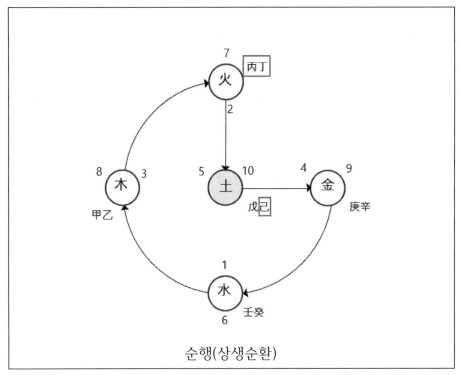

순행(상생순환)

봄의 왕지인 묘(卯)의 지장간은 甲乙, 가을의 왕지인 유(酉)의 지장간은 庚辛, 겨울의 왕지인 자(子)의 지장간은 壬癸이다. 그런데 여름의 왕지인 午의

지장간은 丙己丁으로 己土가 중기에 들어가 있다. 이유는 무엇일까?

　午의 지장간이 丙丁이 아니라 丙己丁으로 己土가 들어간 것은 금화교역(金火交易)의 자리에서 화극금(火克金)으로 금화상쟁(金火相爭)이 일어나는 것을 막기 위하여, 土의 중재작용으로 강왕한 화기를 설기시켜 줌으로써 상생작용으로 자연스럽게 가을의 金氣로 넘어갈 수 있도록 하기 위함이다(火生土 ►土生金).

　여름의 火氣는 가을의 金氣를 극하는 상충 관계이므로 전환이 자연스럽지 못하기 때문에 중화의 기운인 土의 중재를 필요로 한다. 午는 음의 성정이므로 己土(음)를 丙丁의 중기에 포장시켜 여름의 강왕한 火氣를 설기시켜줌으로써(火生土 ►土生金) 음이 주관하는 坤道시대의 가을 金氣로 넘어갈 수 있도록 하는 토대를 만들어 준다. 그리하여 토기(土氣)는 여름의 뜨거운 火氣를 제어하여 가을의 金氣를 극해하는 것을 막아줌으로써 상극에서 상생의 기운으로 자연스럽게 넘어갈 수 있도록 하는 역할을 수행한다. 午火가 내부에 음토인 己土를 품고 있어 火克金이 아니라 火生金이 되어 음이 주관하는 후천 곤도(坤道) 시대로 자연스럽게 전환이 이루어지는 것이다.

　이것은 사고지(四庫地)인 진술축미(墓)가 이전 계절의 가장 왕한 기운인 子午卯酉(旺)의 陰氣를 입고시켜 다음 계절로 무작정 넘어가는 것을 막아 줌으로써 다음 계절의 기운과 충극(沖剋)하는 것을 막아주는 것과 같은 이치이다.

▶[심층이해] 주역 12벽괘로 이해하는 午火의 지장간 丙己丁과 천풍구(天風姤)괘의 관계 분석

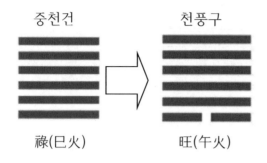

☞12벽괘와 12지지의 수리

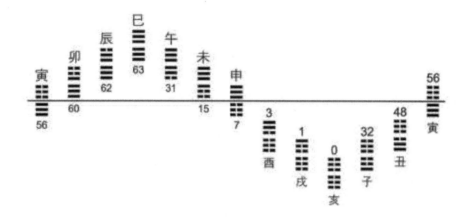

12벽괘 중의 하나인 구괘(姤卦)는 陰氣가 처음 생하는 때로서 강왕한 火氣(63)를 31로 떨어트리면서 陽氣를 열매에 수렴하기 시작하는 시기이다. 확장 분열하는 강왕한 양기를 저지하는 새로운 음의 기운(초육)을 만나 양기가 수렴되기 시작하는 것이다. 12벽괘의 구괘(姤卦)는 12지지 중에 午火에 해당된다. 오화의 지장간은 丙己丁으로 己土(음)는 천풍구(天風姤)괘의 초육인 음의 역할에 해당된다. 즉, 음기인 己土가 들어가 丙丁의 강왕한 화기를 설기시켜 기운을 제어하고 조절하는 역할을 수행한다(火生土). 巳火의 록(祿)에 해당되

는 강왕한 火氣가 午火에서 음기를 만나면서 기세가 꺾이기 시작하며 양기를
열매에 저장하기 시작하는 것이다. 오화의 지장간 丙己丁중에서 己土는 12
벽괘의 天風姤 초육과 그 역할이 서로 일치한다.

☞지장간

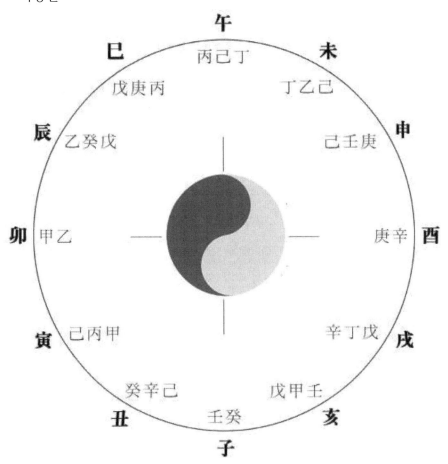

午未申궁을 보면 己土(음)가 공통적으로 들어가 있다. 이것은 양기가 주관
하는 선천 乾道에서 음기가 주관하는 후천 坤道의 시기로 넘어가는 전환기에
서 陰土가 火와 金을 중재하는 금화교역의 역할을 하고 있음을 의미한다.

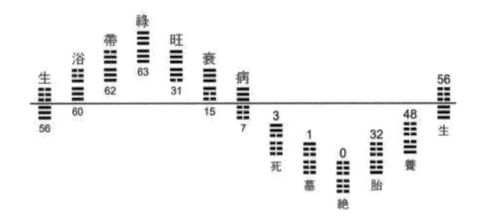

　록(建祿)은 중천건(重天乾)의 상으로 장성한 어른의 시기에 해당된다. 생애 최고의 왕성한 기운(63)으로 사회활동을 하는 때이다. 양기가 가득 찬 보름달과 같은 상으로서, 내부적으로는 쇠락의 기운이 움트는 물극필반(物極必反)의 시기이기도 하다.

　왕(帝旺)은 천풍구(天風姤)의 상으로 陰氣가 생하기 시작하는 양극음생(陽極陰生)의 시기로서 인생의 결과물(열매)을 만드는 때에 해당된다. 陰氣가 생하여 陽氣를 31로 떨어트림으로써 발산 확장하는 양의 기세를 제어하여 일의 결과(열매)를 만들어내는 지혜로운 시기이다. 겉으로는 록(祿)의 기운이 제일 강왕하지만 그 기세에 비하여 균형과 조화의 경험은 부족하다고 할 수 있다. 왕(旺)은 비록 록(祿)에 비해 양기가 떨어지지만 음기를 이용해 열매(결과)를 맺는 원숙한 노련미가 있다. 제왕이란 무조건 기세가 강한 것을 의미하는 것이 아니라 스스로를 제어하며 결과를 이뤄내는 원숙함에서 나오는 것이다.

9.4.3.   四庫地 - 辰戌丑未

이전 계절의 왕(旺)한 기운인 子午卯酉의 陰氣를 묘고(墓庫)에 입고시킨다.
다음 계절의 기운과 서로 상극하기 때문에 입고됨으로써 서로 충돌하는 것을
피할 수 있다. 왕기(旺氣)가 진술축미에서 입고되는 이유는 절처(絶處)에서
음절양생(陰絶陽生)의 꿈, 즉 다음 계절의 새로운 시작을 꿈꿀 수 있도록 하
기 위함이다(絶處逢生절처봉생).

四庫地			辰			戌			丑			未		
餘氣	中氣	正氣	乙	癸	戊	辛	丁	戊	癸	辛	己	丁	乙	己

그래서 봄(寅卯辰)에는 생하는 木氣를 극하는 가을의 金氣가 없고, 여름(巳午未)에는 장(長)하는 火氣를 극하는 겨울의 水氣가 없으며, 가을(申酉戌)에는 수렴(收斂)하는 金氣의 극을 받아 기운을 설기시키는 봄의 木氣가 없으며, 겨울(亥子丑)에는 장(藏)하는 水氣의 극을 받아 기운을 설기시키는 여름의 火氣가 없다.

辰戌丑未는 계절이 바뀌는 환절기로서 4계절의 기운이 섞여 있다. 이전 계절의 왕(旺)한 기운을 묘고(墓庫)에 입고(入庫)시키는 기능을 하며, 그래서 四庫地라 한다. 고지(庫地)란 계절의 기운을 보관하는 창고로서 人事的으로 묘지(墓地)라 한다.

9.4.4.　寅·申궁의 여기(餘氣) 己土에 대한 통찰

이전 계절의 왕(旺)한 기운은 사왕지(四旺地) 子午卯酉를 가리킨다. 이전 계절의 기운인 사왕지(子-癸水, 午-丁火, 卯-乙木, 酉-辛金)를 당 계절의 창고인 辰戌丑未(墓庫)의 중기에 입고하여 이전 陰氣를 완전 정리함으로써 다음 계절과 충돌하는 것을 막아준다. 왜냐하면 子午卯酉의 왕기(旺氣)가 다음 계절의 기운을 극함으로써 다음 계절의 기운이 다가오는 것을 막아서기 때문이다. 묘고에 입고되는 것은 양이 극에 달하면서 생한 음기이다.

최종적으로 왕지(旺地)의 음기가 입고되면서 후천 곤도(坤道) 시대가 완전히 정리된다. 그리고 다음 절처(絶處)에서 다시 새로운 양의 시대(乾道)를 꿈꾸는 봉생(逢生)을 시작하는 것이다(絶處逢生절처봉생).

▷천간(天干)

　천간은 천지를 돌리는 하늘의 기운으로서, 戊己는 지구를 순환하게 하여 만물을 만왕만래(萬往萬來)하게 하는 축이다. 己土(음)는 지축이 되고 戊土(양)는 지축을 회전시켜 만물을 생장수장(生長收藏)이치로써 순환시키는 천기(天氣)가 된다. 무토는 사계절을 12개월로 분류한 12지지에서 辰戌이 되고, 기토는 丑未가 된다.

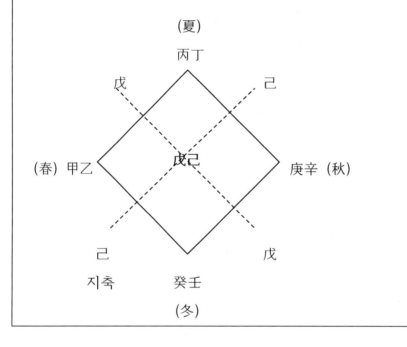

　　태양 주위를 도는 공전은 사시(四時)를 만든다. 진술축미(辰戌丑未)는 천간 戊土가 지축(己土)을 회전시켜 생성되는 사계절의 축으로 모든 계절에 통하는 기운이다.

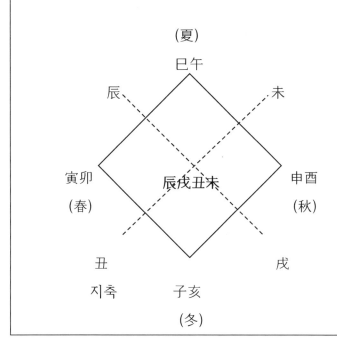

≫辰戌은 지장간의 정기가 戊土(양)이고, 丑未는 지장간의 정기가 己土(음)이다. 천간인 己土(음)는 지구의 공전과 자전의 지축이 되고, 戊土는 지축을 돌려 춘하추동 사계를 만들어 만물이 생장수장의 이치로 생로병사를 순환하게 하는 양기(陽氣)이다. 지지인 辰戌丑未는 지구가 지축을 회전하며 만들어내는 사계(四季)의 축으로 모든 계절에 통하는 기운이다.

　　寅申巳亥는 각 계절을 시작하는 월이다. 계절의 시작은 양이 우선하기 때문에 지장간의 여기(餘氣)에는 무조건 양(陽)인 戊土가 온다는 것은 양을 우선시하는 관점에서 비롯된 것으로서 논리적 근거가 빈약하다. 오히려 만물의 시작과 마무리는 음(陰)의 역할이라 할 수 있다. 즉, 양기(陽氣)가 발산하기 시작하는 봄과 양기를 수렴하기 시작하는 가을의 문을 지키는 수문장은 음(陰)이 된다. 문왕팔괘의 수리를 보면 양기를 저장하고 있는 坎水☵는 1이다. 만물은 음기인 水☵에서 시작하고, 水☵에 저장된다. 12지지도 子水에서 시작하며 수리는 1이 된다.

丑土(己)가 子水를 극함으로써 양(陽)이 깨어나고 양이 주관하는 乾道(양)가 시작된다(土克水). 未土(음)가 申金을 생함으로써 음이 주관하는 坤道(음)가 시작된다(土生金). 이는 문왕팔괘도에서 艮土☶가 坎水☵를 극함으로써 상극시대인 선천 乾道가 시작되고(土克水). 坤土☷가 兌金☱을 생함으로써 상생시대인 후천 坤道가 시작되는 것과 같은 이치이다(土生金).

그러므로 12지지로 볼 때 양의 계절(봄, 여름)을 여는 인(寅)궁의 여기(餘氣)와 음의 계절(가을, 겨울)을 여는 신(申)궁의 여기(餘氣)는 己土(음)가 되고, 지축(丑未)을 기준으로 지구를 회전시켜 만물을 생장시키는 辰戌궁의 정기(正氣)는 戊土(양)가 되는 것이다.

(1) 인(寅): 봄은 양이 생장을 시작하는 때이다. 음의 성정을 가진 己土가 癸水를 극함으로써 양이 주관하는 상극시대 건도(乾道)의 문을 연다(己丙甲).

(2) 신(申): 가을은 음이 수렴을 시작하는 때이다. 음의 성정을 가진 己土가 金火相爭을 막아 金火交易을 이룸으로써 음이 주관하는 상생시대 곤도(坤道)의 문을 연다(己壬庚).

(3) 사(巳): 여름은 양이 본격적으로 분열 확장하는 여름이 시작하는 때이다. 양의 성정을 가진 戊土가 시작의 문을 연다(戊庚丙).

(4) 해(亥): 겨울은 수렴된 양이 저장되는 때이다. 양의 성정을 가진 戊土가 시작의 문을 연다(戊甲壬)

9.5 　　지장간의 해석

☞12지지와 지장간의 순환도

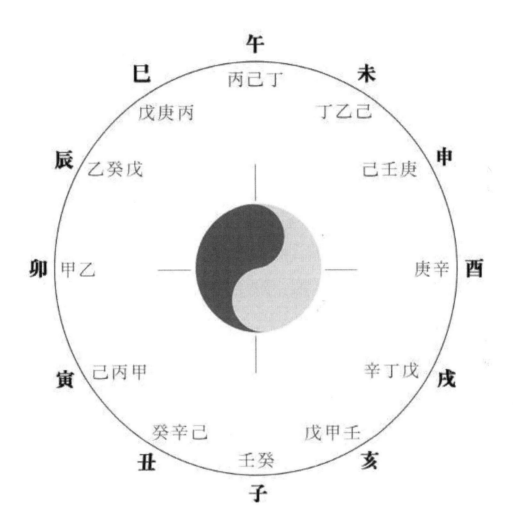

-天干은 天元, 地支는 地元, 지장간은 人元으로서 天地人 三才를 구성한다.
-천간(天)과 지지(地)가 상호작용하여 지장간(人)을 생하는 것이므로 지장간
은 일간(나)의 가능태로서 잠재적인 길흉득실을 드러낸다.

『주역』「계사전」에서는 "강(剛)과 유(柔)가 서로 밀고 당기면서 변화를 만들어낸다(剛柔相推而生變化)"라고 했고, 또 "굳셈과 부드러움이 서로 밀치고 당기니 변화가 그 가운데 있다(剛柔相推 變在其中)"라고 했다. 지장간은 천간과 지지가 상호작용하여 생한 만물로서 인(人)이 되고, 양과 음이 대립(對立)하고 대대(對待)하며 생한 만물로서 중(中)이 되는 것이니 인사 길흉의 중심이 되는 것을 의미한다. 人中은 天地가 하나(一)된 자리이니(人中天地一/천부경), 천간(五行)과 지지(調喉조후)의 상호작용에 의해 생한 지장간(人中)은 만물의 변화와 인사(人事)의 중심이 되는 것이다.

-천간오행(하늘)이 지지(땅)로 들어와 지지의 음양과 오행의 성질을 규정한다.
-지장간은 나의 삶에 들어와 실제 작용하는 오행으로서 천간의 오행과 상호교감을 통해 나의 가능태, 잠재성을 드러낸다.
-지장간이 투출하였다는 것은 천간과 지지가 상호작용을 하고 있음을 의미하며 시간의 흐름에 따라 잠재성을 드러내며 결과를 만들어낸다.
-천간은 명주의 본질적인 천성, 본성을 의미하고, 땅에 내려온 지장간은 천간이 품은 뜻을 실현하고자 하는 현실적인 뜻을 갖는다.
-지장간 정기는 지지의 음양과 오행을 규정해준다. 예를 들어 인(寅)이 양목(陽木)이 되는 것은 지장간의 정기가 갑목(甲木)으로서 양(陽)의 성질을 가지고 있기 때문이다.

　　지장간은 계절의 순환을 하늘과 땅, 천간과 지지의 상호작용으로 표상한 것이다. 지장간은 자연의 순환에 순응하는 人(物)의 모습을 표현한다. 人(物)이 계절의 흐름에 따라 달라지는 하늘과 땅의 상호작용에 순응하면서 순리대로 흘러간다면 최상의 선택이라 할 수 있다.

즉, 人·物(지장간)은 천지의 상호작용에 감응하면서 순리대로 흘러가는 것이 최선이다. 그러나 또한 人(物)이 없으면 천지의 대립과 대대는 아무런 의미가 없는 것이니 天地의 상호작용에 人(物)의 참여는 천지의 운행에 필수적 전제조건이 된다. 『주역』은 "인간 존재의 목적은 천지의 화육에 참여하여 돕는 것(參贊天地之化育)"이라 정의하고 있다. 천간, 지지, 그리고 지장간은 天地人(陽陰中) 삼신일체를 의미한다.

오행의 생극 원리는 음양오행이 상호균형을 이루기 위한 상호작용을 가리킨다. 음양과 오행의 불균형과 모순이 상호작용을 통해 중화를 이뤄가는 과정에서 길흉과 득실이 생겨나는 것이며, 그 길흉이 내게 득이 되면 길이고 실이 되면 흉이 되는 것이다(得卽吉 失卽凶). 생극제화는 십신(十神), 육친(六親)등 사회적 관계성을 발생시키지만 음양오행을 순환시키는 기본원리일 뿐 그 자체가 길흉을 의미하지 않는다.

10. 십이운성(十二運星)

십이운성(十二運星)이란 무엇인가?

십이운성은 일간오행(나)이 운명의 수레바퀴에 올라타고 앉아 생로병사를 순환하는 변화의 과정을 지지의 12단계로 표현한 인생항로를 의미한다. 시간의 흐름에 따른 흥망성쇠, 생장수장(生長收藏)의 이치를 십이운성을 통해 표현한다. 십이운성은 일간인 내가 사시를 순환하며 살아가는 인생운행 시간표로서 기세의 순환과 변화를 통해 만물이 생장성쇠하며 순환하는 인생 행로이다.

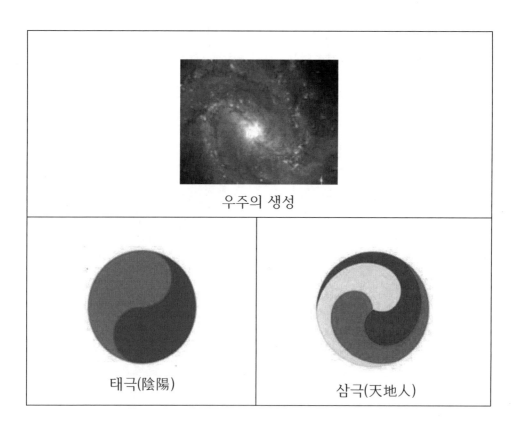

우주의 생성

태극(陰陽)

삼극(天地人)

10.1. 순행(상생)과 역행(상극)의 원리

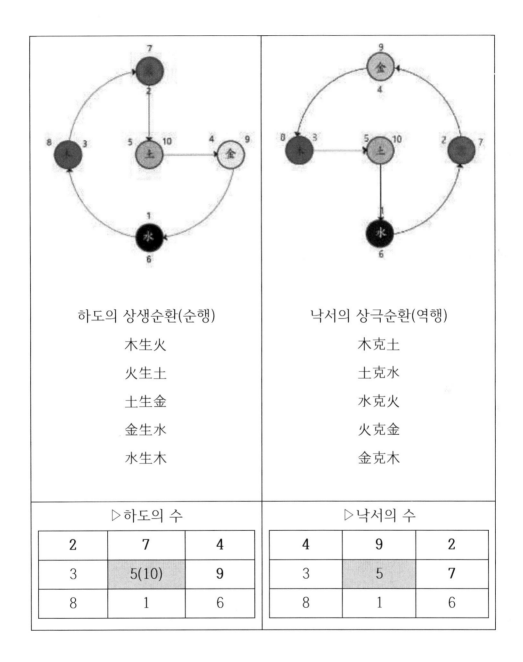

하도의 상생순환(순행)	낙서의 상극순환(역행)
木生火	木克土
火生土	土克水
土生金	水克火
金生水	火克金
水生木	金克木

▷하도의 수			▷낙서의 수		
2	7	4	4	9	2
3	5(10)	9	3	5	7
8	1	6	8	1	6

금화교역(金火交易)을 통해 상생 순행과 상극 역행이 서로 순환하고, 오행

이 생극제화 작용을 하며 만물의 변화를 이끈다. 즉 하도의 2,7(화)과 4,9(금)가 자리바꿈을 함으로써 낙서의 수리가 나오는데, 낙서는 마방진으로 상하좌우 대각선의 합이 10을 이루며 중앙수 황극(5)을 더하면 하도의 중앙수 15가 나온다. 10은 하도의 완전수를 의미하며, 1에서 9까지의 수를 사용하는 낙서는 상하좌우 대각선의 합이라는 작용을 통하여 완전수 10을 드러낸다. 이는 불균형한 에너지가 이동과 상호작용을 통하여 균형과 조화를 지향케 하는 신묘한 이법(理法)이라 할 수 있다.

양수 1을 기준으로 3배수로 순행(左行)하면 1, 3, 9, 7이 되고, 음수 2를 기준으로 2배수로 역행(右行)하면 2,4,8,6이 된다. 7은 27에서 완전수10(十天)의 2배수인 20을 뺀 수이고, 6은 16에서 10을 뺀 수이다. 역(易)에서 양은 3으로 표시하고 음은 2로 표시한다. 양은 순행(시계방향, 좌행)하고 음은 역행(우행)하는 이치가 적용되며 낙서의 구궁도는 기문, 구성학을 비롯한 여러 점서에서 수리(數理)로서 활용된다.

좌행과 우행은 음양의 대립적인 상반된 성질을 의미하며, 두 극단 사이의 역동적인 상호작용을 통해 대립적인 것들의 통일이 경험되는 방식을 추구한다. 그럼으로써 음양이 균형과 조화를 찾아 중화를 이룸으로써 만물(생명)의 질서를 세워 나가는 것이다.

日干	12운성
양(갑병무경임)	순행
음(을정기신계)	역행

-양일간(陽日干)이 지지를 만나면 순행한다.
-음일간(陰日干)이 지지를 만나면 역행한다.

양일간이 지지를 만나면 순행 ⟹

生生	浴욕	帶대	祿록	旺왕	衰쇠	病병	死死	墓묘	絶절	胎태	養양
死死	病병	衰쇠	旺왕	祿록	帶대	浴욕	生生	養양	胎태	絶절	墓묘

⟸ 음일간이 지지를 만나면 역행

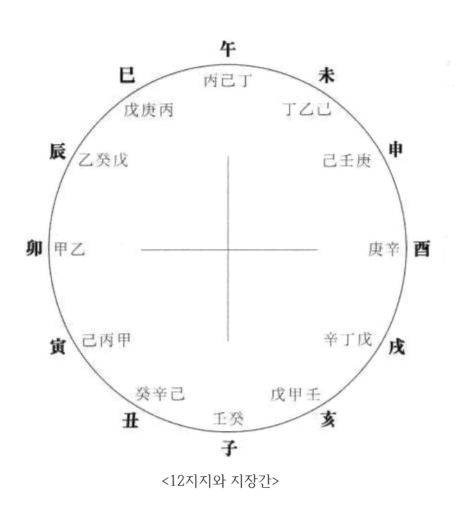

<12지지와 지장간>

10.2. 十二運星의 순환

日干이 12개의 地支를 만나 만물의 왕쇠강약의 기운을 표현한다. 12운성으로 표현하는 생장성쇠는 천간이 지지에 들어와 사시순환에 따라 만물을 생장수장케 하는 이치로서 지장간의 원리를 적용한다.

☞**12운성 조견표**
▷양일간은 시계방향으로 순행하고, 음일간은 시계반대방향으로 역행한다.
陽日干이 地支를 만나면 순행 순환하고, 陰日干이 地支를 만나면 역행 순환한다. 순행에서 生과 死는 역행에서는 반대로 死와 生이 된다.

▶순행(順行): 양간(陽干)이 지지(地支)를 만나면

陽干	五行	絶	胎	養	**生**	浴	帶	祿	**旺**	衰	病	死	**墓**
甲	木	申	酉	戌	**亥**	子	丑	寅	**卯**	辰	巳	午	**未**
丙戊	火土	亥	子	丑	**寅**	卯	辰	巳	**午**	未	申	酉	**戌**
庚	金	寅	卯	辰	**巳**	午	未	申	**酉**	戌	亥	子	**丑**
壬	水	巳	午	未	**申**	酉	戌	亥	**子**	丑	寅	卯	**辰**

◀역행(逆行): 음간(陰干)이 지지(地支)를 만나면 역행

陰干	五行	胎	絶	**墓**	死	病	衰	**旺**	祿	帶	浴	**生**	養
乙	木	申	酉	**戌**	亥	子	丑	**寅**	卯	辰	巳	**午**	未
丁己	火土	亥	子	**丑**	寅	卯	辰	**巳**	午	未	申	**酉**	戌
辛	金	寅	卯	**辰**	巳	午	未	**申**	酉	戌	亥	**子**	丑
癸	水	巳	午	**未**	申	酉	戌	**亥**	子	丑	寅	**卯**	辰

▷ 12운성 명칭

순행(順行)▶

長生	沐浴	冠帶	建祿	帝旺	衰	病	死	墓	絶	胎	養
生생	浴욕	帶대	祿록	旺왕	衰쇠	病병	死사	墓묘	絶절	胎태	養양

◀역행(逆行)

死	病	衰	帝旺	建祿	冠帶	沐浴	長生	養	胎	絶	墓
死사	病병	衰쇠	旺왕	祿록	帶대	浴욕	生생	養양	胎태	絶절	墓묘

≫우주삼라만상은 시간의 흐름에 따라 생장수장(生長收藏)의 이법으로 생로병사(生老病死)를 순환한다. 12운성은 생멸(生滅)을 반복하는 생명의 흐름을 12궁에 대입하여 인사를 추명하는 방식이다. 지장간의 순환원리는 12운성의 순환과 맞물려 돌아간다.

▷ 12운성 쉽게 찾는법

록지(祿地)를 기점으로 일간이 양간이면 순행으로, 음간이면 역행으로 찾는다.

-(예1) 일주 갑오(甲午)의 12운성은?

甲의 祿은 寅이고 양일간(甲)이므로, 록지(祿地)인 寅에서 순행하여 午를 찾으면 사(死)가 된다. 록(祿)의 충(沖)은 절지(絶地)가 된다.

사 (병)	오 (사)	미 (묘)	신 (절)
진 (쇠)			유 (태)
묘 (왕)			술 (양)
인 (록)	축 (대)	자 (욕)	해 (생)

인(祿), 묘(旺), 진(衰), 사(病), 오(死), 미(墓), 신(絶), 유(胎), 술(養), 해(生), 자(浴), 축(帶),

[참고]: 록(祿)을 기준으로 충(沖)은 절지(絶地)가 된다.(예: 寅申沖, 卯酉沖 등). 순행에서 生地는 이전 계절의 양(陽)궁이 되고, 역행에서 生地는 다음 계절의 음(陰)궁이된다. 예를 들어 甲(寅)의 생지는 亥가 되고, 乙(卯)의 생지는 午가 된다. 순행과 역행에서 生은 死가 되고, 死는 生이 된다.

-(예2) 을사(乙巳)의 12운성은?

乙의 祿은 卯이고 음일간(乙)이므로 록지(祿地)인 卯에서 역행하여 巳를 찾으면 욕(浴)이 된다. 록(祿)의 충(沖)은 절지(絶地)가 된다.

사 **(욕)**	오 (생)	미 (양)	신 (태)
진 (대)			유 (절)
묘 **(록)**			술 (묘)
인 (왕)	축 (쇠)	자 (병)	해 (사)

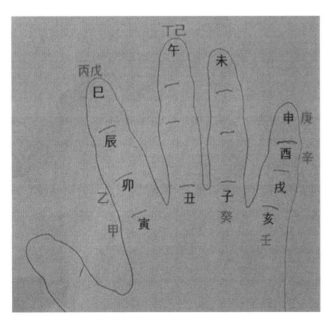

묘**(祿)**, 인(旺), 축(衰),
자(病), 해(死), 술(墓),
유(絶), 신(胎), 미(養),
오(生), 사**(浴)**, 진(帶),

-戊己의 록(祿)은 화토
동궁의 원리로 丙丁과
같다.

☞ **손가락을 이용한
12지지와 록지(祿地)**

10.3. 木의 생멸

▷ 亥卯未 三合이 **생왕묘(生旺墓)를 구성한다.**

木氣는 亥궁에서 생(生)하여 卯궁에서 왕(旺)하고 未궁에서 묘(墓)에 들어간다.

10.3.1.　甲木(양)이 地支를 만나면 순행한다.

겨울(冬)			봄(春)			여름(夏)			가을(秋)		
10월	11월	12월	1월	2월	3월	4월	5월	6월	7월	8월	9월
亥	子	丑	寅	**卯**	辰	巳	午	**未**	申	酉	戌
生	浴	帶	祿	**旺**	衰	病	死	**墓**	絶	胎	養
생(生)			장(長)			수(收)			장(藏)		

≫절(絶)에서 이전의 음의 기운이 완전히 단절되고(乙木), 새로운 양생(陽生)의 뜻(甲木)을 품는다.

(1) 亥(長生생): 亥궁에서 木이 生한다(水生木). 亥는 陽水이므로 중기(中氣)에 陽木인 甲木을 낳는다(生한다).

(2) 子(沐浴욕): 어린 나무(木)가 생육을 당하는 시기이다. 어린 묘목은 물만으로도 생육이 가능하다. 壬癸(水氣)의 강력한 보살핌을 받는다(水生木).

(3) 丑(冠帶대): 水氣인 癸水가 丑(土)에 여기(餘氣)로 들어와 木이 땅에 뿌리를 내릴 수 있도록 水生木으로 본격적 활동을 시작하는 시기(관대), 木은 물(水)이 필수이지만 땅을 바탕으로 해야 뿌리를 내리고 커 나갈 수 있다.

물만으로도 생육을 할 수는 있지만 뿌리가 약하므로 본격적으로 커 나갈 수가 없다.

癸水(음)는 水氣가 약화된 상태로 여기(餘氣)로 남아있는 것인데 木은 이미 스스로 커갈 수 있는 청년이 되었으므로 水氣의 도움이 강하면 오히려 스스로 성장해가는데 방해가 된다. 水氣가 약화된 이때 오히려 木氣가 스스로 자생력을 갖고 땅(丑土)에 뿌리를 내리며 커가는 시기이다.

▷寅卯辰: 木氣가 가장 왕성한 시기(方合)

(4) 寅(建祿록): 甲이 왕성하게 활동하는 建祿(臨冠)이 된다.
  인(寅)은 왕성한 本氣의 시기이므로 正氣로서 陽木인 甲木을 갖는다.

(5) 卯(帝旺왕): 甲(양)이 극에 달하고 乙(음)이 생하는 자리로서 甲乙(木)이 가장 왕(旺)한 기운의 자리이다(陽極陰生). 卯는 本氣의 시기이지만 음에 속하므로 正氣로서 陰木인 乙木을 갖는다.

(6) 辰(衰쇠): 子에서 陰生한 癸水가 묘(墓)에 입고(入庫)되며 水氣가 사라지니, 木이 쇠하기 시작한다.

(7) 巳(病병): 巳에서 木이 병에 든다. 巳는 火氣로서 木生火하니 木의 기운이 설기(泄氣)되기 때문이다.

(8) 午(死사): 午에서 木이 죽는다(木生火)
  午는 火氣(丙己丁)가 왕성하기 때문에 木氣를 완전히 설기(泄氣)시켜 죽음에 이르게 한다.

(9) 未(墓묘, 葬장)**:** 卯에서 陰生한 乙木이 묘(墓)에 입고(入庫)된다. 陰木인 乙木이 묘(墓)에 들어가 木氣가 최종적으로 마무리되는 것이다.

▷ 陽生의 뜻을 품다(絶處逢生).

(10) 申(絶절, 胞포)**:** 申에서 木氣의 모든 것이 완전히 단절된다. 절궁(絶宮)은 음의 극으로서 음이 완전히 단절되고 동시에 양의 기운인 陽生의 뜻을 품는 자리이다. 그러므로 乙木(음)의 기운이 최종적으로 단절되고, 동시에 甲木(양)의 뜻을 품는 시기가 된다. 음이 절(絶)하는 자리에서 양을 포(胞)한다 하여 절처봉생(絶處逢生)의 의미를 부여한다.

▷ 甲木(양)을 품는 온양(溫陽)의 시기

(11) 酉(胎태)**:** 陽을 잉태하다. 陽木인 甲木을 잉태하다.

(12) 戌(養양)**:** 모태(戌土)에서 양생(養生)하는 시기이다. 戌궁에서 양생의 시기를 거쳐 亥궁에서 甲木이 다시 生(長生)을 시작한다.

10.3.2. 乙木(음)이 地支를 만나면 역행한다.

겨울(冬)			봄(春)			여름(夏)			가을(秋)		
10월	11월	12월	1월	2월	3월	4월	5월	6월	7월	8월	9월
亥	子	丑	**寅**	卯	辰	巳	**午**	未	申	酉	**戌**
死	病	衰	**旺**	祿	帶	浴	**生**	養	胎	絶	**墓**
수(收)			장(長)			생(生)			장(藏)		

10.4. 火의 생멸

▷寅午戌 三合이 생왕묘(生旺墓)를 구성한다.

火氣는 寅궁에서 생(生)하여 午궁에서 왕(旺)하고 戌궁에서 묘(墓)에 들어간다.

10.4.1. 丙火(양)가 지지(地支)를 만나면 순행한다.

봄(春)			여름(夏)			가을(秋)			겨울(冬)		
1월	2월	3월	4월	5월	6월	7월	8월	9월	10월	11월	12월
寅	卯	辰	巳	**午**	未	申	酉	**戌**	亥	子	丑
生	浴	帶	祿	**旺**	衰	病	死	**墓**	絶	胎	養
생(生)			장(長)			수(收)			장(藏)		

≫절(絶)에서 이전의 음의 기운이 완전히 단절되고(丁火) 새로운 양생(陽生)의 뜻(丙火)을 품는다.

(1) 寅(長生) - 木에서 火가 생한다(木生火). 寅은 陽木이므로 陽火인 丙火를 中氣에 낳는다.

(2) 卯(浴): 어린 불이 생육당하는 시기(木生火)로 甲乙(木氣)의 강력한 보살핌을 받는다. 어린 불은 나무 만으로도 생육이 가능하다(木生火).

(3) 辰(帶): 木氣인 乙木이 辰(土)에 여기(餘氣)로 들어와 화(火)가 땅에 뿌리를 내리고 木生火로 본격적으로 활동하게 하는 시기(冠帶)이다. 火는 木

이 필수적이지만 땅을 바탕으로 해야 뿌리를 내리고 커 나갈 수 있다. 나무 만으로 생육을 할 수는 있지만 뿌리가 약하므로 본격적으로 커 나갈 수는 없다. 乙木(음)은 木氣가 약화된 상태로 여기(餘氣)에 남아있는 것인데 불(火)은 이미 스스로 커갈 수 있는 청년이 되었으므로 木氣의 도움이 강하면 오히려 스스로 커가는데 방해가 된다. 木氣가 약화된 이때가 오히려 火氣가 스스로 자생력을 갖추며 커 나갈 수 있는 시기이다.

▷巳午未: 火氣가 가장 왕성한 시기(方合)

(4) 巳(建祿): 火가 왕성하게 활동하는 建祿(臨冠)이 되고
　　　巳는 왕성한 本氣의 시기이므로 正氣로서 陽火인 丙火를 갖는다.

(5) 午(帝旺): 丙(陽火)의 기운이 극에 달하고, 음(陰)이 생하는 자리로서 丙丁(火)이 가장 왕성한 기운(제왕)을 갖는 자리이며(陽極陰生), 午는 本氣의 시기이지만 음에 속하는 正氣로서 陰火인 丁火를 갖는다.

(6) 未(衰): 未궁에서 봄의 기운(木氣)이 입고되며 木氣가 사라지니, 火氣가 쇠하기 시작한다.

(7) 申(病): 申궁에서 火가 병이 든다. 火의 기운이 설기(泄氣)된다(火生金). 申은 金의 기운으로 [火生土-土生金]으로 火生金이 되어 火의 기운이 설기됨으로써 병이 들게 되는 것이다. 화극금(火克金)이 토의 금화교역으로 화생금(火生金)이 되는 원리를 이해하라.

(8) 酉(死): 酉궁에서 火가 죽는다 火生金: 火生土-土生金)
　　　酉는 金氣(庚辛)가 왕(旺)하기 때문에 火氣를 완전히 泄氣시켜 죽음에 이

르게 하는 것이다.

(9) 戌(墓): 戌궁에서 火의 기운이 묘(墓)에 입고(入庫)된다. 술(戌)은 남아있는 火氣인 丁火(음)를 최종적으로 묘에 입고시킨다.

▷ **양생(陽生)의 뜻을 품다(絶處逢生).**

(10) 亥(絶): 亥궁에서 모든 것이 끝어진다. 절궁(絶宮)은 음의 극으로 음이 완전히 단절되고 동시에 양의 기운인 陽生의 뜻을 품는 자리이다. 그러므로 丁火(음)의 기운이 최종적으로 단절되고, 동시에 丙火(양)를 품는 시기이다(絶處逢生 절처봉생).

▷ **丙火(양)를 품는 온양(溫陽)의 시기**

(11) 子(胎): 다시 陽을 잉태하다(陽火인 丙火를 잉태하다).

(12) 丑(養): 모태(土)에서 양생하는 시기이다. 丑土에서 양생(養生)의 시기를 거치고, 寅에서 陽火인 丙火가 다시 生(長生)을 시작한다.

10.4.2. 丁火(음)가 지지(地支)를 만나면 역행한다.

봄(春)			여름(夏)			가을(秋)			겨울(冬)		
1월	2월	3월	4월	5월	6월	7월	8월	9월	10월	11월	12월
寅	卯	辰	**巳**	午	未	申	**酉**	戌	亥	子	**丑**
死	病	衰	**旺**	祿	帶	浴	**生**	養	胎	絶	**墓**
수(收)			장(長)			생(生)			장(藏)		

10.5. (金)의 생멸

▷巳酉丑 三合이 **생왕묘(生旺墓)를 구성한다.**

金氣는 巳궁에서 생(生)하여 酉궁에서 왕(旺)하고 丑궁에서 묘(墓)에 들어간다.

10.5.1.   庚金(양)이 지지(地支)를 만나면 순행한다.

여름(夏)			가을(秋)			겨울(冬)			봄(春)		
4월	5월	6월	7월	8월	9월	10월	11월	12월	1월	2월	3월
巳	午	未	申	**酉**	戌	亥	子	**丑**	寅	卯	辰
生	浴	帶	祿	**旺**	衰	病	死	**墓**	絶	胎	養
생(生)			장(長)			수(收)			장(藏)		

≫절(絶)에서 이전의 음의 기운이 완전히 단절되고(辛金), 새로운 양생의 뜻(庚金)을 품는다(陰極陽生).

(1) 巳(長生): 巳궁에서 金이 생한다. 巳는 陽火이므로 陽金인 庚金을 중기(中氣)에 낳는다. 불은 쇠를 극하므로 쇠를 달궈 모양을 만든다. 화극금(火克金)이지만 土의 통관작용(火生土, 土生金)으로 화(火)가 금(金)을 생한다(火生金).

(2) 午(沐浴): 어린 金이 생육 당하는 시기, 어린 금은 불만으로도 생육이 가능하다. 火生金 (火生土-土生金). 丙丁의 보살핌을 강력하게 받는 시기이다. 午의 장간(藏干)은 丙丁이지만 己(土)가 중기(中氣)에서 통관작용으

로 金을 생한다. 여름의 왕성한 화기(火氣)가 가을의 수렴하는 金氣을 극하므로 토(土)의 통관작용으로 화(火)의 기운을 설기시키고 중화시켜 금(金)의 수렴작용(肅殺之氣숙살지기) 돕는다.

(3) 未(帶): 火氣인 丁火가 辰(土)에 餘氣로 들어와 金이 땅에 뿌리를 내리고 화생금(火生金)로 본격적으로 활동하게 하는 시기(冠帶)이다. 火生金은 火生土, 土生金으로 土의 통관작용을 의미한다. 金은 모양을 만들기 위해서는 火가 필수적이지만 땅을 바탕으로 해야 뿌리를 내리고 커 나갈 수 있다. 땅 없이 金은 생성할 수가 없다. 화(火)만으로 생육할 수는 있지만 땅을 바탕으로 하지 않고는 뿌리가 약하므로 본격적으로 커 나갈 수가 없는 것이다.

　　丁火(음)는 火氣가 약화된 상태로 餘氣에 남아있는 것인데 금(金)은 이미 스스로 커갈 수 있는 청년이 되었으므로 火氣의 도움이 강하면 오히려 스스로 커가는데 방해가 된다. 화기(火氣)가 약화된 이때가 오히려 토생금(土生金)으로 금기(金氣) 스스로 자생력을 갖추며 커 나갈 수 있는 시기이다.

▷ 申酉戌: 금기(金氣)가 가장 왕성한 시기(方合)

(4) 申(祿): 金이 왕성하게 활동하는 建祿(臨冠)이 되고, 신(申)은 왕성한 本氣의 시기이므로 正氣로서 陽金인 庚金을 갖는다.

(5) 酉(旺): 양(庚金)의 기운이 극에 달하고, 음(辛金)이 생하는 자리로서 庚辛(金)의 기운이 가장 왕성한 帝旺의 자리이며(陽極陰生), 酉는 本氣의 시기이지만 음에 속하는 正氣로서 음금(陰金)인 辛金를 갖는다.

(6) 戌(衰): 戌궁에서 여름의 기운(火氣)이 입고(入庫)되며 火氣가 사라지기 시작하니, 金이 쇠하기 시작한다. 여기(餘氣)로 기운이 축소된다.

(7) 亥(病): 金이 병이 든다. 亥는 水의 기운으로 金生水하니 金의 기운이 설기(泄氣)되어 병이 들게 되는 것이다.

(8) 子(死): 金이 죽는다. 子는 水氣(壬癸)가 旺하기 때문에 金氣를 완전히 설기(泄氣)시켜 죽음에 이르게 하는 것이다(金生水).

(9) 丑(墓): 金(辛金)의 기운이 창고에 입고된다. 丑은 남아있는 金氣인 陰金(辛金)을 최종적으로 墓에 입고시킨다.

▷**양생(陽生)의 뜻을 품다(絶處逢生)**

(10) 寅(絶): 모든 것이 끊어진다. 절궁(絶宮)은 음의 극으로 음이 완전히 단절되고, 동시에 양의 기운인 陽生의 뜻을 품는 자리이다. 그러므로 辛金(음)의 기운이 최종적으로 단절되고, 동시에 庚金(양)를 품는 시기이다(絶處逢生 절처봉생).

▷**庚金(양)을 품는 온양(醞釀)의 시기**

(11) 卯(胎): 卯궁에서 양(陽)을 잉태하다(陽金인 庚金을 잉태하다).

(12) 辰(養): 辰궁에서 양생(養生)의 시기를 거치고, 巳궁에서 다시 陽金인 庚金이 生(長生)을 시작한다.

10.5.2.　辛金(음)이 지지(地支)를 만나면 역행한다.

여름(夏)			가을(秋)			겨울(冬)			봄(春)		
4월	5월	6월	7월	8월	9월	10월	11월	12월	1월	2월	3월
巳	午	未	**申**	酉	戌	亥	**子**	丑	寅	卯	**辰**
死	病	衰	**旺**	祿	帶	浴	**生**	養	胎	絶	**墓**
수(收)			장(長)			생(生)			장(藏)		

10.6. 水의 생멸

▷**申子辰 三合이 생왕묘(生旺墓)를 구성한다.**

水氣는 申궁에서 생(生)하여 子궁에서 왕(旺)하고 辰궁에서 묘(墓)에 들어간다.

10.6.1. 壬水(양)가 지지(地支)를 만나면 순행한다.

가을(秋)			겨울(冬)			봄(春)			여름(夏)		
7월	8월	9월	10월	11월	12월	1월	2월	3월	4월	5월	6월
申	酉	戌	亥	**子**	丑	寅	卯	**辰**	巳	午	未
生	浴	帶	祿	**旺**	衰	病	死	**墓**	絶	胎	養
생(生)			장(長)			수(收)			장(藏)		

≫절(絶)에서 이전의 음의 기운이 완전히 단절되고(癸水), 새로운 양의 뜻(壬水)을 품는다(陰極陽生).

(1) **申(長生)**: 申궁에서 水가 출생한다(金生水). 申은 陽金이므로 陽水인 壬水을 中氣에 낳는다.

(2) **酉(浴)**: 어린 水가 金(庚辛)에게 강력하게 보호받으며 생육되는 시기이다. 어린 水는 金만으로도 생육이 가능하다(金生水). 庚辛(水)의 보살핌을 강력하게 받는다.

(3) **戌(帶)**: 金氣인 辛金이 戌(土)에 여기(餘氣)로 들어와 水가 땅에 뿌리를 내리고 金生水하며 본격적으로 활동하게 하는 시기이다. 水는 생하는 金이

필수적이지만 품어주는 땅을 바탕으로 해야 수맥(뿌리)을 형성하며 커 나갈 수 있다. 水는 품어주고 저장해주는 땅 없이는 삶을 유지해 나갈 수가 없다. 金만으로 생육할 수는 있지만 땅을 바탕으로 하지 않고는 뿌리가 약하므로 본격적으로 커 나갈 수가 없는 것이다.

辛金(음)은 金氣가 약화된 상태로 여기(餘氣)에 남아있는 것인데 水는 이미 스스로 커갈 수 있는 청년이 되었으므로 金氣의 도움이 너무 강하면 오히려 스스로 성장하는데 방해가 된다. 金氣가 약화된 이때가 오히려 水氣 스스로 자생력을 갖고 커 나가는 시기이다.

▷亥子丑- 水氣가 가장 왕성한 시기(方合)

(4) 亥(祿): 水가 왕성하게 활동하는 建祿(臨冠)이 되고, 水는 왕성한 本氣의 시기이므로 正氣로서 陽水인 壬水을 갖는다.

(5) 子(旺): 陽(壬水)의 기운이 극에 달하고, 陰(癸水)이 생하는 자리로서 壬癸(數)가 가장 왕성한 제왕(帝旺)의 자리이다(陽極陰生). 子는 本氣의 시기이지만 음에 속하는 正氣로서 陰水인 癸水를 갖는다

(6) 丑(衰): 丑궁에서 金氣가 입고되어 水氣를 생해주는 金氣가 사라지기 시작하니 水가 쇠하기 시작한다. 여기(餘氣)로 기운이 축소된다.

(7) 寅(病): 水가 병이 든다. 寅은 木의 기운으로 水生木하니 水氣가 설기(泄氣)되어 병이 든다.

(8) 卯(死): 水가 죽는다. 묘(墓)는 木氣(甲乙)가 旺하기 때문에 水氣를 완전히 설기(泄氣)시켜 죽음에 이르게 하는 것이다(水生木).

(9) 辰(墓): 水(癸水)의 기운(陰極)이 墓에 입고된다. 辰은 남아있는 水氣인 陰水(癸水)을 최종적으로 묘(墓)에 입고시킨다.

▷ **양생(陽生)의 뜻을 품다(絶處逢生).**

(10) 巳(絶): 巳궁에서 모든 것이 끊어진다. 절궁(絶宮)은 음의 극으로 음이 완전히 단절되고 동시에 양의 기운인 陽生의 뜻을 품는 자리이다. 그러므로 癸水(음)의 기운이 최종적으로 단절되고, 동시에 壬水(양)를 품는 시기이다 (絶處逢生 절처봉생).

▷ **壬水(양)을 품는 온양(醞釀)의 시기**

(11) 午(胎) -양(陽)을 잉태하다 (陽水인 壬水를 잉태하다)

(12) 未(養)- 모태(土)에서 양육하는 시기이다. 未土에서 養生의 시기를 거치고, 巳궁에서 다시 陽水인 壬水가 生(長生)을 시작한다.

10.6.2. 癸水(음)가 지지(地支)를 만나면 역행한다.

가을(秋)			겨울(冬)			봄(春)			여름(夏)		
7월	8월	9월	10월	11월	12월	1월	2월	3월	4월	5월	6월
申	酉	戌	**亥**	子	丑	寅	**卯**	辰	巳	午	**未**
死	病	衰	**旺**	祿	帶	浴	**生**	養	胎	絶	**墓**
수(收)			장(長)			생(生)			장(藏)		

10.7. 화토동궁(火土同宮)

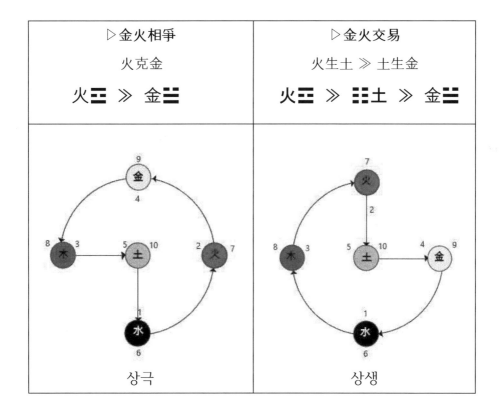

문왕팔괘와 천간(天干)		
巽☴木 乙	離☲火 丙丁	坤☷土 己
震☳木 甲	**土**	兌☱金 庚
艮☶土 戊	坎☵水 癸壬	乾☰金 辛

▷金火相爭	▷金火交易
火克金	火生土 ≫ 土生金
火☲ ≫ 金☱	火☲ ≫ ☷土 ≫ 金☱
상극	상생

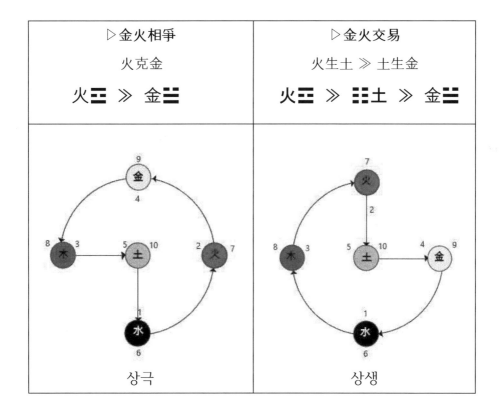

-火와 金 사이에 土가 들어옴으로써 火克金이 [火生土 ≫ 土生金]으로 자연스럽게 상극이 상생의 기운으로 바뀌며 순행하게 된다.

지장간 순환도를 보면 午궁의 지장간 丁火와 申궁의 지장간 庚金은 未궁의 己土가 중재하지 않으면 금화상쟁(金火相爭)으로 인하여 계절의 자연스런 이행이 어려워진다. 午궁는 申궁과 서로 상극하는 기운으로 곧바로 여름의 강왕한 火氣에서 가을의 金氣로 이행할 수가 없다. 그래서 午궁에서 陰土인 중재자 己土를 中氣에 품어 火의 기운을 설기(泄氣)시킴으로써 중화(中和)시키게 된다(丙己丁).

즉, 조절자로서의 己土가 선천(乾道)에서 후천(坤道)으로의 자연스러운 이행을 위해 火와 함께 同宮에 거하고 있는 것이다. 그러므로 未궁에서는 己土가 정기(正氣)에 자리하여 강력하게 금화상쟁(金火相爭)을 중재시킴으로써 금화교역(金火交易)이 이루어진다. 午未申궁에는 모두 己土가 들어가 있어 土氣로써 火氣와 金氣의 강한 상극기운을 중화시켜 주는 역할을 하고 있음을 알 수가 있다.

火土同宮의 이론을 따라 土는 火의 논리를 따른다. 문왕팔괘도를 보면 화 ☲에서 토☷로 넘어가며 가을☱로 이행된다. 火克金으로 여름의 火氣가 가을의 金氣를 극하기 때문에 토의 중화작용을 거치지 않고는 가을로 이행할 수가 없기 때문이다.

다음 후천 문왕팔괘도를 보면, 태극의 양과 음은 戊土와 己土가 된다. 戊己土는 지구 중심의 뜨거운 용암을 상징한다. 그러므로 봄의 따스한 기운을 받은 戊土☷는 동북방에서 생명을 저장하고 있는 차가운 坎水☵를 극함으로써 생명을 깨워 양이 주관하는 선천 상극시대를 시작하고, 己土는 음이 주관하는 서남방에서 金을 생함으로써 양기를 수렴하는 후천 상생시대를 시작한다. 토는 기본적으로 따스하다. 화토동궁의 이론을 뒷받침하는 이유이다.

사주명리는 천간을 위주로 하고 일간을 명주로 하기 때문에 문왕8괘도를 기준으로 화토(火土)를 동궁(同宮)으로 한다. 육효처럼 지지(地支)를 위주로 활용하는 점술법에서는 수토동궁(水土同宮)을 활용한다. 천간은 양이고 지지는 음이다.

▷ 후천 문왕팔괘도

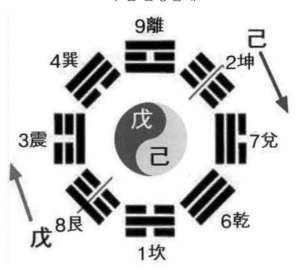

▷천간의 상생과 상극

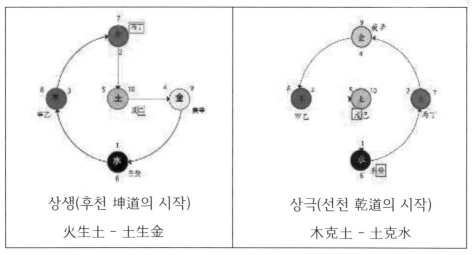

상생(후천 坤道의 시작)	상극(선천 乾道의 시작)
火生土 - 土生金	木克土 - 土克水

10.8. 土는 木火金水의 모태(母胎)

　토(土)는 사상(四象)을 돌리는 오행(五行)의 중심으로 木火金水의 성질을 모두 포함하는 중화(中和)의 성질이 있다. 木火金水가 사계(四季)를 순환할 때 土는 木火金水의 기류를 조절하는 역할을 하므로 사계의 네 귀퉁이에서 木火金水의 기운을 조절한다.

　木은 土 없이는 뿌리를 내릴 수 없고, 火는 土를 바탕으로 하지 않고는 자랄 수 없고, 金은 土 없이는 생(生)할 수가 없고, 水는 土 없이는 담길 수가 없다.

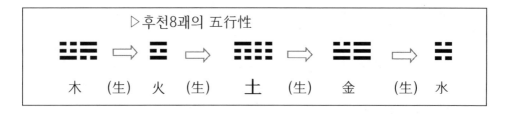

문왕팔괘도와 지장간(支藏干)의 오행

　진술축미(辰戌丑未)는 계절이 바뀌는 환절기로서 4계절의 기운이 섞여 있다. 이전 계절의 旺(제왕)한 기운을 창고(묘)에 입고(入庫)시키는 기능을 하며, 사고지(四庫地)라 한다. 고지(庫地)란 계절의 기운을 보관하는 창고를 의미하며 묘궁(墓宮)이 된다. 이전 계절의 旺한 기운인 자오묘유(子午卯酉)를 庫地(墓)에 입고(入庫)시키는 것은 다음 계절의 기운과 서로 상극하기 때문에 서로 충돌하는 것을 막기 위함이다.

즉, 진술축미는 이전 계절의 왕성한 기운을 가두는 창고역할을 하는 묘궁이다. 이전 계절의 기운인 四旺地(子-癸水, 午-丁火, 卯-乙木, 酉-辛金)를 당계절의 창고인 辰戌丑未(묘)의 中氣에 入庫하여 다음 계절로 넘어가지 않게 한다. 왜냐하면 다음 계절의 기운을 극함으로써 다음 계절 기운이 다가오는 것을 막아서기 때문이다. 묘에 입고되는 것은 양이 극에 달하면서 생한 음의 기운이다. 최종적으로 왕지(旺地)의 음의 기운이 입고되면서 이전 기운이 정리되는 것이다. 辰戌은 양토로 戊土를 갖고, 丑未는 음토로서 己土를 갖는다.

일반적으로 인신사해(寅申巳亥)는 계절을 시작하는 기운으로서 생하거나 베푸는 것은 양의 역할이므로 양토인 戊土가 온다고 하여 인(寅)의 여기(餘氣)에 戊丙甲, 申의 여기(餘氣)에 戊壬庚으로 戊土가 온다고 한다. 그러나 다른 지지궁의 장간과 마찬가지로 巳궁에는 戊庚丙, 亥궁에는 戊甲壬으로 이전 계절의 본기인 戊土가 여기(餘氣)로 온다. 논리적으로 寅申의 여기(餘氣)에는 戊土가 아니라 이전 본기인 己土가 오는 것이 맞다. 무토가 온다고 하는 것은 양을 음보다 우선시하는 풍토에서 나온 것이라 판단된다. 주역 선천팔괘인 복희역은 양의 관점에서 땅보다는 하늘을 우선시하는 고대의 사상이 녹아 있다.

오히려 지구역인 문왕팔괘도에서는 모든 생명은 감수(坎水☵)에서 마무리되어 저장되며, 지지에서 자수(子水)는 모든 것의 시작으로 수리적으로 1이된다. 역학적 관점으로 보면 생명을 낳는 것은 음(陰)이며, 생명을 거두는 것도 음(陰)의 작용이다.

11. 십이운성의 순환원리

　십이운성은 12지지의 삼합(三合)을 기준으로 설명된다. 四生地(인신사해), 四旺地(자오묘유), 四庫地(진술축미)가 三合의 근간이며, 12운성의 생성원리가 된다. 생지(生地)는 天에 해당되고, 왕지(旺地)는 人이 되며, 고지(庫地)는 地에 해당된다. 계절의 순환은 양극음생(陽極陰生)의 이치로 풀이한다.

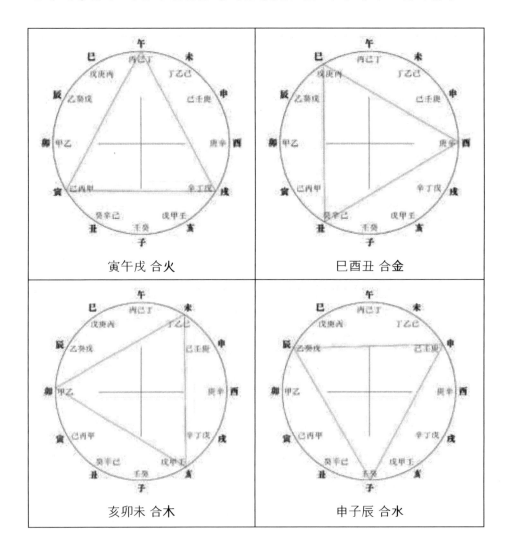

寅午戌 合火　　　　　巳酉丑 合金

亥卯未 合木　　　　　申子辰 合水

▷(예) 火五行: 寅午戌 三合

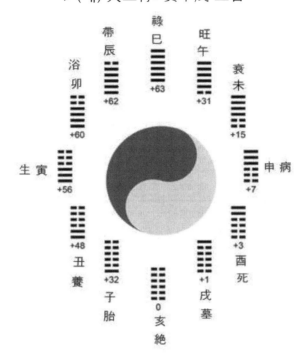

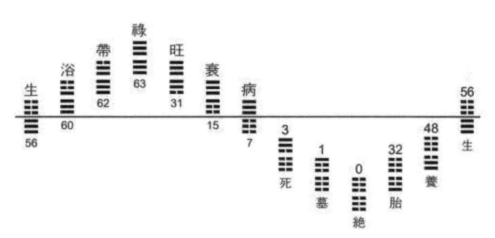

십이지지와 십이운성의 파동원리

生	浴	帶	官	旺	衰	病	死	墓	絶	胎	養
寅	卯	辰	巳	午	未	申	酉	戌	亥	子	丑

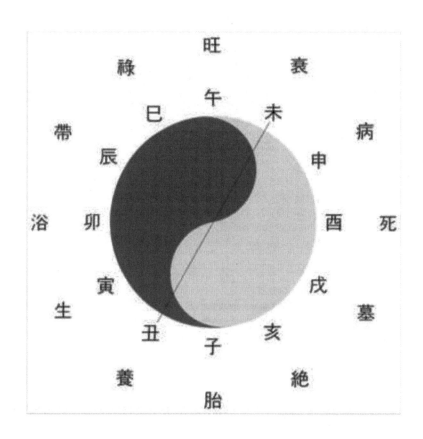

십이운성의 생왕사절(生旺死絶): 여름(火)의 탄생과 죽음

生	浴	帶	官	旺	衰	病	死	墓	絶	胎	養
寅	卯	辰	巳	午	未	申	酉	戌	亥	子	丑

　여름(火)은 인(寅)에서 낳고, 오(午)에서 완성하며, 유(酉)에서 죽고, 해(亥)에서 모든 인연이 끊어지며 새로운 生을 꿈꾼다(絶處達生절처봉생).

　지지는 12개월로 시간의 변화를 표현하며 춘하추동 사계를 통해 12운성이라는 생로병사의 시간표를 만든다. 만물은 타고난 명국이라는 탑승권을 가지고 인생운행 시간표대로 12운성의 강을 따라가는 배에 올라타 12단계의 변화과정을 흘러간다.

지지		巳	午	未		
	장간	丙	丁	己		
辰	戊		夏		庚	申
卯	乙	春	土	秋	辛	酉
寅	甲		冬		戊	戌
		己	癸	壬		
		丑	子	亥		

십이지지와 지장간 정기

▷화오행(火五行)

지지		巳	午	未		
	운성	祿	旺	衰		
辰	帶		火		病	申
卯	浴	木	土	金	死	酉
寅	生		水		墓	戌
		養	胎	絕		
		丑	子	亥		

십이지지와 십이운성

12. 삼합과 십이운성의 포태원리

天(生)	원(圓)	寅申巳亥	四生地
人(旺)	각(角)	子午卯酉	四旺地
地(墓)	방(方)	辰戌丑未	四庫地

≫천(圓)에서 生(長生)하고, 인(角)에서 왕(帝旺)하며, 지(方)에서 墓(庫)한다. 하늘의 기운으로 생명이 生하고, 지상에서 만물로 왕(旺)하며, 죽어서 땅에 묻힌다(入墓, 入庫). 생왕묘(生旺墓)는 삼합의 원리와 일치한다.

天(圓), 생(生)

四生地			寅			申			巳			亥		
餘氣	中氣	正氣	己	丙	甲	己	壬	庚	戊	庚	丙	戊	甲	壬

人(角), 왕(旺), 양극음생(陽極陰生)의 시기

四旺地			子			午			卯			酉		
餘氣	中氣	正氣	壬		癸	丙	己	丁	甲		乙	庚		辛

地(方), 고(庫)

四庫地			辰			戌			丑			未		
餘氣	中氣	正氣	乙	癸	戊	辛	丁	戊	癸	辛	己	丁	乙	己

▶삼합은 십이운성의 생왕묘(生旺墓)로 구성이 되어있다.

인신사해는 圓(天)이고, 자오묘유는 角(人)이며, 진술축미는 方(地)이다. 여기에서 원(圓)은 삼합의 始(生)가 되고, 각(角)은 삼합의 主(旺)가 되며, 방(方)은 삼합의 終(墓)이 된다. 원방각의 주체는 사람인 角이 되므로 삼합의 결과는 角은 자오묘유의 성질을 갖게 된다.

▶삼합의 생왕묘 포태원리

삼합: 인오술(寅午戌), 사유축(巳酉丑), 신자진(申子辰), 해묘미(亥卯未)

인에서 병화가 포태되고, 오에서 왕하며(陽極陰生), 술에서 입묘한다.

사에서 경금이 포태되고, 유에서 왕하며(양극음생), 축에서 입묘한다.

신에서 임수가 포태되고, 자에서 왕하며(양극음생), 진에서 입묘한다.

해에서 갑목이 포태되고, 묘에서 왕하며(양극음생), 미에서 입묘한다.

12.1 천지인 삼합(三合)과 생(生)·왕(旺)·묘(墓)

　日元(日干)과 지지의 관계를 따져 십이운성을 정한다, 포태법(胞胎法), 절태법(絶胎法)이라고 한다. 12개의 지지가 日干을 만남으로서 오행생극으로 인한 생멸, 왕쇠의 기운을 표현한다. 12운성으로 표현하는 생장성쇠는 천간이 지지에 들어와 사시를 순환시키고 만물을 생장수장하게 하는 지장간의 이치와 같다. 그러므로 지장간의 원리를 그대로 적용한다.

▷**십이운성의 종류:**
(1)生(長生), (2)浴(沐浴), (3)帶(冠帶), (4)冠(建祿), (5) 旺(帝旺), (6)衰,
(7)病, (8)死, (9)墓(葬), (10) 絶(胞), (11)胎, (12)養,

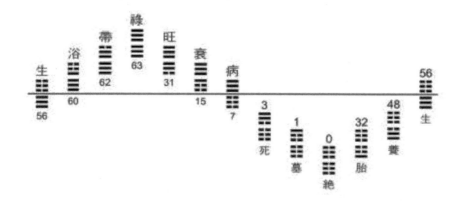

　기본적으로 生(인신사해), 旺(자오묘유), 墓(진술축미)를 기준으로 하여 三合으로 이해하면 쉽다. 인신사해는 기운이 시작되는 생지(生地)가 되고, 자오묘유는 만물이 성쇠하는 왕지(旺地)가 되며, 진술축미는 기운을 저장하는 고지(庫地)가 된다. 인신사해는 하늘(天)의 기운으로 계절의 기운이 시작하는 궁(宮)이고, 자오묘유는 만물(人)의 기운으로 계절의 기운이 가장 왕성한 궁으로 양의 기운이 극(極)에 달하면서 음의 기운이 생(生)하는 양극음생(陽極陰生)의 자리이다. 진술축미는 기운을 수렴하는 땅(地)의 기운으로 이전 계절의 기운을 저장하는 궁이다.

12.1.1 절처봉생(絶處逢生)

절(絶)은 동시에 포(胞)의 의미를 함의한다(絶處逢生절처봉생). 그래서 십이운성을 절태법(絶胎法), 포태법(胞胎法)이라고도 한다[절(絶)=포(胞)].

前前계절의 기운이 마지막으로 완전히 끊어지고(絶), 동시에 다음 계절의 기운을 품는다(胞). 亥水에서 丁火(음)를 절(絶)하고 甲木(양)를 포(胞)하며, 寅木에서는 辛金(음)을 절(絶)하고, 丙火(양)를 포(胞)하며, 巳火에서는 癸水(음)를 절(絶)하고 庚金(양)을 포(胞)하며, 申金에서는 乙木(음)을 절(絶)하고 壬水(양)를 포(胞)한다. 그래서 절궁(絶宮)은 음의 극인 동시에 양이 시작되는 자리로 生의 뜻을 품게 되는 절처봉생(絶處逢生)의 자리가 된다.

정리하면 前前계절(정반대 계절)의 기운(음)이 완전히 단절되고(絶), 동시에 다음 계절의 기운(양)이 생(生)의 뜻을 품는 자리이다. 반대되는 계절의 기운을 최종적으로 절(絶)하는 동시에 다음 계절의 기운을 품는 것이다.

前前계절의 기운이 끊어지면서(絶), 동시에 다음 계절의 기운이 들어오기 시작하며(胞), 胎에서 착상되고, 養에서 모태의 보살핌을 받다가 生에서 출생한다. 예를 들어 火五行을 기준하면, 亥水에서 戌土(墓)에 입고된 丁火(음)의 기운이 완전히 단절(斷絶)되고(絶), 동시에 甲木(양)이 生의 뜻을 품기 시작한다. 그리고 子水에서 태(胎)하고 丑土에서 양(養)하며, 寅木에서 생(生)하는 것이다.

12.1.2 병사묘(病死墓)의 이해

인사적으로는 육신이 무너지며 정신의 세계로 진입하는 과정을 의미한다. 나무의 일생으로 보면, 땅에 떨어진 과일의 삭혀진 부분을 제거하고 순수한 양기를 담은 씨앗을 수렴하는 과정으로 이해할 수 있다. 육신적 활동을 정리하고 정신적 활동으로 전환되기 시작하는 시기이다. 육신적 활동이 맞지 않고, 크게 움직임이 없는 정신적 활동에 관심이 많아진다. 육신적 움직임은 부담이 되고 외부활동은 건강을 해칠 수 있다. 숙살지기로 쭉정이를 걸러내고 알갱이를 추수하는 가을의 신유술(申酉戌) 기운과 비교하며 이해하라.

12.1.3 생(生): 寅申巳亥

인신사해(寅申巳亥)는 하늘의 기운을 의미하며 다음 계절의 기운을 生한다. 다음 계절을 生하고(中氣) 당해 계절이 시작된다(正氣). 다음 계절의 기운이 中氣에 生하며[寅(丙), 巳(庚), 申(壬), 亥(甲)], 당해 계절의 기운이 正氣에서 시작된다[寅(甲), 巳(丙), 申(庚), 亥(壬)].

24절기 중에 인신사해는 계절의 초입으로서 인(寅)은 입춘(立春), 사(巳)는 입하(立夏), 신(申)은 입추(立秋), 해는 입동(立冬)을 의미한다.

12.1.4 왕(旺): 子午卯酉

甲乙, 丙丁, 庚辛, 壬癸

자오묘유는 당해 계절의 가장 강한 기운이며 중심이다. 제왕은 당해 기운이 가장 왕성한 최고의 전성기를 의미한다. 양이 극에 달하면서 음이 시작되는 양극음생(陽極陰生)의 자리이다. 음생(陰生)한 기운은 다음 계절의 고지(庫地)인 진술축미의 묘고(墓庫)에 입고(入庫)된다. 그리고 절(絶)에서 기운이 완전히 끊어지게 된다.

12.1.5 묘(墓): 辰戌丑未

자오묘유 정기(正氣)가 다음 계절의 진술축미에서 입고되니 이를 묘(墓) 또는 고(庫)라 한다. 묘(墓)는 기운을 저장하는 창고(倉庫) 역할을 한다. 왕궁(旺宮)에서 양극음생(陽極陰生)한 음(陰)이 그 기운을 다해 묘고(墓庫)에 입고(入庫)되는 것이다. 고지(庫地)에 입고되는 것은 전 계절의 기운이 다음 계절로 이행하는 것을 막아 다음 계절의 기운과 충(沖)하는 것을 피하기 위함이다.

진묘고(辰墓庫)에서는 겨울 旺地인 子궁에서 陰生한 癸水가 입고되고, 미묘고(未墓庫)에서는 봄의 旺地인 卯궁에서 陰生한 乙木이 입고되고, 술묘고(戌墓庫)에서는 여름 旺地인 午궁에서 陰生한 丁火가 입고되고, 축묘고(丑墓庫)에서는 가을 왕지(旺地)인 酉궁에서 陰生한 辛金이 입고되어 다음 계절로 이행하는 것을 저지한다.

묘고(墓庫)의 개념은 사주팔자 간명에서 닫혀 사용할 수 없으면 묘(墓)가 되고, 열려 사용할 수 있으면 고(庫)의 개념으로 활용한다. 즉, 투출하거나 입고된 기운과 동일한 기운이 운에서 접응하면 응기하게 된다.

12.2 삼합과 생왕묘 심층분석

12.2.1 申子辰 合水 (金生水)

▷ **申(生), 子(旺), 辰(墓)**

≫金生水: 申金에서 壬水가 生한다.

-원(圓)에 속하는 申(金)에서 壬水가 生하고,

-각(角)에 속하는 子(水)에서 壬水거 旺하다. 壬水(양)가 극에 달하고 癸水
(음)가 生한다 (양극음생陽極陰生).

-방(方)에 속하는 辰(土)에서 癸水가 입고된다.

가을이 시작되는 生地 申金에서 다음 계절 겨울의 旺地 壬水가 처음으로
생한다(長生). 그리고 子水에서 양(壬)이 극에 달하면서 음(癸)이 생하고(陽極
陰生), 壬癸가 가장 왕성한 기운으로 당해 계절을 이끈다(帝旺), 봄의 庫地인

辰土에서는 旺에서 陰生한 癸水가 입고되어 水氣가 여름의 火氣와 서로 극하는 것을 막는다(墓).

12.2.2 亥卯未 合木 (水生木)

▷ 亥(생), 卯(왕), 未(묘) - (水生木)

≫水生木: 亥水에서 甲木이 생한다.

-원(圓)에 속하는 亥(水)에서 甲木이 生하고,

-각(角)에 속하는 卯(木)에서 甲木이 旺하다. 甲木(양)이 극에 달하고 乙木 (음)이 생한다 (양극음생陽極陰生).

-방(方)에 속하는 未(土)에서 乙木이 입고된다.

겨울이 시작되는 生地 亥水에서 다음 계절 봄의 旺地인 甲木이 처음으로

생한다(長生) 그리고 卯木에서 양(甲)이 극에 달하면서 음(乙)이 생한다(陽極陰生). 卯木에서 가장 왕성한 기운으로 甲乙이 당해 계절을 이끈다(帝旺), 여름의 고지(庫地)인 未土에서는 旺에서 陰生한 乙木이 입고되어 木기운이 가을의 金기운과 서로 극하는 것을 막는다(墓).

12.2.3 寅午戌 合火 (木生火)

▷寅(생), 午(왕), 戌(묘) - (木生火)

≫木生火: 寅木에서 丙火가 生한다.

-원(圓)에 속하는 寅(木)에서 丙火가 生하고,

-각(角)에 속하는 午(火)에서 丙火가 旺한다. 丙火(陽)가 극에 달하고 丁火(陰)가 生한다(양극음생陽極陰生).

-방(方)에 속하는 戌(土)에서 丁火가 입고된다.

봄이 시작되는 生地 寅木에서 다음 계절 여름의 왕지인 丙火가 처음으로 생한다(長生). 그리고 午火에서 陽(丙)의 기운이 극에 달하면서 陰(丁)이 생하게 되며(陽極陰生), 가장 왕성한 기운으로 丙丁이 당해 계절을 이끈다(帝旺), 가을의 庫地인 戌土에서는 旺宮에서 陰生한 丁火가·입고되어 火기운이 겨울의 水기운과 서로 극하는 것을 막아준다.

12.2.4 巳酉丑 合金 (火生土, 土生金)

▷巳(생), 酉(왕), 丑(묘)

≫火生金: 巳火에서 庚金이 生한다.

본래 火克金이지만, 午火의 지장간이 丙己丁으로 己土가 들어와 있어 자연스럽게 화생토 토생금으로 토의 중화작용이 일어나 화가 금을 극하지 않고 생하도록 한다. 여름에서 가을로 넘어가는 과정에서 금화상쟁(金火相爭)을 중재하는 토의 중화(中和)작용이 중요하다. 불(火)은 쇠(金)를 제련하여 원하는 모양을 만든다.

-원(圓)에 속하는 巳(火)에서 庚金이 生하고,
-각(角)에 속하는 酉(金)에서 庚金이 旺하다. 庚金(陽)이 극에 달하고 辛金(陰)이 생한다 (양극음생陽極陰生).
-방(方)에 속하는 丑에서 辛金이 입고된다.

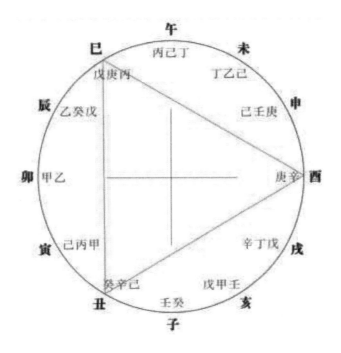

　여름이 시작되는 生地 巳火에서 다음 계절 가을의 왕지인 庚金이 처음으로 생한다(長生). 그리고 酉金에서는 양(庚)의 기운이 점차 극에 달하면서 음(辛)이 생하게 되고(陽極陰生), 庚辛이 가장 왕성한 기운으로 당해 계절을 이끈다(帝旺). 또한 겨울의 庫地인 丑土에서는 旺宮에서 陰生한 辛金이 입고되어 金기운이 봄의 木기운과 서로 극하는 것을 막는다.

　이 경우 午火의 지장간은 丙己丁으로 다른 경우와 달리 己土가 중간에 자리한다. 여름의 火와 가을의 金은 서로 火克金이라는 금화상쟁(金火相爭)의 관계에 있기 때문에 자연스럽게 순행하지 못한다. 그러므로 己土는 서로 상극하는 관계인 火(여름)와 金(가을)이 火生土-土生金으로 자연스럽게 넘어가도록 중재 역할을 수행한다.
　크게 보면 여름에서 가을로 넘어가는 계절인 午未申은 火土金 오행이 작용하는 자리로서 火生土-土生金이라는 상생관계를 맺고 있다. 丙己丁의 己土

는 극단으로 치닫는 양(丙丁)의 확장을 저지하기 위하여 午의 내부에 己(음토)를 품음으로써 未申으로 자연스럽게 순리대로 이행할 수 있도록 작용하는 오행이다. 만일 丙丁이 己土를 품지 않는다면 극단으로 치닫는 양의 확장과 분열을 막지 못하여 끝내는 열매를 맺지 못하게 된다. 이것은 양이 극하면 음이 생하는 양극음생(陽極陰生)의 이치를 보여준다.

12운성을 괘상으로 표상한 주역의 12벽괘도를 보면, 오(午)는 음의 기운이 처음 시생하는 천풍구괘(☴)에 해당된다. 즉, 활짝 핀 꽃에 해당하는 巳火(☲)의 양기를 끊어 줌으로써 열매에 양기를 모아주는 상이 되는 것이다. (P.244, 12벽괘도와 12운성 참조)

火가 金을 극하여 제련함으로써 금의 형상을 만드는 것이니, 이것은 확장 분열하는 양기(陽氣)가 그 기운을 저지당함으로써 열매를 맺게 되는 자연의 이치를 설명하는 것이다. 오행작용으로 펼쳐진 문왕8괘도와 비교해보면 역시 [火☲-土☷-金☱]이 되어 土☷가 중재자로서 금화교역에 참여하고 있음을 알 수가 있다.

13. 십이운성의 순행과 역행의 논리적 이해

천간오행을 중심으로 12운성을 적용하면 양간과 음간은 진행방향이 서로 반대가 된다. 양간이 生하는 자리에서 음간은 死한다. 반대로 음간이 生하는 자리에서는 양간이 死한다. 예를 들어 陽干인 甲木은 亥水에서 生하고, 午火에서 死한다. 반대로 陰干인 乙木은 午火에서 生하고 亥水에서 死한다.

13.1. 순행과 역행의 과학적 탐구

양(陽)이 왕(旺)하는 것은 곧 음(陰)이 쇠(衰)함을 의미한다. 이것을 음양의 파동으로 나타내면 음양이 서로 일진일퇴하며 부딪히고 화합하며 갈마드는 것을 의미한다. 순행과 역행은 서로 반대방향으로 움직이는 것으로 이해하면 12운성의 순환을 논리적으로 이해하는데 한계가 생긴다. 음과 양이 서로 반대방향으로 움직인다는 것은 이론적으로는 설명할 수 있지만 실제적으로 가능한 일은 아니다. 계절이 거꾸로 흘러 갈수는 없기 때문이다. 또한 계절이 춘하추동 흘러가면서 만들어내는 생로병사(生老病死), 생장수장(生長收藏)의 이치가 거꾸로 뒤집힐 수는 없는 일이다.

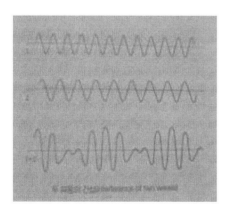

상반된 대립적 성질의 음양은 움직임이 서로 반대다. 그렇다고 순행과 역행이 서로 반대로 움직인다고 보는 것은 너무

이론적이다. 그러므로 역행은 순행과 반대로 향하는 것이 아니라 파동의 차이로 이해하는 것이 오히려 과학적이고 합리적일 수 있다. 음과 양은 서로 파동이 다르므로 음양의 파동이 서로를 간섭하는 것으로 이해할 수 있다. 두 파동의 골짜기와 골짜기가 만나 진폭이 커지는 경우를 보태기 간섭이라 하고, 한쪽 파동의 마루와 다른 파동의 골이 일치하면 서로 상쇄되어 일직선이 되는 경우를 빼기 간섭이라 한다. 주역 계사전은 이것을 일음일양지위도(一陰一陽之謂道)라 하여 '한번 음(陰)하고 한번 양(陽)하는 것이 도(道)이다'라고 정의하고 있다. 우주는 서로 다른 음양이라는 두 대립적인 기운이 대립과 상호작용을 통해 균형과 조화를 이루며 질서를 세워가면서 만물의 형질인 오행을 만들고, 오행은 만물의 형상을 생성해 간다.

서로 상반된 성질의 대립적인 음양은 양극적인 대립을 통해 역동적인 통일성을 지향한다. 음양의 상호작용을 통해 균형과 조화를 이루어 나가면서 만물을 생장수장의 이치로써 생로병사를 순환시킨다. 즉, 음양이라는 두 극단 사이의 역동적인 상호작용을 통해 선과 악이 서로 역동적인 균형을 유지하며 만물이 존재하는 것이니, 실재(實在)란 대극(對極)이 합일한 자리라 할 수 있다. 송대의 기본체론자(氣本體論者)인 장재는 "氣가 모이고 흩어지는 것은 변화의 일시적인 모습(太虛無形 氣之本體 其聚其散 變化之客形爾)"이며, "形質이 모여 사물이 되고, 形質이 붕괴되면 다시 그 근원으로 되돌아간다(形聚爲物 形潰反原)."라고 했다.

현대물리학자인 프리초프 카프라는 "양자장은 근본적인 물리적 실체, 즉 공간 어디에나 존재하는 연속적인 매체로 여겨진다. 소립자들은 단지 그 장(양자장)의 국부적인 응결에 불과하다. 에너지의 일시적인 집결로서 그것들은 왔다가 가 버림으로써 개체의 특성이 상실되고 바닥의 장(太虛)으로 융합된다"고 말한다. 삶과 죽음이란 단지 기가 응결되었다가 해결되어 흩어지는 기 변화의 양상에 불과한 것이다. 세상의 대립적인 음양동정(陰陽動靜)의 상반된 두 측면이 상호감응을 통해 수많은 변화를 야기하면서도 궁극적으로는 균형과 조화의 질서 위에서 전체적인 통일을 이루어 내고 있는 것이 우주변화의 요체라 할 수 있는 것이다.

　좌행과 우행은 아직 이론적 근거가 제대로 제시되지 못하고 있으며 더 많은 연구와 자료가 요구된다. 즉 과학적으로 많은 검토와 이론적 구성이 필요한 부분이다. 어떤 이는 陽生陰死, 陰生陽死를 주장하기도 하고, 또 다른 이는 陽生陰生, 陽死陰死를 주장하기도 한다.

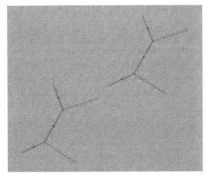

　장 이론(場理論)의 수학적 형식은 이 선들이 두 가지 방법으로 해석될 수 있다는 것을 암시해 주는데, 시간상 앞쪽으로 전진하는 양전자의 경우(순행)와 '시간상 뒤로 움직이는' (음)전자의 경우(역행) 두 가지 방법이다. 이 해석은 수학적으로도 일치한다. 이와 같은 표현은 과거에서 미래로 이동하는 하나의 반입자, 혹은 미래로부터 과거로 이동하는 하나의 입자를 기술해 준다.

　그리하여 이 두 개의 도표는 시간상에서 서로 다른 방향으로 전개되고 있는 동일한 과정을 그림으로 표시한 것으로 볼 수 있다. 이 두 그림은 전자와 광자의 산란으로

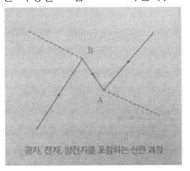

광자, 전자, 양전자를 포함하는 산란 과정

설명될 수 있지만, 그러나 하나의 과정에서는 입자가 시간상 앞으로 전진하며 다른 과정에서는 그 입자가 뒤로 후퇴한다. 이리하여 입자 상호작용의 상대성이론은 시간의 방향에 관련되어 완전히 하나의 대칭성을 보여주고 있다. 모든 시공의 도표들은 이 둘 중 어느 하나의 방향으로 해독될 수 있다. 모든 과정에는 역으로 된 시간의 방향과 반입자들의 의해 대치된 입자들을 가지고 있는 하나의 동등한 과정이 있다.

아원자 세계의 이 놀라운 특징이 어떻게 우리의 공간과 시간에 관한 관점에 영향을 끼치는가를 알아보기 위하여 다음의 도표에서 보여주는 과정을 생각해 보자. 관례적으로 아래에서 위로 이 도표를 읽어 나가면 우리는 다음과 같이 그것을 해석하게 될 것이다. (직선으로 표시된) 전자와 (점선으로 표시된) 광자는 서로서로 접근한다. 광자는 A지점에서 오른쪽으로 양전자는 왼쪽으로 비산(飛散)한다. 그러면 양전자는 B지점에서 최초의 전자와 충돌하고 왼쪽으로 비산하는 과정에서 광자를 발생시키면서 그것들은 서로를 소멸시킨다. 우리는 또한 시간상 먼저 앞으로 이동하다가 뒤로 가고 또 다시 앞으로 이동하는 단일한 전자를 지닌 두 광자들의 상호작용으로서 그 과정을 달리 해석해도 좋다. (……) 왜냐하면 모든 입자들은 그것들이 공간상 왼쪽으로든 오른쪽으로든 이동할 수 있는 것과 같이 시간상 전후로 이동할 수 있기 때문이며, 따라서 도표에서 시간의 일방통로를 부여하는 것은 아무런 의미도 갖지 못한다.[24]

---

[24] 프리초프 카프라, 김용정, 이성범 공역, 『현대물리학과 동양사상』, 2017, 243-245쪽.

13.2. 양자얽힘

음양은 혼융된 무질서 속에서 공간적으로 떨어져 흐트러진 것처럼 보인다. 그러나 상반된 양면성의 음과 양은 서로 짝을 이루어 대립(對立)하면서도 대대(對待)함으로써 상호 연결되어 작용한다. 이것은 양자역학적으로 '동시성(同時性)'을 띠는 '양자얽힘'에 비유할 수가 있으니, 초극미 영역인 양자장(氣)의 세계에서는 만물은 전일성(全一性)이라는 유기적 일체(有機的 一體)로서 시공(時空)이 하나로 연결되어 있음을 알 수 있다.

한 번 짝을 이룬 두 입자들은 아무리 서로 떨어져 있다 하더라도, 어느 한 쪽이 변동하면 그에 따라 '즉각' 다른 한 쪽이 반응을 보이는 불가사의한 특성을 가지는 데, 양자이론에서는 이 두 입자가 서로 '얽혀 있다'고 하며 이를 일컬어 '양자얽힘'이라고 한다. 1964년 아일랜드의 물리학자 존 스튜어트 벨(John Stewart bell)이 이론으로 발표했다. 가령 한 입자의 위치나 운동량, 스핀과 같은 특성을 측정한 순간, 이들이 아무리 멀리 떨어져 있다 하더라도 다른 한 입자의 해당 특성이 '즉시' 바뀌어 입자의 상태를 결정하게 된다는 것이다.

이는 입자가 오직 즉각적인 주위 환경에 의해서만 직접 영향을 받는다는 표준 물리학의 '국소성의 원칙'에 위배된다. 때문에 이 이론은 물리학적 연구가 아니라 철학적 연구라고 여겨졌다. 앨버트 아인슈타인(Albert Einstein)도 우주에서 빛보다 빠른 것은 없다고 주장하면서 이 이론을 "유령 같은 원격작용"이라며 결코 받아들이지 않았다.

2015년 10월 <네이처>지에 발표된 논문을 통해 '양자얽힘'이 실재한다는 강력한 증거를 보여주는 실험결과가 알려졌다. 이 실험은 네덜란드 델프트 공과대학 카블리 나노 과학연구소의 물리학자 로날드 핸슨(Ronald Hanson)의 연구팀이 주도했고 스페인과 영국의 과학자들이 참여했다. 연구팀은 델프트 대학 캠퍼스 내부 1.3km 떨어진 거리에 두 개의 다이아몬드를 배치하고 각각의 다이아몬드 전자에 자기적 속성인 '스핀'을 갖도록 했다. **실험결과는 한 전자가 업 스핀(예를 들어 반시계 방향으로의 회전)일 경우, 다른 전자는 반드시 다운 스핀(시계 방향의 회전)이 된다는 것을 보임으로써 완벽한 상관관계를 입증했다.** 물리학자들은 이 실험을 통해 양자역학 실험이 실제로 가능함을 증명했다는 점에 찬사를 보냈고, 과학저널 <사이언스(science)>지는 이 실험을 2015년 최고의 과학적 성과 중의 하나로 선정했다.[25]

---

[25] 양자얽힘: <참조> 인터넷 다음백과

13.3. 시공일체(時空一體)

기(氣)의 응집으로 생명의 질서가 점차 세워지고, 그리고 기운이 극에 달하면서 그 질서는 무너진다. 그리고 그 기는 기의 본원인 입자와 파동으로 돌아간다. 질서는 물질이며 생명이란 그 물질에 내재된 이(理)가 된다.

형질이 모여 사물이 되고, 형질이 붕괴되면 다시 그 근원으로 되돌아간다.[26]

변화해가는 질서의 과정을 단계별로 나누어 놓은 것을 표시한 것이 시간의 개념이니 시간이란 동적인 변화 과정을 의미한다. 시간이란 사물의 동적인 변화 과정을 단계별로 구분한 개념일 뿐이다. 그러므로 현대물리학인 양자역학적 관점에서 우리가 알고 있는 일반적인 시간이란 없는 것이고 단지 [氣의 응결(凝結) - 질서 - 기(氣)의 붕괴 - 무질서 - 태허(太虛)]라는 역동적인 기의 취산(聚散) 활동의 변화 과정이 있을 뿐이다.

대부분의 사람들은 시간은 흐른다고 믿고 있다. 그러나 사실상 시간은 현재 있는 그곳에 머물러 있다. 흘러간다고 생각하는 그 생각은 아마도 시간이라고 불릴 것이다. 그러나 그것은 잘못된 생각이다. 왜냐하면 사람들은 그것을 단지 지나가는 것으로만 보기 때문이며, 그로 인하여 사람들은 시간이 바로 지금 존재하는 곳에 머물러 있다는 것을 이해할 수가 없는 것이다.[27]

---

[26] 張載, 『正蒙』, "形聚爲物 形潰反原"

[27] 프리초프 카프라, 김용정, 이성범 공역, 『현대물리학과 동양철학』, 2017, 247쪽.

우리는 시계가 알려주는 시간의 개념 속에 살고 있어 시간은 한쪽에서 다른 쪽으로 흐르고 있으며, 처음과 끝이 있다는 착각 속에 살고 있다. 그러나 한량없는 영원의 시간 속에서 처음과 끝의 시점을 어디에다 둘 것인가? 현대 물리학에서 시간과 공간은 서로 하나로서 시공(時空)이라는 통합적 개념으로 사용하고 있다. 지금 이 순간이 곧 영원이며 영원이 곧 지금 이 순간이니, 순자는 "천지가 시작하는 것은 바로 오늘이다(天地始者 今日是也)"라고 했다. 순간 속에 영원이, 영원 속에 순간이 있듯이 부분과 전체가 하나로써 일체를 이루고 있는 것이다.

우리는 항상 지금 이자리에서 변화를 경험하고 있을 따름이다.

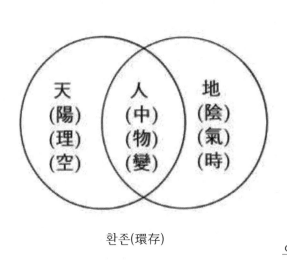

환존(環存)

기(氣)의 취산(聚散)이 태허(太虛)로부터 말미암음은 마치 얼음의 얼고 녹음이 물로부터 말미암은 것과 같다. 따라서 태허가 곧 氣(有)임을 알면 無(절대없음, 虛無)의 세계란 없다는 것을 알게 된다.[28] 마치 파도가 바다 속으로 녹아 들어가기 전에 잠시 모습을 유지하듯이, 돌(石)은 잠시 구조를 유지하고 있는 양자들의 진동일 뿐이다. 그러므로 삶과 죽음이란 단지 기(氣)가 응결되었다가 붕괴되어 흩어지는 기 변화의 양상에 불과한 것이다.

---

[28] 장재, 『正蒙』, "氣之聚散於太虛 猶氷凝釋於水 知太虛卽氣 則無無"

상반된 대립적인 성질의 음과 양이 상호작용을 통해 균형과 조화를 이루어 나가면서 중화(中和)를 이룸으로써 대화(大和)를 지향한다(保合大和 乃利貞/ 계사전). 이로써 만물이 생화하고 생장수장의 이치로서 생로병사를 순환하는 것은 시공을 초월한 우주의 보편적 법칙이라 할 수 있다.

12운성에서 시간의 흐름을 도식적으로 순행과 역행으로 구분한 것은 평면적인 지면을 통해 설명하는 한계에서 비롯된다. 양자물리학이 발견한 시간이란 모든 이에게 공평하게 흐르지 않으며 공간 높낮이에 따라 각각의 사물에 흐르는 시간은 저마다 다르다. 시간과 공간은 각각 구분되어 있는 것이 아니라 모든 천지인(天地人) 만물이 공시변(空時變)의 일체를 이룬다.

시공(時空)이란 일체로서 변화 그 자체이다. 다만 인간의 언어로 동시적인 작용을 설명하기에는 표현의 한계가 있을 뿐이다. 이러한 부분은 천지인이라는 씨앗(理)과 음양이라는 작용(用)을 하나로 통칭하는 통논리적 개념인 '한'으로 설명할 수 있다. '한(一)'은 천지인 삼신일체를 표현한 개념으로서, 천지인이 하나(一)로 일체가 된 삼태극이며, 동시에 음양이 작용하는 역동적인 개념이다. 중국의 '太極, 太虛, 道, 理氣'라는 개념을 하나로 통칭하는 광의의 철학적 개념으로서, 한철학(韓哲學), 한사상(韓思想)의 원류이며 한민족 고유의 우주철학이라 할 수 있다.

'한(一)'은 [천부경]의 一始無始一析三極無盡本의 '하나(一)'를 의미한다. 해, 달, 별을 존칭하여 해님, 달님, 별님 하듯이, '하나(一)'를 존칭하여 '님'자를 붙이면 '하나님'이 된다.

▷순행(양일간이 지지를 만나면) ⟹

生生	浴욕	帶대	祿록	旺왕	衰쇠	病병	死사	墓묘	絶절	胎태	養양
死사	病병	衰쇠	旺왕	祿록	帶대	浴욕	生생	養양	胎태	絶절	墓묘

⟸ 역행(음일간이 지지를 만나면)

▷양간(陽干)의 12운성(순행)

	생生	욕浴	대帶	록祿	왕旺	쇠衰	병病	사死	묘墓	절絶	태胎	양養
甲	亥	子	丑	寅	卯	辰	巳	午	未	申	酉	戌
丙戊	寅	卯	辰	巳	午	未	申	酉	戌	亥	子	丑
庚	巳	午	未	申	酉	戌	亥	子	丑	寅	卯	辰
壬	申	酉	戌	亥	子	丑	寅	卯	辰	巳	午	未

▷음간(陰干)의 12운성(역행)

	생生	욕浴	대帶	록祿	왕旺	쇠衰	병病	사死	묘墓	절絶	태胎	양養
乙	午	巳	辰	卯	寅	丑	子	亥	戌	酉	申	未
丁己	酉	申	未	午	巳	辰	卯	寅	丑	子	亥	戌
辛	子	亥	戌	酉	申	未	午	巳	辰	卯	寅	丑
癸	卯	寅	丑	子	亥	戌	酉	申	未	午	巳	辰

13.4. 십이운성에서 生과 死가 서로 반대인 까닭(甲乙)

甲은 陽木이므로 만물에 흐르는 생기(生氣)이다. 나무는 亥月이 되면 나뭇 잎을 떨구고 생기를 열매로 맺는다. 봄이 되면 다시 기운을 발설(發洩)하여 싹 을 피울 준비를 하게 된다. 亥月에 甲木이 生하는 이치이다. 그리고 午月이 되면 甲은 死하는데 이는 비록 잎은 무성하지만 그 속의 생기(生氣)는 이미 발 설(發洩)되어 진이 다 빠져나갔기 때문이다.

乙은 陰木으로 하늘의 생기(生氣)를 받아드려 형질(形質)을 갖춘 형체(形 體)이다. 乙木은 甲木과 반대로 午月에서 生하고 亥月에서 死한다. 午月이 되 면 잎이 무성하니 生이 되고, 亥月이 되면 잎을 떨구고 死한다. 을목은 형질 이므로 해월이 되면 잎을 떨구지만 생기는 내부에 저장이 되므로 갑목의 생 기가 생하게 되는 이치이다. 그러므로 甲木의 生과 死가 서로 반대인 까닭은 甲木은 생기(生氣)가 되고 乙木은 형질(形質)이 되어 성정(性情)이 서로 다르 기 때문이다. 다른 천간도 같은 논리를 적용하여 이해한다.

양은 모여서 앞으로 나아가는 속성이 있으므로 주로 순행하고, 음은 흩어 져 뒤로 물러나는 속성이 있으므로 주로 역행하게 된다. 명리학의 고전인 심 효첨의 『자평진전』에서는 12운성의 순행과 역행의 이치를 氣(양)와 質(음)의 관점에서 甲木과 乙木을 예로 들어 논하고 있다.

"나무는 亥月이 되면 잎이 지지만 생기는 그 속에 저장되어 있다가 봄이 오면 다시 피어날 준비를 하게 되니, 생기가 亥에서 生하는 이치이다. 나무는 午月이 되면 잎이 무성하게 되는데 어찌해서 甲이 死한다고 하는가? 겉으로는 비록 잎이 무성하지만 그 속의 생기는 이미 밖으로 다 발설되어 기진맥진했기 때문이다. 乙木은 이와 반대 로 午月이 되면 잎이 무성하니, 곧 生하게 된다. 乙木은 亥月에는 잎이 지니 곧 死하

게 된다. 이것은 氣와 質의 서로 다른 성정을 논한 것이다.[29]

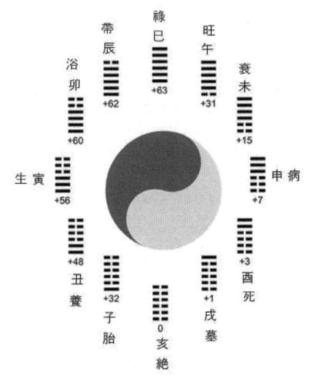

12벽괘도와 12운성, 12지지 / 화(火) 오행 기준

-수리(數理)는 양의 관점에서 2진법으로 측정한 수이다. 음의 관점에서 측정한 수와 양의 관점에서 측정한 수의 대각선을 합하면 제로(0)가 된다. 예를 들면 사(巳☴)의 +63(양의 관점)과 마주한 해(亥☳)의 -63(음의 관점)의 합은 영(0)이다. 즉 순행(양)과 역행(음)의 에너지 합은 영(0)이 된다.

---

[29] 『자평진전』, 「음간과 양간의 생왕사절을 논함」, "夫木當亥月 正枝葉剝落 而內之生氣 已收藏飽足 可以爲來春發洩之氣 此其所以生於亥也 木當午月 正枝葉繁盛之候 而甲何以死 却不知外雖繁盛 而內之生氣發洩已盡 此其所以死於午也 乙木反是 午月枝葉繁盛 卽爲之生 亥月枝葉剝落 卽爲之死 以質而論. 自與氣殊也 以甲乙爲例 餘可知矣"

14. 십이운성의 의미

▷火五行 기준

絶	胎	養	**生**	浴	帶	祿	**旺**	衰	病	死	**墓**
亥	子	丑	**寅**	卯	辰	巳	**午**	未	申	酉	**戌**
10月	11月	12月	1月	2月	3月	4月	5月	6月	7月	8月	9月
冬			春			夏			秋		
胎動期			成長期			成熟期			衰落期		

▷ 12개월 순환도(12벽괘도)에 따른 사계절 12지지와 12운성

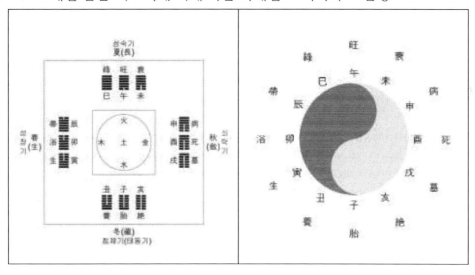

▷괘상으로 보는 12개월 순환도(12벽괘)의 원리

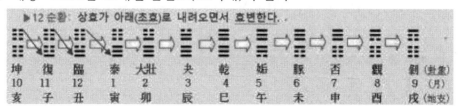

▷12운성과 12벽괘

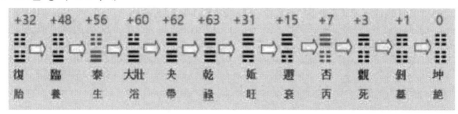

► 수리(數理)는 양의 에너지를 2진법으로 측정한 것이다.

▷12운성의 기세와 생왕묘(生旺墓)

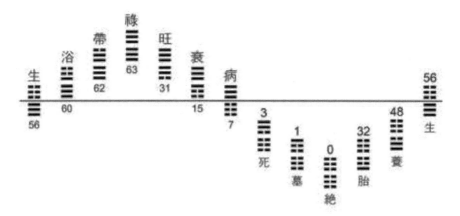

▷ 12벽괘로 이해하는 12운성의 인생항로

-**장생(長生)**: 地天泰(䷊), 양이 땅 위의 세상과 접촉하다(유아기), 천지창조
　　　　　(빅뱅 bigbang)

-**목욕(沐浴)**: 雷天大壯(䷡), 태중에 있던 양이 상괘(세상)로 한 발 내딛다(청
소년기). 양이 세상으로 나와 자아를 인식하다(질풍노도, 천방지축의 시기).

-**대(帶)**: 澤天夬(䷪), 기운과 기세가 충만하다. 과욕으로 무너지기 쉽다(과유
불급의 시기, 청년기).

-**건록(建祿)**: 重天乾(䷀), 천하를 얻다. 기세가 강왕하다(장년기).

-**제왕(帝旺)**: 天風姤(䷫), 능수능란하다. 경륜이 쌓여 원숙하다(제왕, 통치자,
　　　　　관리자). 우두머리로서 조직을 통치하며, 기세보다는 경륜으로 합리
　　　　　적으로 조율하는 시기, 음이 발생하여 양기를 제어함으로써 열매
　　　　　를 맺는 지혜로운 시기

-**쇠(衰)**: 天山遯(䷠), 물러나 고문역할을 하는 시기(상왕, 고문)
　　　　　물러날 때를 놓치면 명예를 잃고 망신을 당할수 있다.

-**병(病)**: 天地否(䷋), 양이 땅속의 세상(음, 지하, 죽음의 기운)과 접촉하다.
　　　　　　병약하다.

-**사(死)**: 風地觀(䷓), 음이 요단강을 건너 상괘(양, 하늘, 죽음)로 한 발 내딛
다. 생(生)이 끝나다.

-**묘(墓)**: 山地剝(䷖), 세상과 단절하다.

-**절(絕)**: 重地坤(䷁), 세상에서 지워지다. 묘의 흔적조차 사라지다. 생기가 삭
　　　　　제되다. 이전의 생을 지우고 다시 새로운 생(生)을 꿈꾸는 절처봉생(絕
　　　　　處逢生)의 시기

-**태(胎)**: 地雷復(䷗), 생명이 태동하다(잉태).

-**양(養)**: 地澤臨(䷒), 보호하고 배려하며 기르는 양생의 시기(태아).

▷ 12운성의 생장성쇠

태동기(胎動期)인 절태양(絶胎養)은 0, +32, +48로 양기가 태동하는 때이다. 양기가 완전히 끊어져 버린 절(絶☷)은 양기가 제로(0)이지만 음극양생의 이치로 생을 머금는 절처봉생(絶處達生)의 자리이기도 하다.

복(復☷)에서 양기가 태동하는데 추운 한겨울 저 아래 밑바닥에서 태동한 양기는 +32가 된다. 모태의 보호와 배려로 +48로 성장하니 생명의 힘은 그 기세가 강력한 것이다. 그러나 태동하는 생기는 기세는 강왕하지만 모태 안에서 보호받고 있고 성장이 빠르기 때문에 보호자가 필요하며, 만일 제대로 양육 받지 못하면 생명은 쉽게 무너질 수도 있다.

성장기(成長期)인 생욕대(生浴帶)가 +56, +60, +62로 양기가 극강으로 치닫는 것은 생기(生氣)가 질풍노도처럼 성장하기 때문이다. 그러므로 급격하게 늘어나는 양기(陽氣)를 조절하지 못하거나 잘못 사용하게 되면 젊어서 패가망신을 겪게 된다. 부모의 역할과 교육이 중요한 시기이다.

왕성기(旺盛期)인 록왕쇠(祿旺衰)는 절정기인 록(+63)에서 왕(+31)으로, 그리고 쇠(+15)로 갑자기 양기가 쇠락하기 시작한다. 왕(旺)에서는 기운이 갑자기 감퇴해도 록의 기세로 인하여 본인은 이를 제대로 느끼지 못한다. 쇠(衰)에서 양기의 급격한 변화를 어떻게 느끼고 처신하는가에 따라 인생 후반기가 좌우될 수 있다. 지나간 영화에 집착하여 그 동안 쌓은 명예를 잃고 치욕을 당하는 수가 있으니 스스로 물러날 때를 알아 준비하는 시기이다.

쇠락기(衰落期)인 병사묘(病死墓)는 +7, +3, +1로 양기가 급격하게 쇠락하여 죽음에 이르는 과정이다. 이는 늙어본 자만이 알 수 있는 것이니 세월은 유수(流水)와도 같다. 노안이 시작되면서 하루가 다르게 기력이 쇠락하는 것은 늙어본 자만이 절감할 수 있다. 일장춘몽(一場春夢)이로다. 물러나 정리하는 때이니 노욕(老慾)으로 인하여 삶을 더럽히는 일을 피하여야 할 것이다. 노망(老妄)일 뿐이다.

14.1 絶(胞)

重地坤

　절(絶)은 괘상으로 곤삼절(坤三絶)인 중지곤(重地坤)이 된다. 모든 양기가 완전히 끊어진 허무(虛無)의 자리로서 양기는 제로(0)가 된다. 절기상으로는 해월(亥月)이며 10월에 해당된다. 묘에 남아있던 양기의 명맥마저 완전히 끊어진 것이니 흔적조차도 사라진 것이다. 형태는 물론 기운마저도 흔적 없이 지워진 공허의 상태로서 스스로는 아무것도 할 수 없는 무력한 시기이다.

　그런데 절(絶)은 또한 포(胞)의 의미가 있으니 절처봉생(絶處逢生)의 뜻이다. 비록 생명의 기운이 완전히 단절되고 정지된 상태(坤三絶)이지만 또한 새로운 생(生)의 뜻을 품는 시기라는 뜻이다. 절(絶)은 현실세계와는 완전히 단절되어 있기 때문에 무력한 때이지만 새로운 시작을 위한 생(生)의 뜻을 품는 자리이기도 하니 생명에 대한 경외감과 묘리(妙理)가 느껴진다.

14.2 胎

地雷復

　태(胎)는 깊은 밑바닥에 양의 기운이 태동(胎動)하는 지뢰복(地雷復)괘의 상으로서 양기(陽氣)는 +32가 된다. 만물이 얼어붙어 모든 것이 정지된 추운 겨울 저 밑바닥에는 오히려 양기가 꿈틀거리며 태동하니, 자궁 속에 태아가 형성되듯이 새로운 생명이 잉태(孕胎)가 되는 시기이다.

　모든 기운이 끊어지고, 음기가 극에 달하는 때에 오히려 양생(陽生)이 시작된다. 음극양생(陰極陽生)의 이치가 적용되는 때이다. 절기상으로는 양기가 응축되어 저장되어 있는 한겨울로서 자월(子月)이며 11월에 해당된다. 모든 것이 얼어붙은 엄동설한 속에서도 저 아래 밑바닥에서는 새로운 기운이 꿈틀거리며 태동(胎動)하니 암울하고 답답한 시절을 벗어나고자 꿈꾸는 시기로서 희망과 계획을 세우는 때이다.

14.3 養

地澤臨

　양(養)은 복(復)에서 양(陽)이 하나 더 자란 상으로 지택림(地澤臨)의 상이 되며, 양기는 +48이다. 아직은 세상 밖으로 나가지 못하고 있는 태아로 어머니의 자궁에서 보호받으며 자라고 있는 모습이다. 보호와 배려가 주어지는 시기로서 새로운 시작, 새로운 탄생을 준비하는 때이다. 절기상으로는 양기가 땅을 박차고 나갈 준비를 하고 있는 축월(丑月)로 12월에 해당된다. 양(養)은 형태상으로는 태중을 벗어나지 못한 상태이므로 적극적으로 활동에 나서지는 못하지만 태아에게 어머니의 배려와 보호가 주어지듯이 주변이나 사회적으로 배려와 준비, 보호와 안정이 주어지는 시기로서 큰 변동이나 전환이 없는 때이다.

14.4 生(長生)

地天泰

생(生)은 세상 밖으로 고개를 내밀어 작용을 시작하는 지천태(地天泰)의 상으로서, 양기는 +56 으로 치솟는다. 삼양삼음(三陽三陰)으로 천지음양이 서로 교통(交通)하고 작용함으로써 만물이 세상에 드러내는 시기이다. 공자는 태(泰)괘의 대상전에서 '천지의 사귐이 태로다(天地交泰)'라고 하였고, 단사에서는 "천지가 서로 사귀어 만물을 생(生)하니 만물이 서로 통(通)한다(天地交而萬物通也)"라고 하였다.

지천태는 陰과 陽이 서로 부딪히는 힘이 극에 달한 상태로 천지창조가 시작되는 빅뱅(一始)의 순간을 표상한다. 태(泰)에서 비로소 음양이 서로 섞이고 작용하며 천태만상(千態萬象)으로 생화(生化)하니 만물이 제각기 형상을 드러낸다(剛柔相推而生變化也/계사전).

삼라만상(森羅萬象) 모든 생명은 음양이 서로 통(通)하고 교제하며, 상생(相生)과 상극(相剋)으로 진화 발전해 나가면서 만왕만래(萬往萬來) 순환한다. 天☰은 乾道로서 생명의 근원이며, 생명지기(生命至氣)로 만물에 생기를 부여하고, 地☷는 坤道로서 생명을 싣는 바탕이 된다. 건(乾)괘의 단사에서는 이것을 "건(乾)이 만물에 양기를 부여하여 생명을 시작하게 하니 만물자시(萬物資始)로다"라 하였고, 곤(坤)괘의 단사에서는 "곤(坤)은 乾

의 양기를 받아 만물을 生하여 形象을 만드니 만물자생(萬物資生)이다"라
고 하였다.

태(泰)는 음양이 서로 작용하여 만물을 생(生)하는 시작을 나타내는 괘로
서, 천지는 서로 사귀어 통하고, 음양은 서로 통하여 작용하니, 태(泰)는 통
(通)하는 뜻이 있다(泰通也).

장생(長生)은 생명이 탄생하는 순간이며, 새로운 시작을 의미한다. 자궁
에서 태문(胎門)을 열고 태아가 나오듯이 새로운 전환, 새로운 시작을 의미
하며, 무(無)에서 유(有)가 열리는 것을 상징한다. 절기상으로는 만물이 피
어나는 봄의 시작인 인월(寅月)로서 그 해를 시작하는 1월이 된다. 장생은
새로운 시작점으로 희망과 의욕이 가득하고, 미래지향적 성향을 가지고 있
다.

14.5 浴(沐浴)

雷天大壯

욕(浴)은 양(陽)이 하괘에서 상괘로 한 발자국 나선 상으로서 뇌천대장
(雷天大壯)의 상이며, 양기(陽氣)는 +60이다. 아이가 세상 밖으로 나와 자
신을 인식하는 시기이다. 자아를 인식하고 자기를 가꾸며, 변신을 꿈꾸는
사춘기에 해당된다. 자아가 형성되는 시기로서 발전 가능성이 무궁무진하
다. 목욕(沐浴)은 '스스로 자신의 몸을 씻다'라는 의미로서 자신을 꾸미고
앞으로 나아가려 하는 질풍노도, 천방지축에 해당하는 청소년 시기로 자유

분방함과 의욕이 충만한 때이다. 아직은 미성숙한 상태로서 세상에 대한 호기심은 가득하지만 정신적으로 미성숙하고 만사에 서툴기 때문에 올바른 교육이 필요하며, 선택에 따라 삶의 향방이 크게 달라질 수 있는 시기이기도 하다. 이성에 대하여 눈을 뜨는 청소년기로 욕구를 절제하지 못한다면 유흥에 빠져 문란해질 수가 있다. 절기상으로는 양기가 충만하고 자유분방한 봄기운이 만연한 묘월(卯月)로서 2월에 해당된다.

14.6 帶(冠帶),

澤天夬

대(帶)는 어린아이 티를 벗고 천하에 진출하기 위한 본격적인 준비를 시작하는 청년기로서, 관대(冠帶)는 '제대로 의복을 갖추어 입다'라는 뜻이니 '독립적이고 인격적이며, 주체적 인간으로서 대우를 받는 시기' 라는 의미가 된다. 괘상으로는 결단(決斷)의 때를 나타내는 택천쾌(澤天夬)에 해당되고, 양기(陽氣)는 +62로 절정에 다다른다. 절기상으로는 봄기운이 막바지에 다다른 진월(卯月)이며 3월에 해당된다. 양기가 팽창하여 만물에 만연해 가는 때로 주체적으로 활동하는 청년기에 해당되고, 사회로 진출하기 위하여 공부하며 취업을 준비하는 시기가 된다. 그러므로 기운은 왕성하지만 아직 스스로의 생존을 책임지기에는 미성숙한 상태라 할 수 있다.

육체적으로는 이미 성년에 이른 때이므로 세상에 대한 꿈과 야망으로 가득하고 출세에 대한 의욕이 강하다. 청년기는 혈기왕성하고 스스로 주체적으로 선택과 결정을 할 수 있는 결단의 시기이므로 잘못된 선택이나 과욕으로 인하여 좌절을 경험할 수도 있는 과유불급(過猶不及)의 시기이기도 하다.

14.7 祿(建祿)

重天乾

　록(祿)은 청년이 준비를 끝내고 사회에 진출하여 자신의 기세와 역량을 마음껏 발휘하는 주체적인 시기로 중천건(重天乾)괘에 해당되며, 양기(陽氣)는 최고의 절정인 +63에 이른다. 건록(建祿)이란 사회에 진출하여 스스로 수입을 창출하고 자신의 삶을 주체적으로 영위하는 시기로서 벼슬길에 올라 국가의 록(祿)을 받는다는 임관(臨冠)의 뜻이 되며, 하나의 개체로서 독립적이고 진취적이며, 자신의 이상을 적극적으로 실현하여 세상에서 뜻을 이루고자 한다.

　독자적인 삶을 구축하는 시기로서 스스로 일하고 돈을 벌며, 가정을 꾸리고 독립한다. 자수성가의 시기로 어떤 난관이라도 능히 뚫고 나갈 수 있는 기세가 있다. 가장 강왕(康旺)하고 진취적인 시기로서 기세와 역량을 갖춘 상태이며, 양기는 최고의 절정인 +63으로서, 양효로만 구성된 건(乾)괘가 된다. 절기는 꽃이 본격적으로 흐드러지게 만발하는 사월(巳月)이며 여름의 시작인 4월에 해당된다.

14.8 旺(帝旺)

天風姤

　왕(旺)은 건록(建祿)의 왕성함을 지나 원숙하고 노련한 장년기로서 음이 하나 생겨나는 천풍구(天風姤)괘에 해당하며, 양기는 에너지가 +31로 갑자기 줄어드는 시기가 된다. 건록의 기세로 인하여 기운이 감퇴하는 것을 인지하지 못한다. 제왕은 진취적으로 어려운 난관도 뚫고 나아가는 건록의 기세가 그 동안 쌓은 경륜을 통해 사람을 거느리고 통치하는 시기이다. 록에 비해 기세는 약하지만 그 동안 쌓은 경륜으로 일의 처리가 합리적이고 능숙하며, 인생의 원숙한 절정기가 된다. 노련함으로 모든 일을 합리적으로 조율하며, 사회적인 위치에 대한 욕구, 조직과 권력에 대한 욕망으로 활동하는 시기이다. 인생 최고의 절정기로 원숙하고 능수능란하게 최고 관리자로서 조직을 거느리고 통치하는 시기이고, 직장에서 조직의 우두머리로 활동하는 때이며, 기세와 역량이 일생에서 가장 당당하고 노련하다. 그러나 세상의 이치란 가장 절정기에 있을 때 오히려 반대의 기운이 싹튼다. 양기가 최고인 건록(+63)을 지나면서 인생의 쓴맛 단맛을 경험하며 경륜을 쌓은 제왕(+31)은 양극음생(兩極陰生)이라는 만물의 이치가 적용되는 시점이기도 하다. 음기가 생하여 양기를 제어하기 시작함으로써 열매(결과)를 맺는 지혜로운 시기인 것이다.

　외적으로는 최고 절정의 때이지만 내부적으로는 쇠락의 기운이 싹튼다. 둥근 보름달은 생의 가장 밝은 빛을 발하지만 곧 이지러질 것이라는 것을 암시한다. 제왕은 음쇠(陰衰)를 인지하지 못하고 있는 상태이지만 현명한

자는 물극필반(物極必反)의 이치를 알아 내려갈 때를 준비하는 자리이기도 하다. 절기상으로는 오월(午月)로서 뜨거운 양기가 절정을 이루는 여름의 한가운데인 5월에 해당된다.

14.9 衰

天山遯

　쇠(衰)는 천하에서 한발 물러나 은둔하고 있는 상으로 천산돈(天山遯) 괘에 해당되며, 양기는 +15이다. 하늘 아래 산은 비록 하늘에서 멀리 물러나 있지만 땅에 우뚝 서서 쉽게 움직이지 않는다. 비록 기운이 쇠해져 감을 비로소 절감하고 느끼는 시기이지만 아직은 제왕의 유연함과 노련미는 살아있다. 인생의 절정에서 한발 물러나지만 경륜자로서 조언을 할 수 있는 어른의 위치가 된다. 최상의 자리에서 한발 물러나 있어 진취적인 기상과 열정은 줄어들었지만 원숙한 경륜과 지혜가 쌓여 사회조직이나 단체의 고문의 위치에서 조언과 격려를 해주는 시기이다.

　쇠(衰)는 음을 인식하는 시기로서 비로소 쇠락해짐을 스스로 절감하는 때이다. 기력은 쇠락하기 시작하고, 열정은 식어 활동력은 무디어진다. 열정은 식어가지만 유연함과 노련미는 여전히 살아있는 시기이며, 절기상으로는 뜨거운 양기가 기승을 부리는 여름의 막바지인 미월(未月)로서 6월에 해당된다.

　미토(未土)는 뜨거운 여름의 극성한 양기를 받아드려 안정시키고 숙성시키는 역할을 한다. 떨어진 열매를 숙성시켜 삭힘으로써 알갱이와 쭉정이를 가려내어 가을의 금기(金氣)에 의해 제대로 수렴되도록 하여 금화교역(金火交易)이 원활하게 이루어지도록 중재한다. 여름의 화기(火氣)와 가을의 금기(金氣)가 충돌하는 금화상쟁(金火相爭)을 중재하는 시기인 未土는 산전수전(山戰水戰)을 다 겪어 경륜이 쌓인 쇠(衰)의 역할과 일치한다(火生土 土生金). 하늘☰ 아래 우뚝 서있는 艮山☶에서 그 동안 쌓은 경륜과 연륜이 느껴진다.

14.10 病

天地否

　병(病)은 하늘과 땅이 서로 등을 돌리고 멀어져가는 천지비(天地否)괘가 되며, 양기는 +7에 불과하다. 천지가 교통하고 작용하기에는 양기가 너무 부족하다. 괘사에서는 이를 "하늘(양)과 땅(음)이 서로 사귀지 않으니 비(否)로다(天地不交否)"라고 하였다. 공자가 단사에서 "天地不交而萬物不通也"라고 하여 "천지가 사귀지 않으니 만물이 통하지 않는다"라고 비(否)괘를 풀이하고 있듯이, 천지가 막히고 음양이 작용하지 않으면 만물에 생기가 돌지 않는다. 생기(生氣)가 돌지 않으면 몸은 탈이 나고 병이 들게 되면서 무력해지며, 기세와 역량은 급격히 쇠락한다. 지천태(泰)는 "천지교태(天地交泰)"라 하여 음양이 서로 만나 작용하는 '장생(長生)'을 상징하였고, 천지비(否)는 "천지부교비(天地不交否)"라 하여 음양이 서로 등을 돌림으로써 작용을 하지않으니 생기가 돌지 않아 병이 드는 '병(病)'으로 표징하였다. 나무에서 양기를 공급받지 못하는 열매의 꼭지가 떨어지는 것이다.

병(病)은 쇠약하고 나약해지는 시기로서 활력은 떨어지고 의욕은 상실되어 완전히 쇠락의 길로 접어들게 되는 시기이다. 사회적인 명성이나 위치, 쌓아 놓은 소유물들이 무너지며 삶에 대한 회의가 시작된다. 어쩔 수 없이 삶의 현장에서 은퇴하여 은거하는 시기로 접어드는 것이다. 사실상 죽음이라는 것을 마주하는 시기이다.

열정은 식어가고 서정주 시인의 '국화 옆에서'의 '거울 앞에서 누이처럼' 과거의 왕성했던 절정기를 되씹으며 삶의 비애와 회의감을 느끼는 시기로서, 절기는 확산 분열하는 양기를 수렴하는 가을의 초입인 신월(申月)로 7월에 해당된다.

14.11 死

사(死)는 음효가 하괘의 땅을 지나 요단강을 건너 상괘 하늘로 들어서는 상으로서 풍지관(風地觀)괘가 되며, 양기는 +3으로 사실상 음양이 상호작용을 멈춘 상태이다. 모든 것을 포기하고 멀리서 떨어져서 관조(觀照)하는 상이다.

생(生)이 끝난 것을 의미한다. 열매가 땅에 떨어진 것이다. 움직임이 없으며 사회활동은 완전히 정지되고, 인간관계나 과거의 일은 단절되거나 정리되는 시기로서 정신세계로 접어드는 때이다. 절기는 양기가 완전히 수렴된 가을로서 유월(酉月)이며, 8월에 해당된다.

14.12　墓(庫)

山地剝

　묘(墓)는 수렴된 만물이 창고에 저장되듯이 사람이 죽어 무덤에 들어가는 때를 표징 한다. 괘상으로는 마지막 양을 하나 남기고 있는 산지박(山地剝)이 되며, 양기는 +1만이 남아 간신히 명맥을 유지하고 있는 모습이다. 비록 죽어서 묘에 묻혔지만 양기의 흔적은 남아있으니 석과불식(碩果不食)의 상이다. 묘(墓)는 현생을 마무리 짓는 단계로서 죽은 자의 행적과 공과가 정리되어 저장된 것으로서 다음 생을 위한 씨앗이 된다.

　묘(墓)에는 여전히 죽은 자의 기운이 남아있으니 살아있는 후손이 죽은 조상에게 제사를 지내는 이유이기도 하다. 박(剝)괘는 거대한 음으로 이루어진 산의 모습으로 무덤을 상징하며, 단절, 이별, 피안(彼岸), 평안, 안식, 종교, 정신 등을 의미한다. 마지막 남은 양기는 절(絶)에서 완전히 끊어지고 다시 생(生)의 뜻을 품게 된다(絶處逢生절처봉생). 절기는 양기(陽氣)가 사실상 작용을 멈춘 늦가을로 술월(戌月)이며, 9월에 해당된다.

☞묘고(墓庫)의 심층이해

육신(肉身)을 가지고서는 영신(靈身)의 세계에 들어갈 수가 없다. 예를 들어 丑土가 묘고(墓庫)에 辛金을 저장하여 가두어 두지 않으면 금극목(金克木)이 일어나 겨울에서 봄으로의 이동이 자연스럽게 일어나지 않는다.

묘고는 육신(肉身)이 기화(氣化)함으로써 영신(靈身)의 영역으로 들어가는 관문이다. 묘고는 철학, 사색, 종교, 영적, 입문수도, 정리 등의 의미를 함축하고 있다. 육신은 묘(墓)에서 영신으로 탈바꿈하며, 절(絶)에서는 영(靈)과 육(肉)의 기운이 완전히 끊어지고 새로운 생명의 태동을 꿈꾸는 절처봉생(絶處逢生)의 뜻을 이루게 된다.

진술축미는 사계절이 다음 계절로 변화해가는 과정의 영역인 간절기(間節氣)에 해당된다. 그러므로 겨울에서 봄으로 이어지는 과정인 축토, 봄에서 여름으로 이어지는 과정인 진토, 여름에서 가을로 이어지는 과정인 미토, 가을에서 겨울로 이어지는 과정인 술토는 동일한 묘고의 개념을 가지고 있지만 그 의미는 서로 차이가 있다.

축토(丑)는 辛金의 고(庫)이고, 진토(辰)는 癸水의 庫이며, 미토(未)는 乙木의 庫가 되고, 술토(戌)는 丁火의 庫가 된다. 축토(癸辛己)는 생명(辛)을 품고 있는 것이고, 진토(乙癸戊)는 생명의 생육을 위한 물(癸)을 품고 있는 것이며, 미토(丁乙己)는 생육의 결과물인 열매(乙)를 품고 있는 것이고, 술토(辛丁戊)는 열매가 맺은 생기(生氣)를 제련하고 정화하는 불(丁)을 품은 것이다.

15. 십신(十神)

15.1. 십신의 의미

    십신은 음양오행의 작용을 통해 만들어내는 자연의 변화를 인간의 삶에 적용하여 시간의 흐름에 따라 변화하는 자연에 순응하여 생로병사하는 인간의 삶을 분석, 이해하고자 하는 원리이다. 오행은 우주적 기운을 의미하고, 십신은 오행이 생극작용을 통해 인사(人事)에 간섭하는 원리가 된다.

    일간은 사주의 주인으로서 다른 천간과 오행생극 작용으로 십신이라는 관계성을 만들어낸다. 일간은 지지의 기운과도 작용을 통하여 십신을 만들어내지만 지지는 실제적인 오행이 아니라 계절적 기운이 만들어내는 조후이므로 십신의 작용성이 된다. 즉 일간(나)이 을(乙)이라면 월간 병화는 오행 상관(傷官)이 되지만, 월지 오화는 식신으로 활동하는 기운이 되는 것이다. 일간은 현상의 세계에서 계절의 조후인 월지오화의 식신격 활동으로 본질의 세계인 월간병화 상관의 발화를 돕는다.

    천간이 일간과의 오행생극으로 만들어내는 인사적 관계성을 십신이라 한다. 일간이 지지의 조후와 작용하여 만들어내는 인사적 관계성을 십신적 활동이라 한다. 왜냐하면 십신은 일간이 천간오행과의 생극작용을 통해 발생되는 것이기 때문이다. 지지는 오행이 아니라 계절적 기운인 조후가 발생시키는 오행적 기운이기 때문에 십신이 아니라 십신적 기운이 되는 것이다. 천간오행인 생기가 만들어내는 십신은 본질적이지만, 지지의 계절적 기운인 조후가 만들어내는 지지오행의 십신 활동은 현실적이고 현상적으로서 천간십신과 구별하여 지지십신이라 한다. 그래서 현실에 실제적으로 드러나는 십신의 기운은 추상적이고 본질적인 천간십신의 작용을 도와 현실에 발화되도록 돕는 역할을 한다. 지지의 조후 작용에 따라 천간의 기세가 달라지는 것이다.

오행이 음양의 작용을 통해 천간을 세우고, 생극제화로써 십신이라는 개념을 만든다. 십신론(十神論)은 오행의 생극제화를 구조적으로 분석한다. 천간은 추상적이고 철학적이며 형이상적이다. 이에 반해 십신은 구체적이고 인문학적이며 형이하학적으로 구체적인 인사(人事) 문제를 다룬다.

5(오행) * 2(음양) = 10天 = 10干 = 10神

십신(十神)은 음양오행이라는 추상적이고 형이상학적 개념을 통하여 구체적이고 현실적인 형이하학적 개념을 이끌어낸 것으로서 인사적 상호관계성을 통해 길흉을 판단하는 원리로 사용된다.

천기(天氣)인 천간이 지기(地氣)인 지지 속에 지장간으로 들어와 지지의 성격을 정해준다. 즉, 지지(地支)는 구체적 개념의 자연현상(춘하추동)과의 관계를 통해 일어나는 인사적 개념을 표현한다. 만물은 춘하추동 시간의 변화에 따라 생로병사(生老病死), 생왕사절(生旺死絶), 생장수장(生長收藏)의 과정을 밟아간다. 지지(地支)는 12개월의 시간의 변화를 표현하며, 춘하추동 사계를 통해 12운성이라는 생장수장의 원리에 따른 생왕사절의 순환시간표를 만든다.

인간은 누구나 타고난 명국(命局)이라는 탑승권을 가지고 '인생 운행항로'라는 12운성의 강을 따라 흘러가는 배에 올라타 12단계의 변화의 과정을 밟아간다. 십신(十神)이 12운성이라는 인생의 배를 올라타 시간 여행을 하면서 구체적인 삶의 파노라마를 펼쳐내는 것이다.

오행(五行)과 십신(十神)은 체용(體用)의 관계로서 이해한다. 오행이 형이상이면 십신은 형이하, 오행이 추상적이라면 십신은 구체적이다.

오행은 음양이 목화토금수 단계별로 펼쳐지는 양상에 초점을 둔다면, 십신은 오행의 생극제화라는 관점에서 인성, 비겁, 식상, 재성, 관성이라는 구체적이며 기능적인 면에 초점을 둔다.

갑을병정무기경신(甲乙丙丁戊己庚辛)은 십간으로서 지구역인 후천문왕8괘도에 대입하여 그 성격을 정한다. 문왕8괘도는 陰陽이 四象을 내고, 五土가 四象과 작용하여 펼쳐내는 만물을 상징하며, 지구의 24시 춘하추동 사계의 순환과 생장수장(生長收藏)의 이치를 드러낸다.

15.2 오행의 생극제화를 통한 십신작용

　오행이 음양과 더불어 생극제화(生剋制化)를 통해 삼라만상을 펼쳐내듯이 인생의 다양한 스펙트럼(spectrum)을 그려낸다. 음양오행을 이해할 때 단순히 生하고 剋하는 규칙에 얽매일 것이 아니라, 오행의 발달, 과다, 부족, 부재에 따라서 보태고 더하고 상호 보완하며 조화를 찾아가는 인문학적 개념을 이해할 수 있어야 한다. 생조(生助)한다고 해서 좋고, 생극(生剋)한다고 해서 무조건 규칙에 따라 나쁘게 보는 것은 단편적인 시각이다. 생극제화(生剋制化)를 통해 오행이 돌지 않으면 만물이 순환하지 않으니(나오지 않으니) 생명은 죽은 것이나 다름없기 때문이다.

　오행생극은 그 자체가 길흉을 의미하지 않는다. 오행의 생극제화 작용은 생장수장의 이치로 만물을 끝없이 萬往萬來 순환시키는 원리이기 때문이다. 오행의 생극작용이 없으면 만물은 나오지 못한다. 그러므로 길흉득실을 판단하는 기준으로 단순히 오행생극을 사용해서는 안된다. 오행생극이라는 만물의 생성원리를 인사적 개념으로 이끌어낸 것이 십신(十神)이다. 만물은 음양오행의 생극제화를 통해 생로병사를 순환하면서 십신이라는 인사적 개념을 통해 길흉득실을 드러낸다.

　오행이란 일진일퇴하는 음양작용의 다섯 가지 유형이다. 음양의 작용을 다섯 가지의 유형으로 분류한 것이 오행이다. 즉, 목화토금수 오행은 음양운동의 각 단계의 유형을 다섯 가지로 구분하여 표현해 놓은 범주가 된다. 그리고 오행이 음양운동으로 분화되어 드러난 것을 인문학적 개념으로 분류한 것이 십신이다. 십신은 추상적인 오행생극 작용이 인간의 구체적인 삶의 유형으로 분류되어 인사적 길흉판단의 개념으로 정리된 것이다. 음양작용을 통해 다섯 가지 유형의 기운으로 뭉치면서 상(象)을 이루니 오행이 되고, 추상적인 오행이 음양작용을 통해 구체적인 길흉의 판단 개념으로 형(形)을 이끌어 내니 바로 십신의 개념이 된다. 십신 작용을 통해 음양오행이라는 추상적인 우주적 작용을 인간의 삶 속으로 가져와 피흉추길을 위한 텍스트로 활용하는 것이다.

오행과 십신은 체용의 관계로 이해한다. 오행이 형이상(形而上)이면 십신은 형이하(形而下), 오행이 추상적이라면 십신은 구체적이다. 오행은 음양이 목화토금수 단계별로 펼쳐지는 양상에 초점을 둔다면, 십신은 五土가 음양의 작용으로 목화금수 사상을 돌리며 펼쳐내는 인성, 비겁, 식상, 재성, 관성이라는 구체적이고 기능적인 면에 초점을 둔다. 즉, 십신은 오행의 생극제화라는 관점에서 기능적인 면에 초점을 두는 개념이다

15.2.1 오행생극(生剋)의 원리

천간: 내적작용(天氣), 생기(生氣)

지지: 외적작용(地氣), 형기(形氣)

일간 乙木이 사주명국의 주인으로서 주체가 되고, 년간 壬水, 월간 丙火, 시간 丁火는 객체가 되어 생극의 대상이 된다. 지지 인오미해(寅午未亥)는 사계절 12개월이 되어 계절에 따른 오행기운을 발화시키는 계절적 환경으로서 천간이 찾아 드는 집이다.

우주에 가득한 생기(象) 천간오행이 지상을 유행하며 지지가 만들어내는 사시(四時)의 기운인 조후와 작용하여 만물의 형질(形)을 이룬다. 상(象)은 근간이 되고 형(形)은 바탕이 되는 것이다.

生我者(오행으로 나를 생하는 자): 인성(정인, 편인)

我生者(오행으로 내가 생하는 자): 식상(상관, 식신)

克我者(오행으로 나를 극하는 자): 관성(정관, 편관)

我克者(오행으로 나를 극하는 자): 재성(정재, 편재)

比我者(오행이 나와 같은 자): 비겁(겁재, 비견)

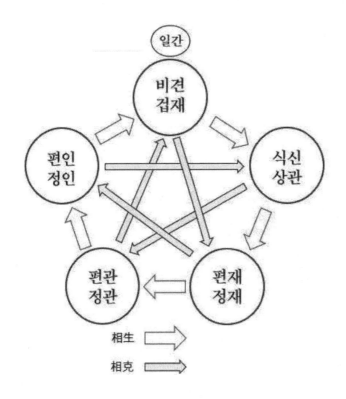

　木이 火를 생하고, 土가 金을 생하고, 金이 水를 생하고, 水가 木을 생한
다. 오행이 상생으로 순환하면서 木이 土를 극하고, 木이 金에게 극을 받으
니 오행이 생(生)하고 극(克)하면서 만물은 생장하고, 멈추며 열매를 맺고,
또 저장하며 생장수장의 이치로써 12운성을 따라 끝없이 순환을 거듭한다.

15.2.2 십신의 오행생극

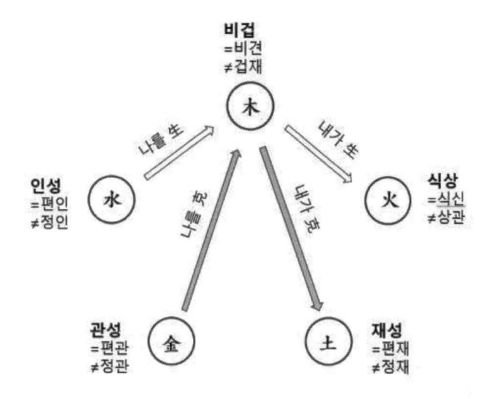

木生火	化 (生化)	生泄 (자발성)	식상
木克土	克 (克制)	克泄 (능동성)	재성
金克木	制 (規制)	克泄 (피동성)	관성
水生木	生 (生助)	生助 (수혜성)	인성

  목화토금수 오행이 생극(生剋)으로 순환하면서 내부에서는 생극제화의 작용으로 온갖 삶의 유형인 십신을 만들어낸다.

오행은 사주명국의 주인인 나를 중심으로 생극제화(生剋制化) 작용을 통하여 生(인성, 수혜성), 克(재성, 능동성), 制(관성, 수동성), 化(식상, 자발성), 또는 비겁(동류同類)를 발생시켜 인사적인 문제를 판단한다.

<일간(나) 중심의 사회적 관계성>

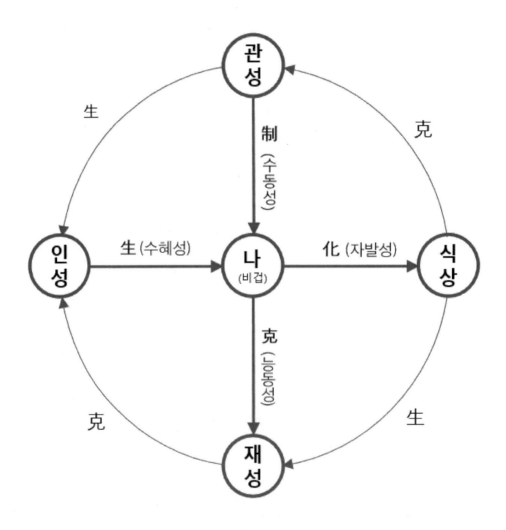

►나를 생조하는 생(生), 내가 생하는 화(化), 나를 억제하는 제(制), 내가

극제하는 극(克)이 있다. 즉, 生에 생조(生助)와 생화(生化)가 있고, 克에는 제(制)와 극(克)가 있다.

인성은 내가 생조받는 것을 의미하고, 식상은 내가 자발적으로 생화하는 것을 의미한다. 관성은 내가 피동적으로 규제(억제) 받음을 의미하고, 재성은 내가 능동적으로 대상을 극제함을 의미한다.

나는 생조(生助)를 받음으로써 기세를 얻고, 생화(生化)함으로써 기세가 생설(生洩)이 된다. 능동적으로 극제(克制)한다고 함은 적극적으로 제어하고 쟁취하는 것을 의미하고, 피동적으로 규제받는다 함은 정해진 룰(RULE) 안에 있음을 의미한다.

16.3 천간오행의 십신도출

십신		내용
비겁	비견	일간과 같은 오행이면서 음양이 같은 경우
	겁재	일간과 같은 오행이면서 음양이 다른 경우
식상	식식	일간이 생화하는 같은 오행이면서 음양이 같은 경우
	상관	일간이 생화하는 같은 오행이면서 음양이 다른 경우
재성	편재	일간이 극제하는 같은 오행이면서 음양이 같은 경우
	정재	일간이 극제하는 같은 오행이면서 음양이 다른 경우
관성	편관	일간을 규제하는 같은 오행이면서 음양이 같은 경우
	정관	일간을 규제하는 같은 오행이면서 음양이 다른 경우
인성	편인	일간이 생조하는 같은 오행이면서 음양이 같은 경우
	정인	일간이 생조하는 같은 오행이면서 음양이 다른 경우

▷ 일간(나)과 월간의 오행생극의 예

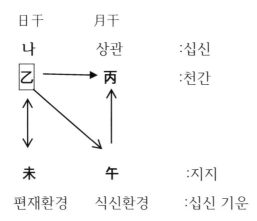

日干	月干	
나	상관	:십신
乙 →	丙	:천간
未	午	:지지
편재환경	식신환경	:십신 기운

丁乙己	丙己丁	:지장간
양	장생	:12운성(일간과 월지)
(양)	(제왕)	:12운성(월간과 월지)

(1) 일주 을미는 12운성이 양으로 기세가 약하다. 그러나 암장된 천간을 이 일간에 투출되었으니 을의 품은 뜻과 기세가 강하다.

(2) 월주는 암장되어 있는 병이 투출하여 천간이 되었으니 상관의 뜻과 기세가 강하다.

(3) 월주 병오는 12운성이 제왕(양인)으로 타고난 기세가 강왕하다.

(4) 사주명국의 주인인 을(나)은 제왕의 시절에 태어나 그 기운이 신강하다. 일간(나)이 월지와의 작용은 목생화로서 식신의 기운이 조성되어 있고, 장생(+56)으로 생기(生氣)는 활발하다. 항상 새로움을 추구하는 기운이 왕성하고 몰입도가 뛰어나다. 그러나 기운을 다스리기에는 아직 경험이 부족한 장생이므로 제왕의 기세를 제대로 활용하여 상관의 뜻을 펼치기에는 능수능란하지 못하다.

(5) 일간이 식신의 기운이 조성된 월지의 환경을 활용하여 상관(월간)의 뜻을 실현시킨다.

(6) 천간은 하늘의 오행으로 체(體)가 되고, 지지는 땅의 오행기운으로 계절이 사시를 순환하며 발현시키는 기운으로 용(用)이 된다.

(7) 식신의 기운을 사용하여 상관의 뜻을 실현시키기에는 장생으로서 그 기운의 활용이 서툴다.

(8) 그러나 일간은 지장간 을목이 투출한 것으로서 일을 완성시키고자 하는 뜻이 매우 강하다. 그러므로 월지와의 작용이 서툴더라도 완성하려는 일간의 기세가 강하니 월지의 부족함을 가리고도 남는다.

16.4 십신의 이해

▶오행의 생극(生剋)에 따른 십신(十神)

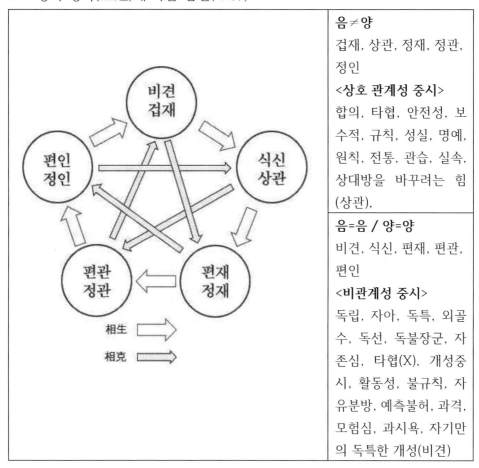

	음≠양
	겁재, 상관, 정재, 정관, 정인
	<상호 관계성 중시>
	합의, 타협, 안전성, 보수적, 규칙, 성실, 명예, 원칙, 전통, 관습, 실속, 상대방을 바꾸려는 힘(상관),
	음=음 / 양=양
	비견, 식신, 편재, 편관, 편인
	<비관계성 중시>
	독립, 자아, 독특, 외골수, 독선, 독불장군, 자존심, 타협(X), 개성중시, 활동성, 불규칙, 자유분방, 예측불허, 과격, 모험심, 과시욕, 자기만의 독특한 개성(비견)

비겁은 조직과 추진력을 나타내고, 식상은 활동성(창의와 표현), 재성은 현장에서 뛰는 목적성(실천과 관리), 관성은 맡은 바 책임을 다하고 지키는 수성(守城)능력(수행과 규범준수), 인성은 궁극적 가치추구(계획과 설계)을 나타낸다.

주체성	독립성 주관성	비견	독립, 주체, 자아, 주관성, 독선, 개성중시, 고집, 소신, 추진, 자존감, 독립적 활동, 비타협, 자유분방, 예측불허, 독특한 개성(행위, 복장), 외곬, 독불장군
	경쟁성 모험성	겁재	경쟁, 진취, 모험, 적극, 타협, 교류, 동업, 리더십, 폭력성, 승부근성, 쟁취, 질투, 분리, 파재(破財), 과격
활동성 自救口實	연구성 활동성	식신	연구, 창조, 전문, 순수, 예술성, 탐구심, 낙천성, 풍요, 생산적 활동, 육체적 활동
	표현성 비판성	상관	혁신, 비판적 사고, 진보, 응용, 모방, 재치, 순발력, 감정동화, 사교성, 언변, 자만, 호기심, 다재다능, 혁신적 사고, 비판적, 표현력
소유성 (성취욕)	과감성 역마성	편재	통제, 모험, 과감, 과욕, 횡재, 투기, 유통, 활동적, 판단력, 처세, 사교성, 유흥
	안정성 현실성	정재	치밀, 정확, 계산, 내실, 안정, 저축, 실리, 근면, 성실, 관리, 경제관념, 신용, 절약
조직성 (울타리)	통제성	편관	극기, 강제, 통제, 개혁, 투쟁, 월권, 봉사, 희생, 의협심, 인내, 권력, 권위, 카리스마, 도전, 보스,
	합리성	정관	합리, 원칙, 정직, 예의, 공익, 명예, 안정, 준법, 도덕, 보수적, 질서, 인격, 고지식, 관료적,
학문성 (生助性)	신비성 직관력	편인	신비, 영감, 직관, 고독, 편협, 공상, 종교, 철학, 의학, 역발상, 재치, 꾀, 임기응변, 기회 포착, 순발력, 특수교육, 특이한 사고, 장인(匠人), 예민, 망상, 의심, 이중성, 정신적 장애, 대인 기피증, 용두사미, 신비주의, 거친 양육
	교육성 모성	정인	자애, 관대, 인정, 모성애, 학문, 문서, 공인자격증, 심리, 교육, 양생(養生), 계획과 설계, 교양, 보수적, 종교심, 완만, 긍정, 수용력, 안정, 전통, 인내심, 원리원칙, 비활동성

16.4.1 비겁(比劫)의 작용

비겁(比劫)작용은 일간과 동류(同類)로서 주체적이고 주관적이며 독립적인 성질을 의미한다. 재를 극하고 일간을 지지하며, 형제, 자매, 친구, 동료, 동업자, 또 다른 자아를 상징한다

(1) 비견(比肩)

▷**독립, 주체, 고집**

비견은 자기만의 독특한 색깔을 가진 성격으로 주체적이고 주관적인 성향을 가졌다. 자기만의 개성을 중시하며 독립적인 성향을 지녔다. 자기 중심적이고 자존감이 강하며 타인의 간섭을 싫어한다. 타인과의 경쟁심보다는 자신의 주관이 뚜렷하여 자신만의 개성으로 주체적이고 자발적으로 일을 수행한다. 독자적인 취향이나 자기만의 색깔과 기질로 인하여 타인과의 조화를 우선하는 조직생활에는 부적합한 면이 있다. 자존심이 강하고 지기 싫어하며, 주체성, 독립성, 자기애, 자기주장, 고집이 강하고 외곬 성향으로서 타인의 지배하에 있기를 꺼리니 독립자영업이나 전문직, 자유직에 어울리는 성정을 지녔다. 동업에는 어울리지 않고 비타협적이며, 유아독존, 독불장군의 성정을 지녔다.

(2) 겁재(劫財)

▷**경쟁 교만 파재(破財) 분리**

겁재는 비견과 마찬가지로 주체적이고 주관적인 성정을 지녔다. 비견은 자기만의 독특한 기질과 색깔을 보이지만, 겁재는 타인과의 조화를 중시하여 상대방을 존중하고 거래를 목적으로 하는 사교생활을 즐긴다. 승부욕이 있어 목적을 이루려는 경쟁심이 있고, 재물취득이나 사업적 목적, 또는 목표를 이루기 위하여 동류(同類)들과 교류하고 모임을 중시하며 적극적인 활동을 한다.

융통성과 유연성으로 동류와의 교류를 통하여 사업적 목적을 추구한다. 재물을 취득하고 목적을 이루려는 승부욕이 강하므로 사업에서 크게 능력을 발휘할 수 있다.

육친으로는 동류인 경쟁자, 거래업체 등을 뜻한다. 사업적 성취나 재물취득의 성정이 강하여 때로는 타인의 재물에 강제성과 폭력성을 드러낼 수 있다. 비견과 비슷하나 리더십과 결단성이 뛰어나고 경쟁심이 강하며, 남에게 지기 싫어하고 승부 기질이 강하다. 역시 남의 밑에 있기를 꺼리므로 독립사업체를 운영하거나 전문직, 자유직에 어울린다. 타협적, 협력적, 경쟁, 교류, 서로서로 고리를 이루어 존재하는 환존(環存)의 아이콘을 지녔다.

16.4.2 식상(食傷)의 작용

식상으로 내가 자발적으로 생(生)하는 것으로서, 사주의 주인인 일간이 스스로 삶을 영위하기 위한 정신적이고 육체적인 자발적 활동성을 의미한다. 정신적 물질적 수단을 창출하는 것이므로 활동적이고 창조적인 성정을 가지고 있다.

(1) 식신(食神)
▷ **육체적 활동성, 풍요, 연구, 순수, 생산, 낙천, 재테크**

식신은 사주의 주인인 일간이 생명을 보존하기 위하여 의식주에 필요한 자원을 생산하는 모든 수단과 활동을 의미한다. 유형의 물질을 얻기 위한 활동이 주가 되므로 육체적인 활동이 된다. 식신은 일간인 내가 능동적이고 자발적으로 목적물을 생화(生化)하는 것이므로 자신의 기운이 생설(生泄)되는 순수한 자기 행위로서 타인을 의식하지 않고 자신이 좋아하는 일에 집중한다. 그러므로 일에 있어서는 한 우물을 파며 자신의 기운을 쏟아 붓는 성향이 강하다. 모든 분야에서 정열적으로 참여하며 창조적인 능력을 발휘한다.

자기만의 개성을 추구하는 성격이다. 한 가지 일에 몰두하여 전문지식을 소유하며 연구, 문학, 학문에 소질이 있고 의식주를 나타낸다. 심성이 넓고 후덕하며 베풀기를 좋아하고, 매사에 서두르지 않아서 낙천적이며 연구심이 강하고 표현력이 뛰어나다. 일간을 공격하는 칠살을 극제하여 나를 보호한다

(2) 상관(傷官)

▷**정신적 활동성, 재치, 응용, 언변, 예능, 호기심, 재테크**

상관은 사주의 주인인 일간이 생명을 영위하기 위한 행위로서 무형의 정신적인 활동을 의미한다. 상관은 정관을 극하므로 기존의 틀을 그대로 수용하기보다는 부정하고 깨려는 성정, 상대방을 변혁시키려는 개혁적인 성향이 강하다. 기존관념이나 전통, 질서를 무조건 수용하는 것을 거부하며 기존의 울타리를 확장하려는 성향이 강하다. 비판적이고 개혁적이며, 자율적이고 진보적인 성향을 가진다. 언어표현 능력이 우수하고 기획력이 뛰어나므로 언어, 교육, 언론, 방송, 홍보, 변론, 정치 등에서 발군의 능력을 발휘한다.

사회적 개성을 추구, 개인의 사회화, 사회적 개념(음양의 사회적 조화를 추구), 기존질서에 도전, 고정된 기존질서를 흔들어 새로운 음양의 조화 질서를 추구한다(정관을 극한다).

순발력과 재치가 뛰어나고 폭넓은 분야에 다양한 관심과 지식을 가지고 총명하고 영리하며 다재 다능하다. 전통사회에서는 정관을 파극하므로 좋지 않은 것으로 인식하였지만 현대사회에서는 기존의 틀(울타리), 기존의 질서를 확장시키는 개척자적 성향의 상관이 오히려 좋은 성분으로 인식된다. 즉 남녀의 역할이 점차 구분되지 않는 현시대에는 상관을 가진 여성이 남편으로 상징되는 울타리(관성)를 넓혀주는 적극적 활동성으로 이해될 수 있다.

16.4.3 재성(財星)의 작용

재성은 내가 능동적으로 대상을 극(克)하는 것으로서, 삶의 주체인 내가 자발적이고 능동적으로 대상을 제어하며, 적극적으로 재화나 물질을 취득하여 소유하려는 모든 사회적인 행위를 말한다. 일간이 추구하는 형이하학적 의미의 목적성을 의미한다. 재생관(財生官)으로 재의 획득를 통해 울타리(관성)를 세운다.

(1) 편재(偏財)
▷**투기, 유통, 역마, 과감, 활동성, 사교성, 유흥**

편재는 재물에 대한 욕구가 무엇보다도 강하다. 그러므로 안정적인 공직이나 봉급을 받는 직장생활보다는 일하고 투자 이상의 수입이 가능한 투자 수입을 선호한다. 과감한 투기적 모험을 추구하는 경향이 있고, 기회를 포착하고 종합적으로 판단하는 능력이 뛰어나다.

성실한 노력의 대가가 아닌 일확천금을 노리거나 비정상적인 재물을 탐내는 경향이 있고, 역마성을 갖고 있어 활동적이고 분주하다. 사교성이 있으며 재는 남자에게 여자가 되므로 유흥적인 성향이 다분하다고 할 수 있다. 대인관계와 처세능력, 통제력, 활용성이 뛰어나며 사업수완이 좋다. 매사 능동적이고 적극적으로 도전하여 취득하려는 성취욕이 강하다.

(2) 정재(正財)
▷**저축, 근면, 성실, 정확, 책임감, 신용**

정재는 정해진 룰에 의하여 능동적이고 자발적으로 정당하게 재물을 취득하는 것을 선호한다. 투기적 요소보다는 정상적인 근로의 대가를 받는 안정적인 급여를 의미한다. 안정적인 실리를 선호하며, 합법적이고 정당한 취물활동으로 생활을 영위한다. 근면 성실하며 저축을 통한 안정적인 재산증식을 선호하고, 합법적인 룰을 벗어나려 하지 않으며 절차적이다. 정직하고 실용적이며 현실적이다. 합리성, 실용성, 안정성, 현실성, 규칙성, 단계성, 저축성의 성향이다. 투기를 싫어하고 규칙적인 생활을 하므로 다소 인색해 보일 수 있다. 가정에 충실하고 반듯하며 정도를 걸어가는 선비 스타일이다. 도덕적이고 정의로우며, 근면 성실하고 검소하며 매사에 꾸준하다. 신용과 명예를 소중히 여기고 정의와 공론을 존중하고 시비가 분명하다.

16.4.4 관성(官星)의 작용

관성은 나를 극(克)하는 것으로서 일간(나)의 의지나 계획에 관계없이 가해지는 압력, 규제, 도덕, 규범이나 법률 등 강제적으로 부여되는 것을 의미한다. 인간이 살아가기 위해서 사회적 합의에 의해 공동으로 설정된 틀이나 질서, 사회 구성원 간에 상호 인정되는 각자의 울타리를 의미하며, 수동적으로 받아드리고 지키려는 성정이 있으므로 합리적이고 통제적이며 보수적 성향이 있다. 법규가 정관이라면 법규의 준수여부를 감시 감독하는 집행기관이 편관이 된다.

일간인 나를 존재하게 하는 울타리, 가정으로는 집이 되고, 사회적으로는 나의 존재를 규정하는 직장이 된다. 나를 규정하는 철학, 가치관, 활동하는 장소를 상징한다. 관의 궁극적인 목적성은 인성을 세우고자 함에 있다. 인성이란 내가 돌아가야 할 정신적 에덴, 철학성, 모태, 근원을 의미한다.

(1) 편관(偏官)
▷**강제, 개혁, 투쟁, 희생, 인내, 권력성**

편관은 조직이나 단체, 또는 국가에서 일간인 나에게 부여한 의무, 명령, 압력 등을 의미한다. 그러므로 편관은 부여받은 틀이나 질서를 지키려는 적극적인 행동으로 나타난다. 과감하고, 과단성이 있으며, 실천적인 기질이 강하

다. 의협심이 강하고 용감하며 강직하고 카리스마를 발휘하여 주도권을 잡는
다. 권위의식과 명예욕이 강하며 권력성 강제성 도전성이 있다.

조직이나 국가를 수호하는 군인, 법규를 세우거나 집행하는 공직자나 사법
관 등 권위직을 선호한다. 조직이나 국가에 대한 충성심으로 현실정치에 직
접 참여하여 지키려는 수구적 성향이 있으며, 기운이 과다하면 무례하거나 폭
력적인 성향이 있으며, 극단적 보수로 치우치는 경향이 있다.

(2) 정관(正官)

▷**명예, 체면, 도덕, 질서, 권위, 인격**

정관은 인간이 공동생활을 하기 위하여 반드시 필요한 사회적 합의 장치를
의미한다. 그러므로 정관은 도덕적이며 합법적인 틀에서 벗어나지 않고 사회
적 규범에 맞추어 사는 성향을 지녔다. 준법정신과 공평무사(公平無私), 도덕
성, 정의감, 책임감이 투철하며, 대의명분과 명예를 중시하고 권위적이며 관
료적이다. 예의가 바르고 품위가 있다.

법과 질서와 원칙을 중시하는 공무원으로 국가조직에 참여하여 바르고 청
렴 결백하게 정도(正道)를 걷는 것을 선호한다. 합리성, 도덕성, 공익성, 원리
원칙의 성향이 있다. 정직, 성실, 공정하게 일을 처리하여 명예와 인품을 지
닌 자로서 부모에게 효도하며 처자식을 지키고 가문을 빛내는 사람이다. 현
대사회에서는 오히려 융통성이 부족하고 보수적이며 고지식한 사람으로 여
겨진다.

16.4.5 인성(印星)의 작용

인성은 나를 생조해주는 기운으로 일간인 내가 조건 없이 생육받는 혜택을
의미한다. 육친으로는 남녀구분없이 나를 낳아주고 길러주는 어머니가 된다.
모태(母胎), 에덴으로 상징되는 본원(本源), 행복, 나를 존재케 하는 근원적인

힘, 일간(日干)이 추구하는 형이상학적 최고의 가치를 의미한다.

(1) 편인(偏印)

▷**직관, 장인, 의심, 고독, 외골수**

편인은 사주일간이 자연으로부터 받는 생조(生助)가 정인에 비해 다소방식이 거칠다. 정인이 친모라면 편인은 계모의 양육이다. 그러므로 일반적이고 상식적인 교육보다는 특이한 학문, 특이한 기술, 특이한 교육에 관심이 많으며, 특이한 사고방식의 소유자이다. 순간적인 재치, 기발한 생각, 직관력과 추리능력이 우수하다. 변칙적이며, 기민한 전략 등 순간적인 판단이 뛰어나다. 특성화 교육, 전문기술, 역발상으로 승부하는 기민함이 있다. 자기계발, 신비성, 추리력, 가설능력, 역발상, 영감, 고독성, 외골수, 의심 등의 성향이 있다.

일간이 신약하면 거치른 방식의 양육이 버거워지므로 위선, 기만, 권모술수 등 편협적이고 편법적인 요소가 앞서게 된다.

전통사회에서는 비천한 직업이었던 종교.예술, 기능, 의술, 점복 등 구류업(九流業)과 관련된다. 독특하고 특이한 사고방식의 소유자로서 직관력, 추리력이 뛰어나므로 순수학문보다 철학이나 종교처럼 답이 없는 특수한 분야에 관심이 많다.

(2) 정인(正印)

▷ **교육, 육영, 시험, 문서, 스승, 모친**

정인은 사주 일간이 자연으로부터 받는 조건 없는 생조를 의미한다. 그러므로 부모가 조건 없이 나의 양육을 보장해주는 것처럼, 나의 물질적 정신적인 생존을 보장해주는 학문, 졸업증서, 자격증, 문서, 계약서, 권리취득, 유산상속 등등이 나에게 정인이 된다. 정상적인 과정을 통해 취득하는 권리, 정상적인 교육을 통한 학위취득을 통해 정당한 삶을 보장받는다.

박식하고 학문을 좋아하며 지혜가 있어 타인을 교육하는 일에 어울린다. 전형적인 학자풍의 선비를 상징하며, 사업이나 서비스 업종은 적성에 맞지 않는다. 교육, 종교, 역술, 육영사업 등 활인업에 좋다. 정인은 사고방식이 정상적이고 고상하며, 전통을 존중하며, 예의와 품위를 지키는 온유한 성품의 소유자이다. 그러나 신약한 경우 의존적 경향이 보이기도 한다.

16. 육친(六親)

　육친은 일간오행을 기준으로 다른 천간오행과의 생극에 따라 발생하는 십신에 가족관계를 연결한 것이다. 식상, 재성, 관성, 인성, 비겁 등 오성이며, 음양으로 나뉘면 10개의 십신으로 분류된다. 나의 사주명국에서 나 이외의 다른 가족의 명(命)을 파악하는 것은 논리적으로 가능할 수는 있지만 실제 사실관계를 판단하는 것은 쉬운 일이 아니다. 나의 명운을 분석하고 판단하는 것도 쉽지 않은데 나의 사주만으로 가족 구성원을 세밀하게 파악하는 것은 그리 좋은 방법은 아니다. 나와의 단순관계를 파악하는 것이 아니라면 차라리 그들 자신의 사주팔자를 파악하여 보완하는 것이 더 좋은 방법임은 말할 나위도 없다. 나와 부모, 나와 자식의 상호관계를 파악하는 정도가 적합하다.

▷육친(六親)은 일간(日干)인 '나'를 기준으로 판단한다.

오성(五星)	일간과 음양이 같은 경우	일간과 음양이 다른 경우
재성(財星)	편재(偏財)	정재(正財)
관성(官星)	편관(偏官)	정관(正官)
인성(印星)	편인(偏印)	정인(正印)
비겁(比劫)	비견(比肩)	겁재(劫財)
식상(食傷)	식신(食神)	상관(傷官)

　십신(十神)이 특성에 따라 비겁, 식상, 재성, 관성, 인성 등 다섯 가지 오성(五星)으로 분류된다. 육친(六親)은 가족관계를 의미하며, 사주명국의 주인인 나(我)를 포함한 오성으로 음양의 작용에 따라 십신으로 펼쳐진다.

16.1. 男命(양)

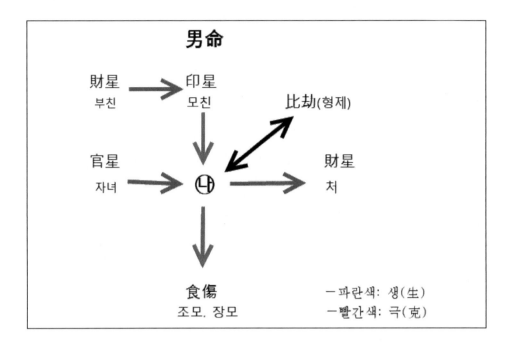

육친	구분	내용
비겁	비견	남형제
	겁재	여형제, 며느리
식상	식신	사위
	상관	조모, 장모
재성	편재	아버지
	정재	처
관성	편관	아들
	정관	딸
인성	편인	조부, 장인
	정인	어머니

16.2. 女命(음)

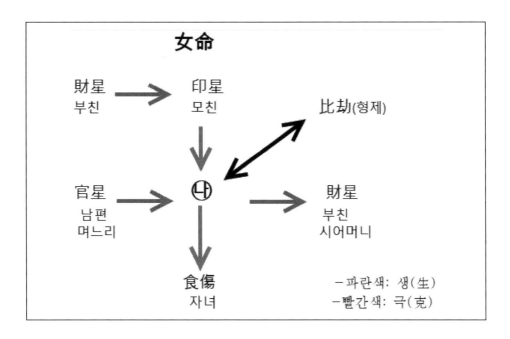

육친	구분	내용
비겁	비견	여형제
	겁재	남형제, 시아버지
식상	식신	딸, 조모
	상관	아들
재성	편재	시어머니
	정재	부친
관성	편관	며느리
	정관	남편
인성	편인	어머니
	정인	조부, 사위

16.3 육친의 생극원리

▷일간과 음양이 같은 경우와 다른 경우로 구분하여 판단한다.

-남명일간, 여명일간(나)을 낳아주는 것은 인성으로 정인(正印)이 되니 모친에 해당된다.

-남명일간(나)이 극하는 것은 재성으로 정재(正財)가 되니 처(妻)에 해당된다. 재성은 인성을 극하니 며느리와 시어머니는 근본적으로 고부갈등의 요인을 안고 있음을 보여준다.

-부인을 극하는 것이 남편이니, 어머니를 극하는 것은 어머니의 남편, 즉 나의 아버지가 된다. 아버지는 내가 극하는 재성(편재)이다.

-그러므로 여명일간은 자신을 극하는 관성(정관)이 남편이 된다.

-여명일간이 생하는 것이 식상이니 여명에게는 식상이 자식이다.

-아내인 재성이 생하는 것이 관성(자식)이다. 그러므로 남명일간에게는 자신을 극하는 관성이 자식이 된다. 남자에게 자식이란 짊어진 짐이다.

-남명의 아들인 관성(편관)이 극하는 비겁(겁재)이 자부(子婦)가 된다.

-아내인 재성을 낳는 것은 식상이니 남자에게는 상관이 장모가 된다.

-상관 장모를 극하는 것이 인성이니 편인은 나(男)의 장인이 된다.

-여명일간의 남편인 관성을 낳는 것은 재성이니 여자에게는 편재가 시어머니가 된다. 재성을 극하는 겁재가 시아버지가 된다.

-비겁은 일간과 동류가 되므로 형제, 동료가 된다.

-여명일간의 딸인 식신을 극하는 것은 인성이니 사위는 정인이 된다.

-남명일간의 아들이 극하는 것이 며느리이니, 아들인 관성(편관)이 극하는 것은 비겁으로 며느리는 겁재가 된다.

(남녀불문 논리관계를 떠나 일간인 내가 생하는 식상을 자식으로, 일간인 나를 생하는 인성을 부모로 통칭하기도 한다.)

17. 근묘화실(根苗花實)

17.1. 근묘화실론(根苗花實論)

근묘화실론은 년월일시를 시간과 공간적 위치에서 바라보는 관점이다.

구분		근(根)	묘(苗)	화(花)	실(實)
		년	월	일	시
시간	나이	0-20 세	21-40 세	41-60 세	61세 이상
	기간	소년기	청년기	장년기	노년기
	시기	과거	현실	현재	미래
공간	육친	조부모	부모	부부	자식
	공간	국가	사회	집	해외
	조직	사장	상사	동료	부하
	나무	뿌리	줄기	꽃	열매

(1) 근(根)

타고난 선천적인 기운을 의미한다. 본인의 관점에서는 소년기에 해당되고, 가족의 관점에서는 자신의 뿌리인 조부모, 또는 조상, 가문, 가풍에 해당된다.

(2) 묘(苗)

자신에게 가장 영향을 미치는 사계절의 자리로서 부모궁이 된다. 어느 부모에게 태어났는지, 계절에 순행하는 지 역행하는지에 따라 운세의 방향이 달라진다. 자신의 사회적인 활동을 판단하는 기준이며, 사회적 성격, 직업 등을 분석한다. 시기적으로는 사회에 진출하여 스스로 독립적인 틀을 세우는 시기이다.

(3) 화(花)

열매를 맺는 시기로서 가정의 틀을 세운 장년기에 해당된다. 안정기로서 부부궁이 되고, 공간적 위치는 가정(집)이 된다.

(4) 실(實)

시기적으로 미래를 의미한다. 본인의 관점에서는 노년기에 해당되고, 가족의 관점에서는 자식궁이 된다. 공간적 관점에서는 대문 밖이 되고 해외가 된다.

17.2. 근묘화실로 보는 육친궁(宮)

본질적인 육친관계는 일간이 다른 천간과 생극작용을 통해 생성된다. 그러나 근묘화실로 보는 가족관계는 나를 지지하는 지지궁에서의 환경적 기운으로 파악할 수 있다.

	時	日	月	年
천간	가정궁	나	사회궁	국가궁
지지	자녀궁	부부궁	부모궁	조부모궁

▷ 사회궁과 가정궁

사주에서 사회궁은 月干, 가정궁은 時干을 의미한다. 남명은 사회궁이 부모 직장을 의미하며, 가정궁은 부인과 자식의 관계를 의미한다. 여명은 월간 사회궁은 부모 직장 그리고 남편을 의미하며, 시간의 가정궁은 자식과의 관계를 의미한다. 각각의 자리에 위치한 십신의 생극 관계를 살펴 일간인 나와의 길흉관계를 판단한다.

▷ 근묘화실에 따른 육친

-천간은 육친을 표시하지만 지지는 육친의 환경적 기운을 의미한다. 음양은 남녀의 기운의 강약으로 판단한다.

-시간(時干)은 나의 미래가 되고 시지(時支)는 자녀궁으로 자식의 기운이 활성화된 기운이다. 자식은 곧 미래를 의미한다. 그러므로 시지는 일간과의 작용으로 일간의 미래인 時干을 돕는다. 양이면 아들, 음이면 딸의 기운이 더 강하다고 본다.

-일지(日支)는 부부궁으로 일간(日干)인 나와의 작용을 통해 일간을 뒷받침

한다. 일지가 양이면 부(夫), 음이면 부(婦)의 기운이 더 강하다고 본다.

-월지(月支)는 부모궁으로 일간인 나와의 작용으로 월간을 돕는다. 月支가 양이면 父, 음이면 母의 기운이 더 강하다고 본다.

-년지(年支)는 조부모의 궁으로 일간(日干)인 나와의 작용으로 년간(年干)을 돕는다. 일지가 양이면 조부(祖父), 음이면 조모(祖母)의 거운이 더 강하다고 본다.

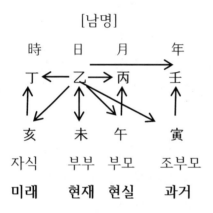

근묘화실(根苗花實)로 판단하는 시간의 흐름은 년지(年支)는 조부모궁으로 과거가 되고, 월지(月支)는 부모궁으로 현실, 일지(日支)는 부부궁으로 현재, 시지(時支)는 자식궁으로 미래를 의미한다.

(1) 년지- 조부모궁의 예

조부모궁인 寅궁은 조부(祖父)의 기운이 강하다. 겁재의 환경적 기운으로서 년간(年干) 정인을 돕는다. 임수는 년지 寅을 병(病)으로 두고 있어 기운이 쇠약하다. 일간이 년지 寅에 제왕으로 작용하지만 寅午합으로 火氣가 강해 임수정인(壬水正印)의 활동력이 약하다.

(2) 월지 - 부모궁의 예

부모궁인 午궁는 음이므로 모친의 기운이 강하다. 식신의 환경적 기운으로서 월간 상관을 돕는다. 월간병화는 월지를 제왕으로 두고 있어 그 기세가 강왕하다. 또한 寅午 지지합으로 월간이 활동하는 월지의 환경적 여건이 훌륭하다. 乙木일간은 월지(午)가 장생(長生)이므로 항상 새로움을 추구하는 식신(食神)적 성향으로 활발하게 활동을 하며 상관의 뜻을 추구한다. 지장간의 병화가 월간에 투출하였으니 상관의 뜻이 강왕하다.

(3) 일지 - 부부궁의 예

부부궁인 未궁은 음(陰)이므로 부인의 기운이 강하다. 부부궁은 부부, 가족 등 일간의 지지세력(background, 배경)이 된다. 편재의 환경적 성향으로 일간을 돕는다. 일간은 未土궁을 양(養)으로 두고 있어 뿌리를 내린 土氣의 양육을 받는다. 지장간에 乙木이 암장되어 유근(有根)하므로 일간의 뜻이 강하다.

(4) 시지 - 자식궁의 예

자식궁인 亥궁은 양(陽)이므로 아들의 기운이 강하다. 정인의 환경적 기운으로 時干인 丁火를 돕는다. 丁火는 亥를 태(胎)로 두고 있어 생명의 기운은 강하나 보호가 필요하며, 乙木 일간은 亥궁에서 정인(正印)의 기운으로 丁火 식신(食神)의 뜻을 추구한다. 시주(時柱)는 日干인 나의 미래가 되며, 또한 자식은 미래를 상징한다. 나이 60세가 넘어가면 과거나 미래보다 지금 이 순간에 집중하는 경향을 보인다. 이것은 '지금'을 의미하는 시주(時柱)의 인문학적 의미와 일치한다.

천간(天陽)과 지지(地陰)의 상호작용은 인생 전반에 걸치는 추상적이고 형이상학적 의미의 인문학적인 간명이라 한다면, 지지궁이 담고 있는 하늘의 기운(天氣)인 지장간(人中)은 보다 구체적으로 일간(나)의 상태를 규정해주는 현실적 의미의 간명이 된다. 일반적으로 1~20대는 년지궁의 지장간을 중심으로, 21~40대는 월지궁의 지장간을 중심으로, 41~60대는 일지궁의 지장간을 중심으로, 61세 이상은 시지궁의 지장간을 중심으로 천간과 지지의 상호작용을 통해 구체적인 간명을 할 수 있다.

그러나 현실적 의미의 실제적인 통변에서는 획일적인 규칙에 따른 방식보다는 전체적인 통찰을 통해 보다 유연하게 적용할 수 있어야 한다. 유치원에 들어가기 전의 운명은 아직은 부모보다는 하늘의 뜻에 달렸다고 볼 수 있으므로 년주를 기준으로 하고, 대략 20대까지는 부모의 학력과 재력, 그리고 가정적 환경에 따라 교육환경이 달라지므로 월주(부모, 조후)를 기본으로 간명하며, 결혼을 하고 가정을 이루면서 부터는 주체적으로 자신의 삶을 스스로 좌우해 나가므로 일주를 기본으로 간명하고, 60대 이후부터는 점차 생업에서 은퇴하면서 자식에게 의존하게 되며, 어제와 내일보다는 지금, 오늘을 중시하는 성향이 강해지는 시기이므로 시주를 기본으로 간명한다.

▷ 운(運)과 근묘화실에 따른 간명

운은 틀이 정해진 사주팔자와 달리 지금도 계속해서 흘러가며 변화를 일으키는 운기(運氣)이다. 대운은 사주팔자의 오행을 지배하는 계절의 조후인 월주와 같다고 볼 수 있다. 사주의 총체적인 간명은 월주를 중심으로 조후를 살피지만 운로(運路)의 향방을 보기 위하여는 성장해가는 시기에 따라 대운과의 생극, 십신, 육친관계를 살펴보아야 한다. 대운은 사주명국의 월주와의 관계를 기본적으로 살피고, 세운은 근묘화실의 원리를 이용한다. 즉, 유치원에 들어가기 전의 아이는 년주와 세운의 관계를 살펴보고, 학업중인 20대까지는 부모의 양육과 교육을 벗어날 수가 없으므로 부모궁인 월주와 세운의 관계를 살피며, 결혼을 하고 가정을 이루면서 부터는 일주와 세운의 관계를 살펴보고, 60대 이후부터는 시주와 세운의 관계를 살펴본다.

18 합충(合沖)의 운용

　명국의 합충은 평생에 걸친 내재적 변화요인이다. 지지의 합충은 천간의 기운을 강화하거나 쇠하게 하거나 변화시킨다. 지지충은 지지합을 깨기도 하고 묶여 있는 것을 풀어주기도 한다. 대운이 들어오면서 잠자고 있는 명국을 깨워 합(合)하거나 충(沖)함으로써 사주에 안정과 활력을 불러 일으키는 것이다. 즉, 오행(五行)에 의하여 펼쳐진 명국의 간지가 합과 충을 통해 안정과 활력을 얻는다.

　합충형파해 등은 사주팔자의 과도한 기운은 덜고 부족한 기운은 채워 중화를 이루기 위한 수단으로서 작용하는 기운이다. 중화를 이루는 과정에서 내게 득이 되면 길이요, 실이 되면 흉이 되는 것이다. 우주 전체적으로는 중화를 이루는 과정으로서의 작용일 뿐 그 기운 자체가 길흉득실을 의미하지는 않는다. 다만 내게 적용되었을 때 길흉득실을 논할 뿐이다. 그러므로 생극제화 합충형파해 등이 작용할 때 내 기운을 알고 운용하여 득길(得吉)이 되도록 조정할 수 있어야 하며, 그것이 사주통변의 목적이 되어야 하는 것이다. 생극제화 합충형파해 등으로 인한 길흉득실은 항상 일어나고 있는 현상이며, 이것은 음양과 오행의 상호작용에서 산출된다. 그 자체는 길흉이 아니라 우주만물의 순환원리일 뿐이므로 그 안에서 피흉추길의 지혜를 얻어야 하는 것이다.

　우주의 모든 변화는 우주를 구성하는 음양이기의 상반된 상질이 있기 때문이며 이것이 사물을 변화시키는 내재적 원인이 된다. 우주만물의 순환작용은 음양의 불균형으로 인하여 시작된다. 예를 들어 지구의 공전은 사시 순환에 따른 지역적인 기후의 불균형을 일으키고, 온도의 차이에 의한 에너지의 이동이 발생됨으로써 지구는 역동적으로 만물을 생육하게 된다. 주역은 만물의 생성원리를 강유가 서로 밀고 당기고 부딪히고 화합하면서 변화를 만들어내는 것이라 하였으니, 음양의 대립과 모순이 만들어내는 상호 불균형은 역설적으로 만물을 생장·소멸시키며 순환케 하는 동인(動因)이 되는 것이다.

18.1 천간 합충(天干合沖)

18.1.1 천간합(天干合)

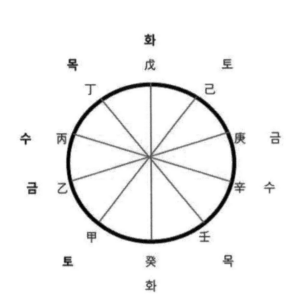

천간합은 천간 오운도(五運圖)에서 비롯된다. 오운(五運)은 천도를 운행하는 오행이 인체내에서 작용하면서 새롭게 생성하는 오행의 기운이다(황제내경). 오행은 수(水)에서 시작하고, 만물은 토(土)로부터 생하며, 水火木金 또한 土를 바탕으로 시작하니 오운의 시작은 土가 된다.

오행은 목기(木氣)가 주체가 되는 자연 법칙이며, 오운은 토기(土氣)가 주체가 되어 갑기토운(甲己土運)을 머리로 삼아 [土-金-水-木-火]로 상생(相生) 순환하는 원리이다. 천간 甲木이 여섯 번째 천간인 己土와 합을 하여 戊土 오행으로 바뀌게 된다.

▷천간합과 하도의 원리

천간합은 하도의 상생도로써 역의 원리를 설명할 수 있다.

먼저 土궁을 시작으로 상생의 순서를 따르니, 甲木부터 천간의 순서대로 위치를 정한다. 土궁에 甲木을 위치하고, 金궁에 乙木을 위치하며, 水궁에 丙火, 木궁에 丁火, 火궁에 戊土를 위치한다. 그리고 다시 순서대로 土궁에 己土를 위치한다. 계속하여 상생의 순서로 金궁에 庚金, 水궁에 辛金, 木궁에 壬水, 火궁에 癸水를 위치한다. 그리하면 土를 머리로 하여 甲己合土, 乙庚合金, 丙辛合水, 丁壬合木, 戊癸合火가 하도의 상생도에 펼쳐진다.

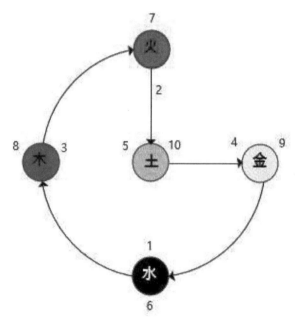

<하도의 상생순환>

```
     +    -    +    -    +
    甲   乙   丙   丁   戊
     -    +    -    +    -
    己   庚   辛   壬   癸


    合   合   合   合   合
    化   化   化   化   化
    土   金   水   木   火
    財   官   財   官   財
```

　　양간이 음간과 합할 때는 정재와 합하는 것이 되고, 음간이 양간과 합할
때는 정관과 합하는 것이 된다(예를 들어 甲과 己가 합하는 경우 甲의 입장
에서는 己는 正財가 되고, 己의 입장에서는 甲은 正官이 된다). 남자가 官
이 되면 여자는 財가 되고, 양과 음의 완벽한 결합체가 된다. 천간지합(天
干之合)은 남녀, 음양의 결합으로 부부, 남녀의 애정관계를 의미한다. 천간
합은 정관(남편)과 정재(처)의 합이다.

▷천간합(合)의 작용

천간 합(五運작용)	合化五行	天干의 쓰임
甲-己	土	戊
乙-庚	金	庚
丙-辛	水	壬
丁-壬	木	甲
戊-癸	火	丙

► 천간합화 오행은 천간오행과 마찬가지로 지지에 뿌리를 두고 있을 때 생조를 받아 오행으로서의 역량을 발휘하게 된다.

► 천간합은 물리적 결합과 화학적 합화으로 나뉜다. 물리적 결합을 통해 새로운 기운을 생(합화)하는 것일 뿐 결합물 자체가 완전히 화학적 변화를 통해 없어지는 것은 아니다.

► 지지에 뿌리를 두고 있으면 천간합, 천간충은 일어나지 않는다.

► 천간합이 일어나 합거(合去)되면 십신을 쓰지 못한다. 합거란 자신의 기능을 하지 못하는 것을 의미한다.

► 천간합은 자기의 할 일을 잊어버리고 다른 쪽에 끌려가거나 묶이는 결과를 가져온다.

► 일간이 천간합이 되는 경우에는 합화(合化), 합거(合去)되지 않는다.

► 사주에 합이 있다하여 전부 합으로 볼 수 없다(合而不合=爭合, 妬合). 합한다고 해서 모두 다른 오행으로 변하는 것도 아니다(合而不化=합하는 오행을 극하는 字가 있는 경우).

► 쟁합(爭合)은 甲과 己가 있는데 옆에 또 甲이 있는 경우를 말하고, 투합(妬合)은 甲과 己가 합하려는 데 또 옆에 己가 있는 경우를 말하며, 기본적으로 합으로 인정하지 않는다.

18.1.2 천간충(天干沖)

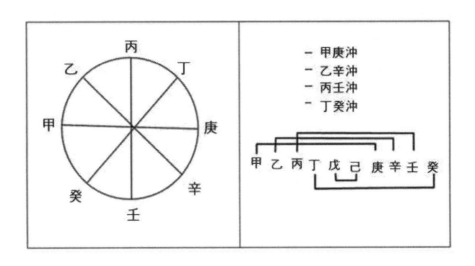

천간충은 서로 상반되는 오행의 기운끼리의 부딪히는 것을 말한다. 양은 양끼리, 음은 음끼리 충돌한다. 생장하는 木氣(甲乙)와 수렴하는 金氣(庚辛)가 서로 대립하고 충돌한다(金木相沖). 분열 확산하는 火氣(丙丁)와 응축 저장하는 水氣(壬癸)가 서로 대립하고 충돌한다(水火相沖). 충은 음양이 조화되지 않고 서로 대립하여 기질이 상충되는 오행끼리 정면으로 충돌함으로써 변화를 일으킨다. 합은 음과 양이 합하여 만물을 낳는 부부의 도를 상징하나, 충은 편음(偏陰) 편양(偏陽)이 만나 음양의 부조화를 이루니 상극보다 더 큰 기세의 변화를 일으킨다.

천간충은 사실상 상극(相剋)을 의미한다. 다만 편음(偏陰)과 편양(偏陽)이 만나 한쪽으로 치우쳐 서로 대립되는 같은 기운을 극하는 편향된 극이다. 그러므로 편향된 기운끼리의 대립적인 상극을 보다 강조하기 위한 충(沖)이 된다.

천간은 동적인 기운이므로 충(沖)하면 강하게 요동치면서 운동에너지가 활성화된다. 충(沖)하면 갑자기 움직이게 되는 변화가 생길 수 있다. 충격, 불화, 분리, 이동, 발동, 촉발, 혁신, 창조, 전화회복 등 적극적인 변화를 초래한다. 인사적으로 보면 이사, 이직, 여행, 유학, 사업확장 또는 축소, 주거변동, 이민, 별거, 이혼 등 상황에 따라 긍정적이거나 부정적인 변화를 만들어 낸다. 지지에 통근하거나 지장간에 뿌리가 있으면 천간충은 일어나지 않는다.

충(沖)은 충(沖)으로 요동치는 기운을 충(沖)하여 기운을 잠재우기도 한다. 또한 잠자고 있는 기운은 일깨워 활성화시키는 역할을 하므로 이를 받아드려 활력을 얻게 되면 좋은 기운으로 작용이 되고, 활성화된 기운을 제대로 수용하지 못해 그 기세를 올라타지 못하면 흉이 될 수 있다. 파도가 출렁일 때 서핑을 즐기듯 타이밍을 제대로 맞춘다면 큰 성공을 이룰 수도 있지만 준비가 되어있지 않다면 파도에 묻히게 될 수도 있는 것이다.

합(合)은 안정성을 추구하지만, 충(沖)은 역동적인 활력을 불러 일으킨다. 그러므로 옛 농경사회에서는 합이 길하지만, 변화가 심한 현대사회에서는 오히려 충이 역동적인 삶을 가져오게 하는 역할을 한다. 안정적이지만 변화 없는 지루한 삶이 반드시 행복으로 직결되는 것이 아니듯, 역동적이고 활력이 넘치는 변화 있는 삶이 항상 불안한 것만은 아니다. 합(合)도 사주명국의 작용에 따라 긍정적인 면과 부정적인 면으로 나타나듯이 충(沖)도 양면을 가지고 있다. 戊己는 방위상 중앙(土)에 위치하여 상호대립이 없고, 또 모든 오행을 품는 중화적 기운이므로 충(沖)이 일어나지 않는다.

▷ **충(沖)의 의미**

충화지기(沖和之氣)는 하늘과 땅 사이의 조화(調和)를 이루는 기운을 의미한다. 송대(宋代)의 철학자인 주희(朱熹)는 [주역본의]에서 "태화(太和)란 상반된 성질의 대립인자인 음양(陰陽)이 서로 합해서 조화(調和)를 이룬 기운이다(太和 陰陽會合 沖和之氣)"라고 정의하고 있다. 즉, 충(沖)이란 서로 상대를 때려 부수는 물리적 충돌(衝突)의 의미가 아니라 상호대립과 화해의 반복과정인 상호작용을 통하여 새로운 변화, 즉 조화를 만들어내는 기운이라 할 수 있다. [주역] 계사전은 "강유(剛柔)가 서로 밀어내고 당기는 상호작용을 통하여 새로움(변화)을 낳는다(剛柔相推而生變化강유상추이생변화)"라고 충화지기(沖和之氣)를 말하고 있다.

즉, 충(沖)이란 단순히 부딪히면서 서로 부서지는 충돌이 아니라 상대적이면서도 상보적인 상호의존관계로서 서로 섞이면서 새로운 변화를 낳는 조화(調和)의 원리를 의미하는 것이다. 충(衝)은 서로를 부서트림으로써 재생이 불가한 물리적 충돌을 의미한다면, 충(沖)은 기(氣)의 충돌인 강유상추(剛柔相推) 작용을 의미한다. 즉 부딪쳐서 부서지거나 부서트리는 물리적 충돌이 아니라 음양오행의 기운이 밀고 당기는 과정에서 흩어지고 모이면서 중화를 이뤄가는 과정을 통해 새로운 변화를 생성하는 작용을 의미하는 것이다.

그러므로 충(沖)이 만들어내는 화(和)가 나에게 득(得)이 되면 길(吉)이 되고, 실(失)이 되면 흉(凶)이 되는 것이니(得卽吉 失卽凶), 모든 것은 자기하기 나름이라 할 수 있다. 서로의 기운이 충(沖)하면서 화(和)가 만들어지는 과정에서 내게 득이 되는 방향으로 흘러가면 길이 되는 것이고, 내게 실이 되는 방향으로 흘러가면 흉이 되는 것이다. 예를 들면, 체력이 약한 연로한 분들을 보면 겨울에서 봄으로 기운이 이동하는 과정인 환절기에 사망하는 경우가 많다. 이것은 겨울 기운과 봄 기운, 즉 수기와 목기가 충(沖)하는 변화의 과정에서 득실을 경험한다는 것을 말한다. 계절에 따라 달라지는 환경은 인간에게 자연과 일체로 움직일 것을 요구한다. 즉 변화에 적응하지 못하면 득실을 경험할 수밖에 없는 것이니, 다른 계절의 변화기도 마찬가지로 해석할 수 있다. 충(沖)의 의미는 천간충(天干沖), 지지충(地支沖) 모두 적용되는 원리이다.

18.2. 지지합충(地支合沖)

18.2.1. 삼합(三合)

　삼합은 3계절에 걸쳐 하나의 오행이 태동하고, 태왕하며, 입고하는 순간까지의 기운을 합화한 것으로 오랫동안 합의 기운을 발휘한다. 이에 반하여 방합은 당해 계절의 기운이 합화한 것으로 강하지만 일정 기간에 한정된다. 천간이 삼합에 뿌리를 두고 있으면 원조를 받아 기세가 크게 강화되며 지속적인 힘을 발휘한다.

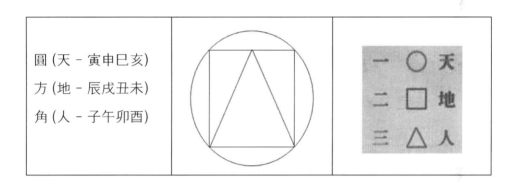

▷ **원방각의 이해**

　모든 수의 공통인 1을 제외하면 최소의 수가 양(陽)은 홀수 3, 음(陰)은 짝수 2가 된다. 음효는 두 점 사이를 직선으로 잇는 것이고(地, 평면, 方), 양효는 두 점에 점 하나를 추가, 세점을 연결하여 원을 그린 것이다(天, 공간, 圓). 중(中)은 양과 음을 연결하는 각(角)이 된다(人, 物, 角). 天陽은 원(圓○)이고, 地陰은 방(方□)이며, 人中은 각(角△)이다.

　원(圓)은 3개의 점을 이어 圓一(1)을 만드는 것으로 三卽一, 一卽三의 원리를 뜻한다(양효는 점 세개를 이은 것이다). 땅은 방정(方正)하니 짝수 2가 되어 반듯한 4각형을 만들어 땅을 상징한다(음효는 두 개의 점으로 이루어져 있다). 하늘의 덕성은 원만(圓滿)하고 땅의 덕성은 방정(方正)하다는 천원지방(天圓地方) 사상을 뜻한다. 인(人)은 하늘과 땅을 잇는 안정된 삼각형(三角形)을 이룬다(人은 만물로서 3수를 의미한다).

▷원방각의 주체는 사람(人)으로 각(角)이 되므로 三合의 결과는 子午卯酉의 성질을 갖게 된다.

▷人中天地一: 人은 中이니 天地가 하나(一)된 자리이다. /천부경

天	陽	圓	生 (寅申巳亥)
人	**中**	**角**	**旺 (子午卯酉)**
地	陰	方	墓 (丑辰未戌)

지장간의 삼합

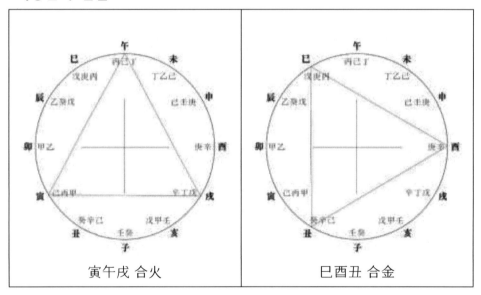

寅午戌 合火   巳酉丑 合金

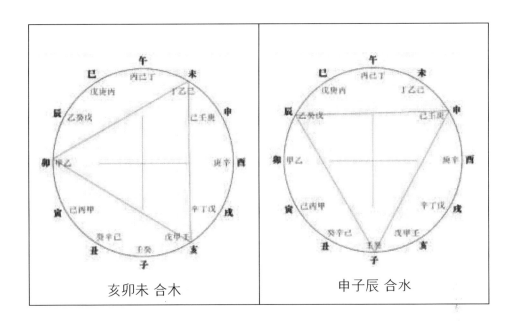

| 亥卯未 合木 | 申子辰 合水 |

▶三合: 生(天) + 旺(人) + 墓(地)

삼합은 십이운성으로 생왕묘(生旺墓)의 자리가 된다.

▶삼합(三合) = 인신사해(生地) + 자오묘유(旺地) + 축진미술(庫地)

▶삼합은 서로 다른 기운(계절)끼리의 이상적인 天地人의 합(合)이다. 삼합은

다른 계절이 품고 있는 서로 같은 기운이다. 공통적인 목표를 가진 사회적인 결합을 의미한다. 즉, 寅午戌의 삼합은 火(丙丁)를 목표로 하는 것이다. 寅은 丙의 생지이고, 戌은 丁의 묘지가 된다.

▷火五行

合化	火		
地支	寅	午	戌
地藏干	己丙甲	丙己丁	辛丁戊
生旺墓	生	旺	墓

▷木五行

合化	木		
地支	亥	卯	未
地藏干	戊甲壬	甲乙	丁乙己
生旺墓	生	旺	墓

▷水五行

合化	水		
地支	申	子	辰
地藏干	己壬庚	壬癸	乙癸戊
生旺墓	生	旺	墓

▷金五行

合化	金		
地支	巳	酉	丑
地藏干	戊庚丙	庚辛	癸辛己
生旺墓	生	旺	墓

▶반합은 삼합에서 자오묘유(旺支)가 포함된 2개의 합이며, 반합은 미완성의 합으로 운에서 나머지 오행이 들어오면 합이 완성된다. 즉 寅午반합은 시작하고 왕하지만 마무리가 미흡한 상태로서 운에서 기운이 채워지면 삼합이 완성되는 것이다. [자평진전]에 의하면, 지지에 寅과 戌이 있다면 국(局)을 이룰 수 없지만 천간에 丙이나 丁이 있다면 국을 이룰 수가 있다고 하였다.

(1) 亥卯未 三合 - 목국(木局)

천간 甲木은 십이운성으로 보면 亥에서 生하고, 卯에서 旺하며, 未에서 묘고(墓庫)에 든다. 해묘미 3개의 기운이 합하면 목국(木局)이 형성되므로 생장, 용출, 전진, 직진, 곡직, 창의성 등의 활동성이 강화된다.

(2) 寅午戌 三合 - 화국(火局)

천간 丙火와 戊土는 십이운성으로 보면 寅에서 生하고, 午에서 旺하며, 戌에서 묘고(墓庫)에 든다. 인오술 3개의 기운이 합하면 화국(火局)이 형성되므로 양기의 분열 확산이 이루어지며, 기운이 질서를 잡으면서 양기를 씨앗으로 하는 결정체를 만든다. 결과를 만들어내고자 하는 활동성을 강화된다.

(3) 巳酉丑 三合 - 금국(金局)

천간 庚金은 십이운성으로 보면 巳에서 生하고, 酉에서 旺하며, 丑에서 묘고(墓庫)에 든다. 사유측 3개의 기운이 합하면 금국(金局)이 되므로 결실을 수렴하고 응축하는 활동성이 강화된다.

(4) 申子辰 三合 - 수국(水局)

천간 壬水는 십이운성으로 보면 申에서 生하고, 子에서 旺하며, 辰에서 묘고(墓庫)에 든다. 신자진 3개의 기운이 합하면 수국(水局)이 형성되므로 저장, 휴식, 안정, 사색, 종교적 추구 등의 활동성이 강화된다.

18.2.2. 방합(方合)

방합은 당해 계절의 기운인 맹(孟)·왕(旺)·고(庫)가 합화한 것으로 강하지만 좁은 기간에 한정된다. 같은 계절 기운이 모인 합이기 때문에 월지(月支)가 포함되어야 성립된다. 일체성과 친밀성 등 혈맹관계 같은 결합력을 가지고 있다. 외부적 환경에 대응하기 위한 일시적인 결합을 의미하며 강력하지만 기간이 한정적이다. 대운과 세운에 있는 지지와 원국의 월지가 합을 이루어도 방합이 성립된다. 두 개의 글자로도 반합이 성립되는데 반드시 중심기운인 자오묘유(子午卯酉)가 포함되어야 가능하다. 반합은 불완전한 합이며, 시작과 왕함과 마무리, 즉 맹(孟)·왕(旺)·고(庫)가 갖추어져야 진정한 합이라 할 수 있다. 천간이 방합에 뿌리를 두면 원조를 받아 기세가 크게 강화된다.

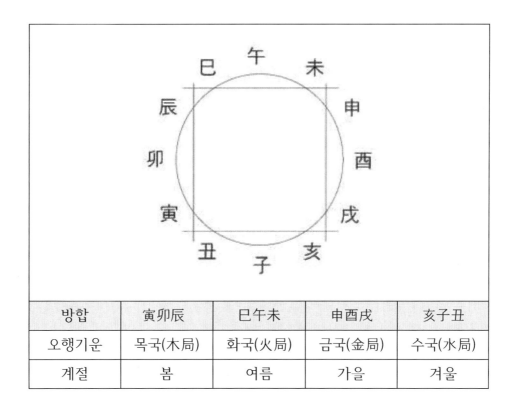

방합	寅卯辰	巳午未	申酉戌	亥子丑
오행기운	목국(木局)	화국(火局)	금국(金局)	수국(水局)
계절	봄	여름	가을	겨울

목국(木局)은 생장하는 甲乙의 기운이 합한 것이고, 화국(火局)은 분열 확산하며 양기의 질서를 세우는 丙丁의 기운이 합한 것이며, 금국(金局)은 수렴 응축하는 庚辛의 기운이 합한 것이고, 수국(水局)은 응축 저장하는 壬癸의 기운이 합한 것이다.

18.2.3. 육합(六合)

지구가 23.5도로 기운 상태에서 자전하는 원리에 따라 회전축을 중심으로 같은 위치에 있는 기운끼리 합을 이루어 새로운 오행의 기운을 생성한다. 육합은 일월(日月)이 합삭(合朔)한 것에서 유래하며, 태양과 지구가 달을 중심으로 일직선상에 놓이는 경우를 말한다. 2개의 지지합으로 생성된 오행의 기운은 계절적 기후의 특성인 한난조습(寒暖燥濕)이 융합되어 만든 환경적 기운으로서 천간오행의 기세를 도와주는 뿌리 역할을 한다.

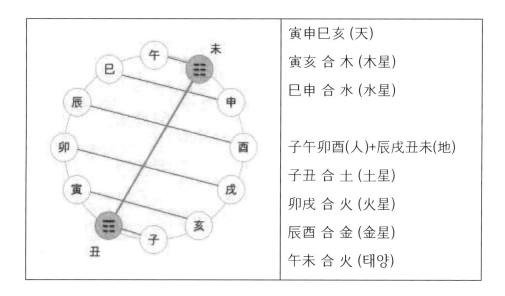

寅申巳亥 (天)
寅亥 合 木 (木星)
巳申 合 水 (水星)

子午卯酉(人)+辰戌丑未(地)
子丑 合 土 (土星)
卯戌 合 火 (火星)
辰酉 合 金 (金星)
午未 合 火 (태양)

(1) 子-丑 合 土

어둡고 차가운 겨울 기운인 子와 丑이 만나 합을 이루면 土氣가 생겨나므로 은둔하면서 새로운 일을 계획하고 준비하는 기운이 된다.

(2) 寅-亥 合 木

寅과 亥가 만나 합을 이루면 木氣가 생겨나므로 용출, 시작, 전진, 창조적 활동 등 봄에 만물이 생장하듯 새로운 일을 시작하는 기운이 된다.

(3) 卯-戌 合 火

卯와 戌이 만나 합을 이루면 火氣가 생겨나므로 완성, 질서, 절정, 명예, 겉을 치장하는 화려함, 직선적인 성향 등을 의미하며, 밖으로 자신을 드러내려는 외향적 성향으로 적극적으로 활동하는 기운이 된다.

(4) 辰-酉 合 金

辰과 酉가 만나 합을 이루면 金氣가 생겨나므로 숙살, 결단, 분별, 냉철, 권력 등의 의미가 되며, 알갱이와 쭉정이를 가려내는 의로운 기질을 만들어낸다.

(5) 巳-申 合 水

巳와 申이 만나 합을 이루면 水氣가 생겨나므로 활동적인 기운이 점차 안정되고, 활동의 영역을 줄이며, 휴식을 취하는 기운이 된다.

(6) 午-未 合 火

뜨겁고 활동적인 午火와 여름 열매를 숙성시키는 未土가 만나 합을 이루면 火氣가 생성되어 일을 완성시키고, 양기를 모아 열매(결과)를 만들어내고자 하는 기운이 된다. 오(午)는 처음으로 음이 생겨 양기를 저지하여 열매를 키우는 기운이고, 미(未)는 분열 확산을 상징하는 양이 주도하는 乾道(乾道)의 시대에서 수렴 저장을 상징하는 음이 주도하는 곤도(坤道)의 시대로 대변혁이 일어나는 시점에 해당되는 기운으로서 중화적인 대인배의 성정이 있다. 화합과 조화를 이루는 기운으로 협상, 교역, 중재를 다루는 환경이 조성된다.

18.2.4. 지지충(地支沖)

기운이 반대인 계절 간의 충(沖)으로서 한난(寒暖)기후와 조습(燥濕)기후 간의 충(沖)을 의미한다. 12개월 순환을 나타내는 12벽괘(군주괘)로 비교해 보면 계절적으로는 서로 다른 기운으로 괘상의 음양이 서로 반대가 된다.

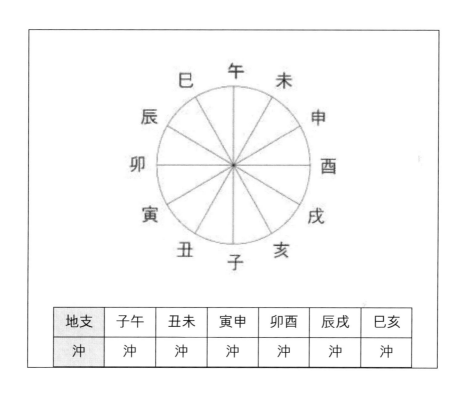

地支	子午	丑未	寅申	卯酉	辰戌	巳亥
沖	沖	沖	沖	沖	沖	沖

인신사해(寅申巳亥)는 인신사해끼리, 진술축미(辰戌丑未)는 진술축미끼리, 자오묘유(子午卯酉)는 자오묘유끼리 서로 극하는 관계이다. 양은 양과 부딪히고, 음은 음과 부딪힌다. 즉, 寅卯辰 東方木局과 申酉戌 西方金局(金木沖), 巳午未 南方火局과 亥子丑 北方水局(水火沖) 간의 상충(相沖)을 의미한다. 계절적으로는 [春-秋, 夏-冬]간의 충이며, 기후로는 [한(寒)-난(暖), 조(燥)-습(濕)] 간의 충이 된다.

또한 지지충은 지지에 암장된 천간(지장간)들 상호간의 충극(沖克)을 의미한다. 예를 들어 子午沖은 子중의 癸水가 午중의 丁火를 극하고, 午중의 己土가 子중의 癸水를 극한다. 지지의 충돌이 암장된 천간 사이의 충극으로 이어지는 것이다. 다른 지지충도 같은 원리로 이해한다.

지지충(地支沖)은 지지 고유의 성질을 상실케 하는 작용을 한다. 그러므로 하늘의 천간은 뿌리가 흔들리게 되고, 지장간에 암장된 천간은 집이 무너져 근거를 잃게 되니 오행의 쓰임이 약화되는 결과를 초래한다. 지지충은 근본적으로 기반, 터전의 충이므로 충하면 기반이나 터전이 흔들리고 움직이게 되는 동적인 변화를 유발하게 된다. 묶여 있는 것을 풀어주어 활성화시키고, 흩어져 있는 것은 동하여 제자리를 찾게 해준다. 충(沖)은 천간의 터전을 흔드는 것이므로 활성화된 에너지를 긍정적으로 받아드리고 활용하면 길(吉)이 되고, 부정적으로 받아드리게 되면 흉(凶)이 되니 애초에 좋고 나쁨이란 없다.

지지는 오행의 기운을 띤 계절적인 기운으로서 조후(調喉)를 의미한다. 그러므로 생극(生剋)은 천간에서 오행의 상호작용으로 일어나는 것이며, 지지에서는 오행의 생극(生剋)이 없고 조후의 상호작용인 합(合)과 충(沖)이 있을 뿐이다.

▷ **충(沖)의 의미**
천간충에서 설명한 충화지기(沖和之氣)의 의미를 지지충에도 그대로 적용한다. 충(沖)이란 서로 부서지는 물리적 충돌(衝突)이 아니라 기(氣)가 서로 부딪히면서 상호작용을 통해 서로 균형과 조화를 이뤄가는 혼돈과 타협의 과정을 의미한다. 그러므로 충(沖)이 만들어내는 변화가 내게 득(得)이 되면 길(吉)이요, 실(失)이 되면 흉(凶)이 될 따름이니 충(沖)한다고 해서 무조건 흉한 것이 아니다. (천간충 참조)

<12벽괘와 12지지의 상호관계>

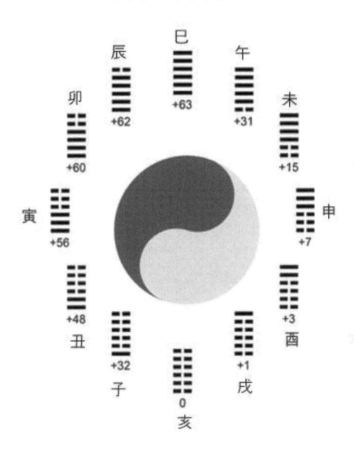

서로 마주보는 반대의 기운끼리 서로 충(沖)하는 모습을 보여준다. 괘상으로 보면 배합괘가 되고 합하면 중천건괘가 된다. 수리적으로 합하면 중천건괘(☰)의 수인 +63이 된다. 이것은 반대의 기운으로서 충하지만 서로 합하면 하나를 완성하는 것이 되니 충(沖)이 품고 있는 깊은 뜻이다.

▷ 12벽괘로 보는 12지지와 사시순환

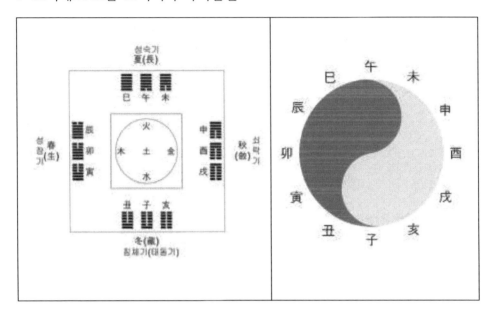

▷ 12벽괘와 12지지의 기세

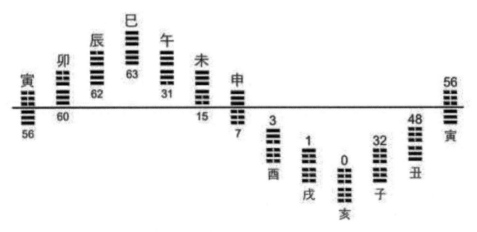

► 서로 충이 되는 반대 기운의 에너지를 합하면 최고 에너지인 63이 된다.

(1) 子午沖

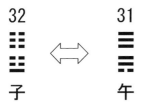

32

子

⟷

31

午

　자오충(子午沖)은 양기를 저장하고 있는 한겨울의 가장 차가운 기운과 열매에 양기를 채워 크기를 키우는 한여름의 가장 뜨거운 기운이 만나 서로 부딪히는 왕지충(旺支沖)이다. 水火상극작용으로 가장 기운이 강왕할 때 부딪히는 충으로서 서로의 역량이 상실되는 결과를 초래할 수 있다.

　지지는 천간의 뿌리가 되므로 지지충은 천간의 존립근거가 흔들리게 되는 결과를 가져온다. 子는 천간 壬癸의 뿌리가 되고, 午는 丙丁의 뿌리가 되니 자오충으로 인하여 壬癸와 丙丁의 뿌리가 약해진다. 또한 지지는 천간의 집이니, 그러므로 지지에 담겨있는 천간은 지지충으로 인하여 집이 흔들리게 되니 존립근거가 요동치는 상황이 초래된다. 이는 하늘천간과 지장간이 지지충으로 인하여 근본부터 흔들리게 되는 것이니, 인생의 절정기에 이를 만나 수용할 수 있는 기운과 역량이 된다면 인생역전이 가능할 정도의 큰 변화를 만나게 된다. 그러나 기운이 약하고 이를 받아드릴 수 있는 능력이 허약하다면 천간의 기세가 감소내지는 소실이 될 수 있으니, 천간이 만들어내는 십신, 육친 등에 변화가 일어나게 된다.

(2) 卯酉沖

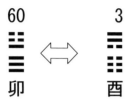

60   3

卯   酉

    묘유충(卯酉沖)은 생장하는 木氣의 성장이 절정에 달한 봄 기운과 수렴하는 金氣가 절정에 달한 가을 기운이 서로 만나 부딪히는 왕지충(旺支沖)이다. 木氣와 金氣가 가장 왕성할 때 만나 부딪히는 충이니, 성장하는 봄기운과 수렴하는 가을기운이 금목상극(金木相剋)으로 서로 대립하니 살기가 감돈다. 卯는 천간 甲乙의 뿌리가 되고, 酉는 천간 庚辛의 뿌리가 되니 묘유충(卯酉沖)으로 인하여 甲乙과 庚辛의 뿌리가 약해지거나 소실된다. 또한 지장간인 천간이 지지충으로 인하여 흔들리게 되니 근본이 움직이게 된다. 그러므로 이를 받아들일 수 있는 명주의 기운과 역량이 크다면 오히려 활력을 얻게 되지만 부정적이면 천간의 역량이 감소내지는 소실되는 것이니, 천간이 만들어내는 십신, 육친 등에 변화가 일어날 수 있다.

(3) 寅申沖

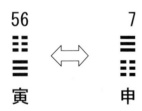

56   7

寅   申

인신충(寅申沖)은 봄과 여름을 여는 생지충(生支沖)으로서 만물이 생장하는 봄에 양기를 분출하는 木氣와 만물을 수렴하는 가을의 숙살지기 金氣가 서로 만나 부딪히는 충이다. 생장(生長)을 시작하는 양기와 수렴(收斂)을 시작하는 음기가 부딪히니 금목상극(金木相剋)으로 서로의 기운을 잠식시킨다.

寅은 천간 甲乙의 뿌리가 되고, 申은 천간 庚辛의 뿌리가 되니, 인신충(寅申沖)으로 인하여 천간이 뿌리가 약화되거나 잃어버리게 되는 결과가 일어난다. 또한 인신충(寅申沖)으로 인하여 지지궁이 흔들리면 지장간이 영향을 받게 되어 천간이 약화되는 결과를 초래할 수 있다.

충은 잠자고 있는 기운을 깨워 활성화시키는 역할을 하게 되므로 명주(命主)가 이를 받아들일 수 있는 기운과 역량이 된다면 오히려 활력을 얻게 되지만 부정적이면 천간의 역량이 감소내지는 소실되는 것이니, 천간이 만들어내는 십신, 육친 등에 변화가 일어날 수 있다.

(4) 巳亥沖

63   **0**

☰ ⟷ ☷

巳   **亥**

사해충(巳亥沖)은 여름과 가을을 열어가는 생지충(生支沖)으로서 양기가 확산하면서 열매를 맺기 위한 꽃을 피우기 시작하는 초여름 기운과 숙성된 열매를 수렴하기 시작하는 초가을의 숙살의 기운이 서로 만나 부딪히는 충이다. 열매를 맺기 위하여 꽃을 피우기 시작하는 양기와 열매를 거두어 드리기 시작하는 음기가 부딪히니 수화상극(水火相剋)으로 서로의 기운을 상쇄시켜 역량이 감소된다.

사(巳)는 천간 丙火(戊土)와 丁火(己土)의 뿌리가 되니, 사해충(巳亥沖)은 천간의 뿌리를 약화시키는 결과를 가져온다. 그러므로 사해충(巳亥沖)으로 인하여 지지궁이 흔들리게 되면 지장간이 근거가 부실해질 수가 있으므로 천간의 역량이 약화되는 결과를 초래할 수 있다.

충은 잠자고 있는 기운을 깨워 활성화시키는 역할을 하기도 하므로 명주(命主)가 이를 받아들일 수 있는 기운과 역량이 된다면 오히려 활력을 얻게 되지만 부정적이면 천간의 역량이 감소내지는 소실되는 것이니, 천간이 만들어내는 십신, 육친 등에 변화가 일어날 수 있다.

(5) 辰戌沖

62   1

☷ ⟷ ☶
☳   ☷
辰   戌

진술충(辰戌沖)은 木氣의 생장(生長)을 마무리 짓고 꽃을 피우기 위한 여름의 火氣로의 진입을 준비하는 辰土와 金氣의 수렴을 마무리 짓고 생명을 저장하기 위한 겨울의 水氣로의 진입을 준비하는 戌土가 서로 만나 부딪히는 충이다. 양기의 확산을 통해 꽃(열매)을 피우기 위해 준비하는 늦봄의 환경과 양기의 수렴을 통해 생명(씨앗)을 저장하기위해 준비를 하는 늦가을의 환경이 부딪히는 환절기의 충으로서 일을 마무리 짓고 전환하는 천간 고유의 역량이 침해당하는 결과를 초래할 수 있다.

辰戌의 천간은 戊土와 己土로 서로 같은 기운 간의 붕충(朋沖)이므로 충의 효과는 크게 드러나지 않는다. 다만 지지는 천간의 뿌리이자 천간이 머무는 지장간이라는 집이므로 지지충은 뿌리와 집이 흔들리는 효과가 발생하게 된다. 그러므로 이를 받아드리는 명주의 기세와 역량에 따라 활성화되기도 하며, 그렇지 못한 경우 천간의 역량이 감소내지는 소실되게 되므로 천간이 만들어내는 십신, 육친 등에 변화가 일어날 수 있다.

(6) 丑未沖

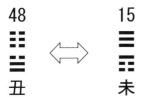

축미충(丑未沖)은 水氣의 저장을 마무리 짓고 木氣로의 발산을 준비하는 늦겨울의 丑土와 火氣의 열매를 숙성시키는 늦여름 未土의 기운이 서로 만나 부딪히는 충이다. 丑土는 봄이 가까워지는 늦은 겨울로서, 물기가 젖어 땅이 물러지기 시작하는 기운으로 씨앗이 땅을 뚫고 나올 수 있는 환경이 만들어지는 환절기의 기운이고, 未土는 여름의 火氣가 모은 양기(열매)를 숙성시키기 위해 건조한 환경이 조성되는 환절기 기운이다. 축미충(丑未沖)은 같은 土氣 간의 충이니 일을 마무리 짓고 전환하는 천간 고유의 역량이 침해당하는 결과를 초래할 수 있다.

丑未의 천간은 戊土와 己土로 서로 같은 기운 간의 붕충(朋沖)이니 충의 효과는 크게 드러나지 않는다. 다만 지지는 천간의 뿌리이자 천간이 머무는 지장간이라는 집이므로 지지충은 뿌리와 집이 흔들리는 효과가 발생하게 된다.

그러므로 충으로 인해 활성화되는 기운과 기세를 받아드릴 수 있는 역량에 따라 좋은 방향으로 활성화되기도 하고, 그렇지 못한 경우에는 천간의 역량이 감소내지는 소실되게 되므로 천간이 만들어내는 십신, 육친 등에 변화가 일어날 수 있다.

▷**사주명리의 통변에서 있어서 규칙의 함정에 빠져서는 안된다.**

규칙이란 사주를 이해하는 기본적인 원칙이지만 규칙에 지나치게 함몰되어 벗어나지 못하면 전체를 통찰할 수 없다. 사주의 원리를 이해하고 난 후 틀을 벗어나 전체를 통찰함으로써 오행, 천간, 지지 간의 상호관계를 통섭할 수 있어야 한다. 명상을 통해 각각 대립(對立)하던 구성요소들이 없어서는 안될 상호의존관계에 있음을 자각함으로써 전체를 하나로 통찰할 수 있는 인문학적 개념을 구축해야 한다.

▷**음양이기(陰陽二氣)의 대립과 상호작용**

상반된 성질인 음양의 대립과 상호작용이 천지만물(天地人)의 변화 원인이 된다. 그러므로 음양의 상충(相沖)이 없다면 어떤 변화도 생겨나지 않는 것이니, 음양의 변화를 떠나서는 역(易)의 법칙은 존재할 수가 없는 것이다. 즉, 음양은 서로 대립(對立)하면서도 상대가 없으면 나도 존재할 수 없는 상호의존관계를 통해 변화를 만들어내는 것이니, 음양은 서로 상대적이면서도 상보적인 상호관계로서 천지만물의 변화원인이 되는 것이며, 이것은 음양의 상호작용이 만물을 존재하게 하는 사물변화의 기본법칙이라는 것을 의미한다.

「계사전」은 이것을 "굳셈과 부드러움이 서로 밀치고 당기니 변화가 그 가운데 있다(剛柔相推 變在其中矣)"라고 했으니, 음(陰)과 양(陽)이 조화(中)를 위해 끊임없이 진퇴하는 과정이 곧 '생명(理)'을 드러내기 위한 변화인 것이다(이것이 易의 기본적인 개념이다). 서로 밀친다는 것은(剛柔相推) 한쪽으로 밀어내는 것일 뿐만 아니라 다른 한쪽을 불러오는 것으로, 마치 굽힐 수 있기에 펼 수 있고 추위가 가기에 더위가 오는 것과 같다. 그러므로 대립과 화해의 반복을 통한 음양의 상호작용은 천지만물이 생하는 변화의 기본 법칙이며, 상반된 성질의 음양이기(陰陽二氣)의 대립과 상호작용을 떠나서는 역(易)은 존재할 수가 없다. 그러므로 음양의 상호작용과 오행의 생극제화는 만물의 생육원리일 뿐 그 자체가 길흉을 의미하지는 않는다.

▷ 균형과 불균형의 창조원리

전체로서의 우주는 부분적으로 에너지가 불균형하더라도 전체적인 에너지의 양은 불변이다. 태양의 주위를 공전하는 지구는 우주의 프랙탈(FRACTAL) 구조로서 사시순환에 따라 에너지의 불균형을 이루며, 이것이 지구 만물의 생육원리가 된다. 불균형이 균형을 이루려는 에너지의 역동적인 이동을 통해 상호작용함으로써 각각의 사물은 길흉을 경험하며 길과 흉을 통해 생장수장(生長收藏)의 이치로써 생로병사(生老病死)를 순환한다. "길흉(吉凶)이란 좋고 나쁨이 아니라 균형의 치우침이 일으키는 모순을 의미하는 것이니, 그러므로 길흉이란 모순을 치유하는 변화 과정에서 나에게 순리(順理)에 맞으면 길(吉)하고 순리를 잃으면 흉(凶)이 되는 것으로서 득실지상(得失之象)의 뜻이 있다(得卽吉 失卽凶)."

18.2.5. 형(刑)

寅巳申 / 丑戌未 / 子卯 / 辰辰, 午午, 酉酉, 亥亥

지지의 형이 구성되는 원리는 지지의 방합(方合)과 삼합(三合)의 상호작용과 관련이 있다. 지지 삼합이 생조(生助)하거나 비화(比和)하는 지지 방합과 서로 만나면 그 기세가 지나치게 강왕(强旺)해져서 오히려 형살(刑殺)이 작용하는 것으로 과유불급(過猶不及)의 원리에 의한 균형을 이루기 위한 중화(中和)의 이치가 적용된다.

우주만물은 물극필반(物極必反)의 이치에 따라 지나치게 강하면 꺾이기 쉽고, 가득차면 넘친다. 이러한 영허성쇠(盈虛盛衰)의 이치에서 지지형이 생겨난다. 형(刑)은 사시순환의 과정에서 생겨날 수밖에 없는 기세의 과도함을 덜어내는 극즉반(極卽反)의 이치로 균형과 조화를 이루기 위해 깎아 내고 덜어내며 변형시키는 가공(加工)과 관련된 法, 警, 檢, 軍, 醫, 藥, 刀, 金融 등의 직업이 많다. 형살은 과도한 기운을 그에 맞는 직업적 활동성으로 해소할 때 오히려 길(吉)로 작용할 수 있다.

寅卯辰 동방 木局이 申子辰 삼합의 水를 만나면, 水生木으로 왕한 木氣가 더욱 강해지고 중화(中和)의 도를 잃게되므로 申이 寅을 형하고, 子는 卯를 형하며, 辰은 辰을 스스로 형(刑)한다.

巳午未 남방 火局이 寅午戌 삼합의 火를 만나면, 비화됨으로써 火氣가 더욱 강해져 중화의 도를 잃게 되므로 寅은 巳를 형하고, 午는 午를 형하며, 戌은 未를 형하게 된다.

申酉戌 서방 金局이 巳酉丑 삼합의 金을 만나면, 비화됨으로써 왕한 金氣가 더욱 강해져 중화를 잃게되므로 巳가 申을 형하고, 酉는 酉를 형하며, 丑은 戌을 형하게 된다.

亥子丑 북방 水局이 亥卯未 삼합의 木을 만나면, 水生木으로 왕한 木氣가

더욱 강해져 중화를 잃게 되므로 亥는 亥를 형하고, 卯는 子를 형하며, 未는 丑을 형하게 된다.

三合	申子辰	水局	寅午戌	火局	巳酉丑	金局	亥卯未	木局
方合	寅卯辰	木局	巳午未	火局	申酉戌	金局	亥子丑	水局
刑	申 子 辰 | | | 寅 卯 辰		寅 午 戌 | | | 巳 午 未		巳 酉 丑 | | | 申 酉 戌		亥 卯 未 | | | 亥 子 丑	

寅申과 丑未가 상충(相沖)에 속하는 것을 제외하면 (寅巳○巳申), (丑戌○戌未)는 삼형(三刑)이 되고, 子卯는 상형(相刑)이 되고, 辰午酉亥는 자형(自刑)이 된다. 寅巳申 형살은 역마살형으로서 생지(生支)에 있으므로 밖으로 표출되는 寅巳申의 과도한 기운을 중화시키려는 살상의 기운이 외부로부터 파고 들어오는 살이다. 丑戌未 형살은 화개살로서 고장지(庫藏支)에 있어 안으로 과도한 기운이 뭉치는 기운이므로 내부로 향하는 과도한 기운을 중화시키려는 살상의 기운이 작용하는 형살이 된다. 辰辰, 午午, 酉酉, 亥亥 자형은 자신의 기운이 과하여 오히려 흉으로 작용함을 의미한다.

18.2.6. 파(破)

파: 子酉, 丑辰, 寅亥, 巳申, 午卯, 戌未

　　파(破)는 상생관계로 만난 삼합과 삼합이 한쪽
으로 기운이 치우치면서 균형이 깨지는 현상에서
발생한다. 申子辰 水局과 巳酉丑 金局이 만나 巳
申, 子酉, 丑辰 파(破)가 생기고, 亥卯未 木局과
寅午戌 火局이 만나 寅亥, 卯午, 戌未 파(破)가 발
생한다. 양지(陽支)는 역행하여 4번째, 음지(陰支)
는 순행하여 4번째 지지가 파(破)가 된다. 파(破)
는 자기주장이 강하여 이해관계에 균열이 생기고 다툼으로 인하여 계약파기,
약속불이행 등 변동 정리 파괴 교정 등의 발생을 의미한다.

三合	申子辰	水局	寅午戌	火局
三合	巳酉丑	金局	亥卯未	木局
刑	申 子 辰 | | | 巳 酉 丑		寅 午 戌 | | | 亥 卯 未	

18.2.7. 해(害)

子未, 丑午, 寅巳, 卯辰, 申亥, 酉戌

해(害)는 원국의 지지 六合을 운(運)에서 충(沖)으로 들어와 방해하거나 안정을 해치는 것으로서 천(穿)이라고도 한다

예를 들면 원국에서 子丑합이 되는 경우, 세운에서 未가 들어와 丑未沖을 발생시킴으로써 합을 방해하는 경우 세운의 未土와 원국의 子水 사이에 해가 발생하고, 세운에서 午가 들어와 子午沖을 발생시킴으로써 합을 방해하는 세운의 午火와 원국의 丑土 사이에 해가 발생된다. 그러므로 해(害)는 일의 성사를 방해하고, 안정을 해치는 의미를 내포한다.

☞지지의 합(合), 충(沖), 파(破), 해(害)의 도표

	子	丑	寅	卯	辰	巳	午	未	申	酉	戌	亥
합	丑	子	亥	戌	酉	申	未	午	巳	辰	卯	寅
형	卯	戌未	巳申	子	辰	寅申	午	丑戌	寅巳	酉	丑未	亥
충	午	未	申	酉	戌	亥	子	丑	寅	卯	辰	巳
파	酉	辰	亥	午	丑	申	卯	戌	巳	子	未	寅
해	未	午	巳	辰	卯	寅	丑	子	亥	戌	酉	申

19. 대운(大運)의 운용

19.1 운(運)

　명리에서 운이란 음양과 오행이 시간의 흐름에 따라 12운성이라는 삶의 파노라마를 파동처럼 펼쳐내는 일생의 일정구간을 의미한다. 사주명국의 오행은 계절의 흐름에 따라 명국의 문을 열고 들어오는 류운(流運)의 간지와 더불어 생극제화 작용으로써 역동적인 삶의 파노라마를 일군다.

　사주명국(四柱命局)은 잠재되어 있는 명운(命運)의 텍스트라 할 수 있다. 운의 간지(干支)가 명국의 문을 열고 들어오면서 합충(合沖)을 일으키고 상생과 상극의 활동이 시작된다. 운(運)이 들어오면서 비로소 명국이 깨어나 텍스트가 작동하기 시작하는 것이다. 운은 10년 단위의 대운(大運)과 1년 단위의 세운(歲運), 월 단위의 월운(月運)으로 구분된다.

　사주팔자로 이루어진 명국은 태어난 년월일시(年月日時)가 음양오행의 원리를 내재한 간지(干支)로 표기된 텍스트이다. 사주팔자의 주인은 사주팔자를 바탕으로 운이라는 삶의 항로를 따라 흘러간다. 사주팔자는 생년월일시를 간지로 표기한 텍스트에 불과하지만 운(運)을 따라 음양오행이 들어오면서 천간, 그리고 지지로 표기된 조후(調候)가 명국에 있는 여덟 글자와 생극제화, 그리고 합충형파해를 일으키면서 균형과 조화를 지향하며 작동하기 시작한다. 사실상 운이란 기세(氣勢)가 업다운(UP DOWN)하며 끊임없이 흘러가는 계절의 연속이므로 사주명국은 항상 깨어나 작동하고 있는 것이다.

　음양오행으로 구성된 사주팔자(四柱八字)는 4개의 간지로 구성된 8개의 글자로 이루어져 있다. 음양오행(2×5)은 10개가 되어야 함에도 1개의 간지, 즉 2개의 글자가 모자라니 이는 주기적으로 운이 순환하며 들어옴으로써 나머지를 채워 오행을 형성한다. 사주팔자는 모자란 것은 채워주고 과한 것은 덜어내며 균형을 이루어 나가는 중화(中和)의 원리로써 길흉(吉凶)의 요체로 삼는다.

▷**사주분석의 순서**

(1) 천간

　-오행과 천간의 성정, 일간과 다른 천간과의 생극 관계를 통한 십신, 육친 등을 살핀다.

　-일간을 중심으로 일어나는 생극은 길흉이 아니라 인사(人事)를 발생시키는 순환원리이다.

(2) 지지

　-지지는 계절적 조후가 생성해내는 오행의 기운(지지오행)으로서 내장된 지장간에 의해 성격이 규정된다.

　-천간과 지지의 통근여부를 통해 천간의 기세와 활동성을 분석한다.

　-지지는 오행기운을 발생시키는 조후로서 천간이 활동하는 집(宮)이다.

　-지지는 천간오행이 움직이며 활동하는 시공간으로서 계절에 따라 생멸(生滅)하는 고정된 계절적 기운이다. 한난조습에 의해 오행 기운(지지오행)을 발생시켜 천간오행의 활동을 뒷받침한다.

　-월주를 중심으로 계절적 기후를 억부(抑扶)하여 한난조습의 중화를 지향한다. 길흉은 조후의 편향됨에서 일어남으로 조후를 억부함으로써 균형을 조절한다.

(3) 지장간

-지장간은 지상으로 내려온 天干으로서, 천간오행이 지상에서 실현하고자 하는 뜻을 품고 있다.

-지장간은 투출을 통해 천간의 품은 뜻이 제대로 드러나는가의 여부를 판단한다. 천간이 지장간에 뿌리를 두고 있거나 지지와 통근한다면 기세가 강왕하여 명국에서 합충(合沖)이 일어나도 크게 흔들리지 않는다.

-天干은 천원(天元), 地支는 지원(地元)이다. 지장간은 인원(人元)을 의미하므로 명주인 '나(我)'가 품고 있는 실질적인 잠재력을 뜻한다.

(4) 12운성

-12운성은 인생운행의 시간표로서 흘러가는 명운(命運)을 의미한다.

-기세(氣勢), 운세(運勢), 강약(强弱) 등을 분석, 명국과의 생극(生剋), 합충형파해(合沖刑破害) 등으로 명운의 흐름을 판단한다.

(5) 신살(神殺), 공망(空亡)

-신살은 논리적인 근거가 빈약한 것이 많다. 180여가지의 신살이 있다고 하니, 술사들이 실전에서 혹세무민하기 쉬운 자료가 된다. 신살(神殺)은 논리적 근거보다는 살(殺)이라는 명칭으로 공포를 조성한다. 옛 농경사회에서 지배세력에 비해 학식이나 경제력이 낮은 일반 백성을 대상으로 손쉽게 간명하던 방법으로서 양자역학으로 우주를 설명하는 현시대에는 통변에 주의를 기울여야 한다.

-일반 신살과 12신살에 공통으로 중복되어 사용되는 것으로는 역마살(天), 도화살(人), 화개살(地) 등이 있다.

-전세계의 인구의 6분의 1, 또는 12분의 1이 공망에 든다. 온 세상이 공망이요, 신살로 가득하니 밖에 나갈 수가 없다. 코에 걸면 코걸이요, 귀에 걸면 귀걸이가 되니 혹세무민하는 술사들의 밥줄이 되기 쉽다.

(6) 운(運)으로 운로(運路)를 판단한다.

-운은 명주인 일간과의 오행생극 작용을 우선으로 분석하고, 다른 천간과의 작용을 살핀다.

-운에 들어온 간지가 사주팔자와 생극, 합충 등을 통해 명국의 텍스트가 움직이면서 작동하고 변화하는 것을 분석한다. 천간의 생극을 통해 오행의 변화를 파악하고, 지지의 합충을 통해 천간의 기세를 분석한다.

-근묘화실의 원리에 따라 사주명국에 류운이 접응하는가, 또는 지장간이 류운에 발동하는가를 따져 상호작용을 판단한다.

-사주팔자가 나의 전체적인 명(命)의 특성을 설명한다면, 12운성으로 표현되는 다섯 번째 기둥인 운은 텍스트에 불과한 명국의 팔자(八字)를 살아 움직이게 하는 동인(動因)이 된다. 운이 들어오면서 명국에 불이 켜지고, 사주(四柱)는 오주(五柱)가 되어 실질적인 오행(五行)으로 완성된다.

▶극(剋)은 오행 자신의 형상을 제대로 갖추게 하는 역할을 한다. 그러므로 적절한 극은 일간(日干) 본연의 모습을 갖추게 하는 약이 된다. 예를 들어 金은 火를 만나야 형상을 갖추게 되고, 木을 金을 제대로 만나야 다듬어진다. 火는 水를 만나야 기제(旣濟)를 이룰 것이며, 水는 土를 만나야 댐을 이룬다. 또한 土는 木을 만나야 소토(疎土)가 되어 만물을 생육할 수 있게 된다. 통변에서 극(剋)을 제대로 활용할 수 있어야 하는 이유이다.

사주는 과거나 미래의 사건을 맞추고자 하는데 목적이 있는 것이 아니라 명주의 성정(性情), 성향(性向), 기세(氣勢)와 운세(運勢) 등을 분석하여 명운(命運)의 흐름을 카운슬링(COUNSELING)해줌으로써 사주 명국의 주인 스스로가 인생 행로를 주체적으로 운행해 나갈 수 있도록 작은 등불을 밝혀주는 데 목적이 있다.

19.1 대운(大運)의 흐름

-월주(月柱)를 기점으로, 년간(年干)이 양(陽)이면 60갑자가 男命은 순행하고, 女命은 역행한다.

-월주(月柱)를 기점으로, 년간(年干)이 음(陰)이면 60갑자가 男命은 역행하고, 女命은 순행한다.

▷ 인생운행시간표, 대운의 작성법

時	日	月	年
丁	甲	**庚**	**丙**
卯	戊	**寅**	申

年干	男子	女子
양 (甲丙戊庚壬)	순행	역행
음 (乙丁己辛癸)	역행	순행

역행(음남, 양녀) ⟸ **기준** ⟹ 순행(양남, 음녀)

甲	乙	丙	丁	戊	己	**庚**	辛	壬	癸	甲	乙	丙
申	酉	戌	亥	子	丑	**寅**	卯	辰	巳	午	未	申
55	45	35	25	15	5	**0-4**	5	15	25	35	45	55

(예-1: 陽男 순행)

丙申년에 태어난 남자의 사주는 천간이 양(陽)인 丙火이다. 그러므로 남자 사주의 대운은 월주 庚寅에서부터 60갑자를 순행하여 구한다.

75	65	55	45	35	25	15	5
戊	丁	丙	乙	甲	癸	壬	辛
戌	酉	申	未	午	巳	辰	卯

(예-2: 陽女 역행)

丙申년에 태어난 여자의 사주는 천간이 양(陽)인 丙火이다. 그러므로 여자 사주의 대운은 월주 庚寅에서부터 60갑자를 역행하여 구한다.

75	65	55	45	35	25	15	5
壬	癸	甲	乙	丙	丁	戊	己
午	未	申	酉	戌	亥	子	丑

▷**대운수 산정방법**

　대운수는 사주명국에서 대운의 주기가 바뀌는 기준연령을 의미한다.
각 12지지의 기간을 약3일씩 10등분한 후, 출생일이 절입시기에서부터 몇 번
째인가에 따라 나이의 끝자리 수를 적용한다.

▶순행대운(양남, 음녀): 생일로부터 다음 절입일까지 남은 날짜수를 3으로
나누고(미래절), 나머지가 1이면 버리고, 2이면 반올림해서 대운수(몫)에 1을
더한다.
▶역행대운(음남, 양녀): 지난 절입일로부터 생일까지 지나온 날짜수를 3으로
나누고(과거절), 나머지가 1이면 버리고, 2이면 반올림해서 대운수(몫)에 1을
더한다.

▷(예) 태어난 날을 포함하여 다음 절입 날자까지의 일수가
☞15일이면
(15-1)/3=2…2
1은 버리고 2이상은 반올림하여 대운수(몫)에 1을 더한다(1사2입).
대운은 3, 13, 23, 33, 43…… 단위의 10년 주기로 바뀐다.

☞23일이면
(23-1)/3=7…1
1은 버리고 2이상은 반올림하여 대운수(몫)에 1을 더한다(1사2입).
대운은 7, 17, 27, 37, 47…… 단위의 10년 주기로 바뀐다.

☞2일이면
몫이 나오지 않으므로 이 경우는 0이 된다.

대운은 0, 10, 20, 30, 40, 50 단위로 10년주기로 바뀐다.

상세한 것은 만세력을 참조한다.

19.2.대운(大運)과 세운(世運)의 해석원리

　명국의 일간(나)은 류운(流運)과의 작용하여 기세를 얻거나 잃는다. 천간은 천간끼리 생극·합충을 한다. 지지는 지지끼리 합충을 통해 천간의 기운을 돕는다. (지지오행은 2-3개의 천간, 즉 지장간을 품고 있는 순수오행이 아니므로 지지끼리 오행 생극을 하지 않는다.) 운이 흘러 들어옴으로써 사주팔자의 오행이 균형을 이루는지, 아니면 균형이 깨지게 되는지를 분석한다.

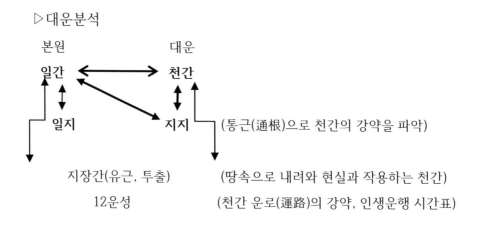

▷대운분석

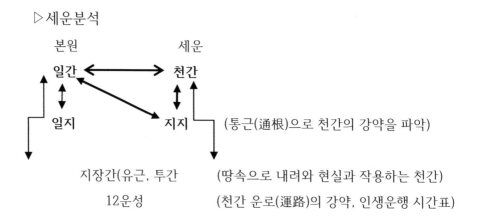

▷세운분석

▶지지는 천간과의 관계에서 지지 합충을 통해 천간의 생조(生助), 생설(生泄), 극설, 극해 등을 파악하여 길흉을 분석한다. 천간끼리의 관계는 생극 합충으로 파악한다.

▶대운(大運)은 10년 단위의 큰 흐름을 의미하므로 용사신(用事神)과의 관계를 기본으로 살피고, 세운(歲運)은 1년 단위의 흐름이므로 일간의 소용(所用)하는 바에 따라 쓰는 소용신(所用神)과의 관계를 우선 살핀다. 그리고 근묘화실의 원리에 따라 년주, 월주, 일주, 시주와의 관계를 살핀다.

▶월주는 명국전체에 강한 영향을 미치는 격을 형성하는 기운이며, 대운도 월주를 대신하는 계절적인 기운이라 할 수 있다. 그러므로 월지장간(용사신)이 대운에 투출하면 그 작용성이 강화된다. 월지장간은 용사신으로서 명국과 운을 통어하는 강력한 神이다. 월지는 명국 전체를 제어하는 조후로서 이를 역행할 수 있는 만물은 없다.

▶대운이란 주어진 환경과 같고, 년운이란 환경에 따라 결실을 맺는 것으로 비유할 수 있다. 나무를 심어 결실을 맺으려 하면 제때에 식목하는 것이 마땅하다. 환경과 분위기가 조성되었을 때 일의 성패가 달라지는 법. 겨울에 나무를 심는 것은 계절을 역행하는 것이다.

▶근묘화실(根苗花實)의 원리에 따라 년월일시의 지장간이 세운에 투출하면 '지금 또는 미래'의 운이 강화된다. 부모의 품을 벗어나지 못하고 양육을 받아야 하는 0-20대는 年지장간, 아직은 부모의 영향 아래에서 학업, 취업이나 결혼을 준비하는 단계인 20-30대는 月지장간, 취업 결혼 등 가정을 꾸리고 스스로의 책임 아래 삶을 영위하는 30-60대는 日지장간, 직장에서 은퇴하거

나 자녀의 영향권 아래 들어가기 시작하는 60대 이상은 時지장간이 세운에 투출하게 되면 그 작용성이 강화되는 것이다. 천간은 일간의 형이상학적 특성, 지지는 일간의 형이하학적 특성, 지장간은 일간의 잠재적 특성을 의미한다. 그러므로 대운이나 세운에 명국의 간지나 지장간과 같은 글자가 투출하면 그 오행과 간지가 품고 있는 특성이 강화되는 것이다.

[참고문헌]

『주역』, 「계사전」, 「문언전」, 「설괘전」

『노자』, 『관자』, 『순자』

심효첨, 『자평진전』

장남, 『명리정종』

유백온, 『적천수』

여춘대, 『궁통보감』

진소암, 『명리약언』

장재, 『정몽』

박규선, 『주역원리강해』 상·하, 부크크, 2024.

박규선, 『양자물리학과 주역』, 부크크, 2024.

박규선, 『간지역학 비결강의』, 부크크, 2024.

서락오, 박영창 역, 『자평진전 평주』, 도서출판 도가, 1997.

장남, 김찬동 역, 『명리정종』, 삼한출판사, 2016.

김진희, 『알기 쉬운 상수역학』, 보고사, 2013.

최정준 외3 공저, 『주역전의』 원·형·이·정, (사)전통문화연구회, 2021.

프리초프 카프라, 김용정 이성범 역, 『현대물리학과 동양사상』, 범양사, 2017.

주백곤, 김학권 외4 공역, 『역학철학사』 1권~8권, 소망출판, 2012.